La Evolución de un *Creacionista*

La
Evolución de un *Creacionista*

Por Dr. Jobe Martin

UNA GUÍA LAICA PARA

el conflicto entre

LA BIBLIA

Y

LA TEORÍA DE EVOLUCIÓN

Editorial Buenas Nuevas
Ciudad de Guatemala, Guatemala, C.A.

Primera edición en idioma español, 2004
Derechos del autor © Jobe Martin / Editorial Buenas Nuevas
Copyright © 1994, 2004 by Dr. Jobe Martin

Publicado por
Editorial Buenas Nuevas
Carretera a San Isidro, Zona 16
Ciudad de Guatemala, Guatemala, C.A. 01016
Tels. (502) 261-0123 al 25
E-mail: buenasnuevas@verbo.org / editbn@intelnett.com

Este libro fue originalmente publicado en inglés con el título:
*"The Evolution of a Creationist: A Laymen's Guide to the
Conflict Between The Bible and Evolutionary Theory"*
por Biblical Discipleship Publishers

Martin, Jobe R. 1940-
        La Evolución de un Creacionista

        320 págs.
        ISBN 99922-813-0-8
        1. Religión-Cristiana 2. Ciencia de la Creación
        3.Debate Creación/Evolución 4. Evangelio Cristiano

Traducido al español por:
Noemí de Castellanos, Michael L. Kadera y Héctor A. Morales
Revisión: Guadalupe y Manuel Orellana

Citas bíblicas tomadas de la Versión Reina-Valera Actualizada, © 1990
Editorial Mundo Hispano y la Nueva Versión Internacional © 2000

Primera Edición en español, Enero 2004. 4,000 Ejemplares.

Impreso en Guatemala, Centro América, por:
Litografía Sonibel. Tel. (502) 476-3213, Guatemala, C.A.
E-mail: sonibel@intelnett.com
Arte y Diagramación en español: CMOC Producciones.

AVISO: La meta de este libro es proveer al lector con información de fácil acceso sobre la controversia de la creación versus la evolución. Cualquier porción de este libro puede ser reproducida para uso personal o académico siempre que no se venda por ganancia económica. Tome nota que se encuentran en este libro citas de materiales bajo derecho de autor las cuales pueden reservar todos sus derechos legales.

Digno eres tú, oh Señor y Dios nuestro,
de recibir la gloria, la honra y el poder;
porque tú has creado todas las cosas, y
por tu voluntad existen y fueron creadas.
(Apocalipsis 4:11)

**Este libro está dedicado a mi
Creador y Salvador,
el Señor Jesucristo.
Solamente a Dios sea la gloria.**

No a nosotros, oh Jehová, no a nosotros,
sino a tu nombre da gloria
por tu misericordia y tu verdad.
(Salmo 115:1)

*Todos los que dieron de su tiempo
y talentos en la producción de este libro
lo hicieron por la gracia de Dios y para Su gloria eterna,
porque nuestra suficiencia viene de Dios
(2 Corintios 3:5),
y sin El no podemos hacer nada
(Juan 15:5b).*

Contenido

PREFACIO

El presente libro es una condensación y simplificación de más de treinta años de estudios, los cuales me movieron de la creencia incuestionable del evolucionismo darwinista a la confianza indudable en la creación especial hecha por Dios en seis días según el registro bíblico.

Es mi convicción que una discusión simple de las mayores preguntas en la controversia creación/evolución es necesario para esos hombres y mujeres que tienen poco o ningún trasfondo en ciencia. Por ende, he intentado dar enfoque a asuntos pertinentes en la manera más sencilla, reconociendo completamente que aquellos que han estudiado intensivamente áreas especializadas de la ciencia podrían criticar este libro por ser demasiado simplista.

El libro enfoca la evolución de un creacionista (yo), sin embargo, da énfasis a los conflictos inherentes entre teoría evolutiva y la Biblia. Esta obra es una compilación de pensamientos y escritos que Dios usó para cambiar mi sistema de creencia, mi cosmovisión.

Es mi convicción que el Antiguo y el Nuevo Testamentos de la Biblia son la Palabra inspirada, infalible e inerrante (exento de error, N. del T.) de Dios. La Biblia debe ser interpretada en la manera normal, histórica, gramática y literal. Sí, la Biblia usa figuras de lenguaje, pero son evidentes cuando son usadas de esa manera. Para la versión en español de este libro, la versión Reina Valera Actualizada (RVA, N. del T.) de la Biblia es citada en todo debido a su aceptación universal. Algunos de ustedes no están familiarizados con el español de la versión Reina Valera. En las escrituras citadas usted notará que los pronombres referentes a Dios no están en mayúsculas y ciertas puntuaciones y palabras en mayúsculas parecen estar fuera de lugar. Esta es la forma en que aparecen en el español de la Reina Valera (a menos que se haya cometido un error en la transcripción).

Cuando uso el término "evolución", me refiero a la idea de que después del "Big Bang" y supuestamente después que la tierra fue formada (por un proceso accidental, sin inteligencia y totalmente aleatorio-casual) se requirió millones de años para producir moléculas orgánicas y entonces muchos millones de años mas de procesos evolutivos (mutaciones y selección natural) para producir a los seres humanos (la teoría de moléculas-vida-hombre, también llamada macroevolución).

Para aquellos de ustedes que lean con extrema concentración, sin perderse una palabra o un pensamiento, por favor no hagan caso de las repeticiones. Algunos de nosotros necesitamos las repeticiones para que podamos entender mejor un concepto. Otros de nosotros no tenemos tiempo para leer un libro de una sentada. Por ende, he repetido a propósito ciertas cosas a lo largo del libro a fin de reforzar los conceptos.

Cuando se habla de los orígenes (¿De dónde vengo?), estamos tratando con un sistema de fe. Puede ser fe en Dios eterno o fe en materia y energía eterna. Este libro intentará ayudar al lector a discernir cual sistema de pensamiento acerca de nuestros comienzos cree él o ella. ¿Será que cree en lo impersonal sumado a casualidad y a millardos de años? ¿O existe un Creador/ Diseñador capaz de crear el universo y todo lo que contiene en seis días de veinticuatro horas cada uno hace unos 6,000 años?

¿Estudiamos nosotros los creacionistas diferente grupos de fósiles y seres vivientes y una Tierra diferente de los que estudian los evolucionistas? No, estudiamos los mismos datos. ¿Pero cómo se explica la formación de ideas completamente opuestas si usamos información idéntica? Las respuestas serán tratadas en las siguientes páginas. Tiene que ver con su cosmovisión- su juego básico de creencias- y si estas creencias incluyen a Dios.

Si decimos que somos cristianos, entonces necesitamos saber que es lo que podemos creer acerca del relato bíblico de la creación y no según nuestra politicamente correcta cultura humanista-evolucionista. Es una lástima que la mayor parte de los cristianos profesantes se han incorporado a las filas de la evolución por medio de la evolución teísta y el creacionismo progresivo. Hasta el día de hoy, la mayoría de los cristianos nunca han conocido lo que es el creacionismo bíblico. Una gran parte del pueblo de Dios, cuando son confrontados con las evidencias bíblicas para creacionismo bíblico, aceptan la verdad con gozo.

Yo animaría a padres y jóvenes a que empiecen a construir una biblioteca de buena literatura creacionista. Una útil lista de libros y organizaciones creacionistas ha sido incluída para su referencia. Muchos estudiantes de secundaria y universitarios están haciendo investigaciones desde la perspectiva creacionista. Los profesores pueden apreciar erudición documentada con excelencia aun cuando no estén en acuerdo con la posición del creacionista.

Es un hecho conocido que nosotros los cristianos perdimos 70% de nuestros jóvenes cristianos evangélicos luego de sus estudios universitarios. Mis amigos de La Cruzada Estudiantil para Cristo afirman que si ellos no alcanzan a los estudiantes del primer año dentro de las primeras seis semanas de clases, ya los han perdido con otras ideologías. Los jóvenes cristianos están entregándose a otras cosmovisiones con las cuales ellos se encuentran en las universidades seculares. ¡Miles de ellos están abandonando sus raíces cristianas!

La mayoría de los profesores humanistas, marxistas, de la Nueva Era, islámicos y post-modernos tienen una agenda, ¡ellos quieren las mentes y los corazones de nuestros hijos! La mayor parte de nosotros los cristianos no tenemos una agenda tan definida como la de ellos. Enviamos a nuestros hijos a estos colegios y universidades sin estar preparados para defender su fe. Mientras van a varios lugares para recibir su educación, ellos deberían ser equipados y estar listos para poner en práctica Escrituras, tal como 1 Pedro 3:13-17:

¿Quién es aquel que os podrá hacer daño, si sois ávidos por el bien? Pero aun si llegáis a padecer por causa de la justicia, sois bienaventurados. Por tanto, no seáis atemorizados por temor de ellos ni seáis turbados. Más bien, santificad en vuestros corazones a Cristo como Señor y estad siempre listos para responder a todo el que os pida razón de la esperanza que hay en vosotros, pero hacedlo con mansedumbre y reverencia. Tened buena conciencia, para que en lo que hablan mal sean avergonzados los que se burlan de vuestra buena manera de vivir en Cristo. Porque es mejor que padezcáis haciendo el bien, si la voluntad de Dios así lo quiere, que haciendo el mal.

¡Estamos enviando a nuestros hijos como si fueran <u>campos misioneros</u> en vez de <u>misioneros</u>! Muchos jóvenes cristianos entusiastas naufragan espiritualmente debido a los sutiles argumentos, aparentemente científicos, sobre evolución y a las tácticas intimidatorias de ciertos maestros y profesores.

Padres y madres, la situación en las aulas el día de hoy no es en nada similar a la situación cuando estudiábamos nosotros en la escuela. Permítame darles un ejemplo. Un estudiante cristiano quien fue el mejor de su clase en una universidad secular de prestigio hizo una investigación (el 1 de mayo de 2001) para su clase de microbiología titulada: "Comparing and Contrasting the Regulation of the Lactose and Balactose Operons and Regulons in Streptococcus thermophilus, Streptococcus mutans and Lactococcus lactis" [Comparando y Contrastando la Regulación de los Operones y Regulones en Streptococcus thermophilus, Streptococcus mutans y Lactococcus lactis]. En la primera página de su investigación él cometió un grave error el cual hizo estallar a su profesor. El estudiante escribió lo siguiente: "Este mecanismo genético de control en grupo es un sistema informativo diseñado maravillosamente…" ¡Y su profesor fue lanzado al espacio exterior!

¿Cuál es el gran problema? El estudiante usó la palabra "diseño." Esto implica "Diseñador" lo cual implica "propósito" y algo de "Dios." Así que aquí están los comentarios intimidatorios de este profesor y una vez más los escribo palabra por palabra (exactamente como el profesor lo puso):

> **Aaron- sugiero que madures o medites fuertemente sobre tu carrera en Biología. Creacionismo no es ciencia- no se puede comprobar, no es posible predecir las acciones futuras a través de este.- [Esta investigación] está incompleta, pobremente enfocada y tiene demasiada información pedante e irrelevante y evidentemente apologética. Inapropiada para una clase de ciencia. Ciencia pobre. La ciencia no es anti-religión pero tu religión es definitivamente anti-ciencia. Escoge otro campo donde las opiniones personales son lo mas importante. Supongo que mis comentarios servirán para alimentar tu complejo de mártir, así que adelante. Yo también soy cristiano devoto. Creo que la Biblia es la Palabra inspirada de Dios- creo que soy salvo por el poder redentor de Cristo Jesús. Sin embargo, mi fe no es simplista, literalista, inconsistente, no informada y perjudicial como parece la tuya. Otra vez, piénsalo bien tu área de estudios y tus selecciones de cursos para el próximo ciclo.**

Padres, ¿Ven a lo que me refiero? Con tácticas intimidatorias como las de arriba, la mayoría de los estudiantes cristianos se dan por vencidos y dicen, "Está bien, Profesor, ¿que quiere que yo crea?" Estamos perdiendo 70% de nuestros hijos cristianos. Nuestros hijos están totalmente confundidos por maestros que se dicen "cristianos", pero atacan aun el más mínimo indicio de que el estudiante pudiera realmente creer en Dios. ¡Es peor si ellos creen en Su relato bíblico de la creación! ¡Estos argumentos no están limitados a las clases de "ciencia", sino también son presentados en cursos tales como inglés, educación física, sociología y religión!

Este libro intentará señalar las claras diferencias entre evolución y creación. Mi esperanza es que los lectores se darán cuenta que la perspectiva bíblica para estudiar los orígenes de todas las cosas es confiable. La Biblia no es exhaustiva cuando trata de la ciencia, pero es verdad.

Mis agradecimientos personales a todos los valientes autores quienes me han influenciado y han sufrido por causa de la justicia en sus esfuerzos para glorificar a nuestro Señor por medio de sus escritos. El primer libro que leí sobre este tema (en 1971) me impactó grandemente. Este fue The Genesis Flood [El Diluvio del Génesis] por los doctores Henry Morris y John Whitcomb. El segundo libro fue escrito por el Dr. Bolton Davidheizer y tiene por título Evolution and the Christian Faith [La Evolución y la Fe Cristiana] . Ambos libros jugaron un papel significativo en mi evolución fuera del pensamiento evolutivo.

Yo sé que fuera del Espíritu de Dios trabajando dentro de los corazones de las personas para convencerlos de la verdad, los esfuerzos meramente humanos para hacer una apologética y cambiar la mente de la gente son inútiles. Creo también que "La Batalla es del Señor" (2 Crón. 20:15) y, sin embargo, de algún modo Él se deleite en usar a Sus santos en las batallas, para Su suprema gloria eterna. Humildemente doblo mis rodillas ante mi Creador y Salvador, el Señor Jesucristo, y estoy confiando en Él para usar Su palabra para hablar al corazón de usted. Él es fiel (2 Tim. 2:13) y Su Palabra es verdad (Juan 17:17) y viva y poderosa y más cortante que cualquier espada de dos filos (Hebreos 4:12) y no volverá vacía (Isaías 55:11). ¡Como Dios dice en Su Palabra revelada, la Biblia, vendrá un día cuando toda rodilla se doblará y toda lengua confesará que Jesucristo es Señor para la gloria de Dios el Padre (Filipenses 2:10-11)! ¡Su verdad prevalecerá finalmente, por toda la eternidad!

LAS MARAVILLAS DE
LA CREACIÓN DE DIOS

Al final de cada capítulo (dentro de algunos capítulos), una "Maravilla de la Creación de Dios" será insertada para demostrar la unicidad de algunas criaturas en la creación de Dios. La creencia evolutiva está basada en la premisa que por medio de una serie de mutaciones casuales y la selección natural, plantas y animales evolucionan nuevos miembros y habilidades cuando sean necesarios. Los libros de texto mencionan que los fósiles de tortugas y cucarachas tienen varios cientos de millones de años. Sin embargo, estas criaturas fósiles se parecen exactamente como las tortugas y cucarachas de hoy día. Entonces ¿por qué no han evolucionando y cambiado sobre los millones de años? "Fueron hechos perfectamente bien para su rinconcito en la naturaleza y no tenían que cambiarse." ¿¿¿Así que la evolución de las varias formas de vida no ocurre sin que sea necesaria???

La evolución simplemente no puede explicar el origen de los animales únicos tratados en este libro. No hay forma de que su existencia pudo haber ocurrido separada de la creación especial. Ellos habrían "muerto en el proceso" intentando evolucionar el equipo y funciones necesarios para mantener la vida. Hombres brillantes han gastado vidas enteras intentando comprobar que las criaturas evolucionaron de una criatura a otra. ¡Ese trabajo queda todavía por realizarse!

UNA ADMONICIÓN

¡Si tiene tiempo para leer este libro
el día de hoy, pero no ha tomado
el tiempo para leer su Biblia,
entonces usted no tiene tiempo
para leer este libro!

El Señor

Jehová fundó la tierra con sabiduría,
Afirmó los cielos con entendimiento.
Con su conocimiento fueron divididos los océanos,
y los cielos destilan rocío.

(Proverbios 3: 19, 20).

1

LA EVOLUCIÓN DE UN CREACIONISTA

Frustración no era una palabra adecuada para describir mis sentimientos! ¿Cuál era verdad, evolución y mil millones de años, o creación en seis días de 24 horas? Dos de mis estudiantes en la Universidad de Odontología de Baylor me habían retado a investigar la posibilidad que el Dios de la Biblia hubiera creado todas las cosas en seis días de 24 horas conforme al primer capítulo de Génesis. Mi primera reacción fue: "Solo un tonto ignorante creería en esos mitos antiguos del Libro de Génesis."

Yo era un evolucionista. Mis años como estudiante de biología en la Universidad de Bucknell y estudiante dental en la Universidad de Pittsburgh me habían convencido que estamos aquí a causa de procesos evolutivos; todo muy lógico y explicable por medio del Método Científico. ¡Este fue 1971 D.C.! Estábamos viviendo en los días de la ciencia moderna de alta tecnología la cual reclamaba tener pruebas de que la evolución era verdad. Sin embargo, estos dos estudiantes eran jóvenes brillantes. Poseían títulos avanzados en ciencias. De seguro, debía haber una manera sencilla para comprobar que su noción de la creación en seis días era incorrecta. Una de las preguntas que me hicieron esos dos estudiantes de odontología fue esta: "Doctor Martin, ¿Ha oído usted del concepto de Dios creando cosas con la apariencia de edad?" En ese punto de mi peregrinaje, ciertamente no lo sabía, pero me encendió un deseo por aprender más. Y entonces, la frustración empezó.

UNA MIRADA ATRÁS

La semilla de mi frustración fue sembrada en septiembre de 1966. Yo estaba asistiendo al Equipamiento Médico Básico de La Fuerza Aérea EEUU en Wichita Falls, Texas. La guerra de Vietnam estaba en su apogeo. Había recibido órdenes de presentarme a la Base Aérea de Andrews en Washington, D.C., al terminar el Equipamiento Básico. Yo iba a ser uno de cinco dentistas al servicio de los pilotos y las tripulaciones de la escuadra presidencial del Presidente Johnson- la 89th Ala Militar del Puente Aéreo de Transporte.

La semilla fue una oración breve. Mientras estaba sentado en el Club de Oficiales esa noche en septiembre, decidí aclarar las cosas con el Dios de la Biblia (si en realidad estaba allí). Si Él pudo dividir el mar Rojo, convertir agua en vino, y resucitar a un muerto, Él podría contestar una oración sencilla. Esta fue mi oración: "Dios, si estás allí arriba, tienes dos opciones: o me muestras la señorita con quien me debo casar, o verás al oficial de la Fuerza Aérea más desenfrenado que jamás hayas visto." Instantáneamente pensé, "¡Uf, nadie escuchó esa oración! ¡Voy a salir a darme buena vida!"

Sin embargo, Dios había escuchado esa oración. ¡Conocí a la que sería mi esposa ese mismo día! Salimos juntos la siguiente noche y esa misma noche le dije a Jeanna Dee que iba a casarme con ella. Yo sabía que lo haría. El Dios de la Biblia había contestado mi oración específica el día que se la había hecho.

Mientras llegaba a Washington, D.C., decidí ir a la iglesia y aprender más acerca de Dios. Al salir de la iglesia ese primer domingo, el pastor me dio la mano y me preguntó si podía ayudarme espiritualmente en algo. Le dije que cualquier cosa que hiciera me ayudaría espiritualmente porque en ese momento yo estaba en cero. El Pastor Charlie Warford me pidió levantarme los lunes por la mañana a las 6:00 a.m. y leer la Biblia con él. Siempre me gustó discutir con la gente acerca de la Biblia, pero realmente nunca la había leído. Entonces, leímos Mateo, Marcos y Lucas y estábamos en Juan, capítulo 3, versículo 16, cuando Dios atrajo mi atención. Este versículo dijo, **"Porque de tal manera amó Dios al mundo, que ha dado a su Hijo unigénito, para que todo aquel que en él cree no se pierda, mas tenga vida eterna."** Fue la primera frase que me llamó la atención. Yo era parte del mundo, tenía un compromiso fuerte hacia el mundo y yo lo sabía. ¡Ese versículo dijo a mi corazón que Dios me amaba! Me puse de rodillas con el Pastor Warford y le pedí al Señor Jesucristo que perdonara mi pecado y le entregué mi vida a Él. La semilla había sido sembrada y empezaba a germinar.

En el momento que llegué a confiar en Jesucristo como mi Salvador, mis pecados fueron perdonados y me fue dada la vida eterna. Pero, algo mas ocurrió que no me di cuenta sino hasta más tarde. Yo había pasado de ser "evolucionista agnóstico" a "evolucionista teísta". Eso quería decir que ahora yo creía en Dios y que Él usó evolución durante mil millones de años para crear el universo y todo lo que en él hay. De algún modo, en esta etapa temprana de mi desarrollo espiritual, yo no entendía que la evolución naturalista pura elimina completamente a Dios. Honestamente, yo creía que la evolución era la única opción científicamente correcta para explicar como llegamos a estar aquí. Era el "Big Bang" ["Gran Explosión": la traducción literal del inglés. N.del T.], sumando tiempo y procesos aleatorios-casuales sin intervención de inteligencia. En otras palabras, "nada sumado a nadie igual a todo," o "fango sumado a tiempo igual… yo."

TODO EL MUNDO CREE POR FE

Mis profesores universitarios de ciencia no me habían explicado que yo estaba haciendo algunas suposiciones importantes al creer en el modelo del Big Bang. El Big Bang es la creencia que el universo y todo lo que contenía estaba tan densamente comprimido que la materia era invisible. Esta "partícula cósmica" sufrió una repentina mega explosión llamada por los científicos evolucionistas como el "Big Bang."[1] Muchos científicos creen que esta explosión ocurrió hace entre nueve y veinte millardos de años. ¡Piense en el tremendo e inexacto rango de tiempo propuesto por varios evolucionistas para la occurencia de este teórico Big Bang…mas de once mil millones de años!

Para aceptar el Big Bang, uno tiene que asumir que la existencia de materia y energía es eterna, por lo menos si uno quiere ser lógico. Algunos evolucionistas aceptan la idea de fluctuación cuántica (la idea que no había nada allí antes del Big Bang y de repente, "Bang," y había algo). ¡Me parece que esto requiere una gran cantidad de imaginación, pero así es como la física cuántica está tratando de evitar tomar en cuenta la ley de causa y efecto! El modelo del Big Bang, según lo que nos dicen, solamente intenta explicar el manejo de materia y energía, no su origen. Por supuesto, las explosiones se observan muchas veces como la causa de desorden, no orden. ¡Lógicamente, si no existe Dios, la materia siempre tuvo que estar eternamente presente antes del Big Bang o no habría nada allí para hacer PUM! Descubrimos aquí que todo el mundo cree en algo eterno por fe. O es fe en la materia y energía eterna, fe en una mística fluctuación cuántica la cual se repite un sin fin de veces o fe en Dios eterno.

---

[1] "El universo empezó como una partícula la cual fue infinitamente densa y ocupaba nada de espacio." Robert Augros y George Stanciu, The New Story of Science (Lake Bluff, Illinois: Regnrey Gateway Pubs., 1984), pp. 54-64 (condensado y parafraseado).

FE EN CREACIÓN O EN EVOLUCIÓN

¿Por qué es esta creencia por fe? Porque está afuera del alcance de la ciencia donde se puede hacer pruebas. No hay experimentos que pueden comprobar quién o qué estaba aquí cuando comenzó el universo. En consecuencia, cuando hablamos de orígenes, ni el modelo de creacionismo ni lo de evolución puede ser probado ni verificado por experimentos científicos reproducibles. Esto pasa los dos modelos de orígenes del campo de la ciencia al área de la fe generada por la religión. ¡Muchos evolucionistas se niegan a admitir que su idea del origen de todas las cosas es un sistema basado en fe!

Tanto el teísta como el ateo viven por fe. Nuestro juego básico de creencias, o sistema de fe, o manera de pensar es nuestra visión del mundo. Es lo que creemos acerca de la vida. Nuestra visión del mundo dicta nuestros valores y carácter. El comportamiento es la expresión externa de nuestra visión principal del mundo. Cuando nuestros hijos regresan a casa de la escuela o universidad mostrando un tipo de comportamiento diferente, es porque ellos están recibiendo (o han recibido) una visión del mundo religiosa diferente. La forma en que vemos la vida, depende entonces de los "anteojos de la visión del mundo" que llevamos puestos (Proverbios 23:7). Los anteojos de la visión del mundo que nosotros los cristianos llevamos puestos, ¿son influenciados mas por nuestra cultura o por la Biblia?

Proverbios 14:12 dice, **"Hay un camino que al hombre le parece derecho, pero que al final es camino de muerte."** Mientras pensamos acerca de la controversia del creacionismo y evolucionismo, ¿cuáles son los anteojos que usted lleva puestos? ¿Le parece bien, aun como cristiano, llevar los anteojos evolutivos que le dan una visión humanista del mundo? En otras palabras, si Dios dice que creó todo dentro de una semana normal, ¿por qué nos hacemos evolucionistas teístas o creacionistas progresivos y creemos que Dios usó el Big Bang y varias formas de evolución durante millones de años para hacerlo? ¡Hemos sido profundamente contaminados por la cultura evolutiva en que vivimos! Antes que creer literalmente en la Biblia, preferimos ser "políticamente correctos". Aún nosotros los cristianos aparentemente **"...amaron la gloria de los hombres más que la gloria de Dios"** (Juan 12:43 y 5:44).

¿SON ETERNAS LA MATERIA Y LA ENERGÍA?

Algunos evolucionistas creen que si la materia y la energía fueran eternas, estarían- antes del tiempo del Big Bang- en estado de equilibrio. El equilibrio significa que todo sería igual y no reactivo. Un auto es como eso. El auto permanece ahí en neutral (equilibrio) y no hace nada hasta que sea puesto en marcha. Al arrancar el motor se produce una explosión de la gasolina la cual provee el poder para mover el auto. La ciencia nos dice que cuando la materia está en algún lugar por suficiente tiempo (la eternidad pasada), eventualmente termina haciendo algo, todas las posibles reacciones pudieran ocurrir y se quedarían allí como un auto en neutro. Esto es parte de la segunda ley de termodinámica, lo que los físicos llaman Entropía de Zeroeth. Antes del Big Bang, toda materia y energía, si eterna, estaría en neutral (equilibrio). Es como el auto cuando está apagado y estacionado sobre una superfície plana en el camino. No se mueve hasta que alguien lo arranque.

Por eso, si todo estaba estático antes del Big Bang, ¿qué hizo que el Big Bang hiciera PUM? Si usted cree en el Big Bang y en la materia y energía eternas, usted cree por fe que ésta partícula de materia infinitamente densa (la cual tendría una gravedad infinitamente poderosa halando hacia dentro) de algún modo logró sobreponer sus propias fuerzas que la halaban hacia dentro y se hizo "BANG", ¡lanzando hacia fuera la materia de la que estaba formado y de esta manera creando simultáneamente el tiempo y el espacio! Esta explosión cósmica gigantesca sería de tal magnitud que finalmente resultó produciendo todo el contenido del universo. La formación de estrellas, galaxias, océanos, montañas y flores parece exigir un diseño y propósito no casual. Esto nunca ha sido observado al ocurrir una explosión caótica. La creencia en una mega explosión que finalmente termina produciendo orden y regularidad y algo predecible y belleza y música y emociones (como el amor) a mi criterio requiere una fe enorme.

Así que por eso la pregunta se convierte en, "¿Creo por fe en la materia y energía eternas?" (Esto me presenta con el problema de ¿Que hizo que el Big Bang hiciera PUM?) o, "¿Creo por fe en el Dios eterno?" Todos creen por fe en algo eterno.

Philip E. Johnson, abogado de la Primera Enmienda de La Constitución de E.E.U.U., quien enseña derecho en la Universidad de California, Berkeley, cree que los medios de comunicación con demasiada frecuencia presentan a los creacionistas como personas que no usan ni entienden la ciencia. Johnson escribe:

De hecho, esta controversia de la creación/evolución es más profunda de lo que parece, o mas bien que el estereotipo que los medios de comunicación tan cuidosamente fabrican acerca de los "creacionistas" como personas de poca preparación académica que citan la Biblia y rechazan confrontarse con la evidencia científica. Los creacionistas puedan estar equivocados acerca de muchas cosas, sin embargo, ellos tienen por lo menos un punto muy importante para argumentar, un punto que ha sido totalmente obscurecido por todo el énfasis dado al diluvio de Noé y otros asuntos secundarios. Lo que los educadores de ciencia proponen enseñar como "evolución," y poner etiqueta como un hecho real, está basado no en alguna evidencia empírica incontrovertible *(hechos comprobados científicamente, ed.)*, sino en una presuposición filosófica altamente controversial. Entonces, la controversia sobre la evolución no desaparecerá mientras que la gente esté más informada acerca del asunto. Al contrario, cuanto más aprenda la gente del contenido filosófico de lo que los científicos llaman "el hecho comprobado de la evolución," menos les va a gustar.[2]

Como muchos de nosotros, Johnson está preocupado de que los maestros de ciencia de las escuelas públicas y los profesores universitarios hayan salido del campo de "ciencia" a la esfera de la enseñanza religiosa (fe) cuando hablan de la evolución moléculas- hombre como hechos científicos comprobados. En mis años como estudiante de ciencias en la Universidad de Bucknell y la Universidad de Pittsburgh, fui enseñado que la ciencia y los fósiles prueban que la evolución es verdad, que los importantes pasos transitorios en la evolución de una criatura a otra "ocurrieron dentro de sus brechas." Estoy en acuerdo ahora con Johnson cuando él cuestiona a la teoría evolutiva contemporánea y sus partidarios. "El mecanismo [del modelo evolucionario] logra prodigios de creatividad, no porque los prodigios pueden ser comprobados, sino porque ellos (los evolucionistas) no pueden pensar en una explicación más plausible para la existencia de éstas, el cual no involucra un <u>creador</u>, o sea, un ser o una fuerza fuera del mundo de la Naturaleza."[3] Lo correcto políticamente hoy día también exige el aborrecimiento de cualquier credibilidad o realidad hacia un Dios literal quien es más grande que la ciencia en sí, ¡porque El creó la verdadera ciencia!

DIOS, EL CREADOR

Aunque la idea del Dios Creador fuera del mundo de la naturaleza es inaceptable para la mayoría de los evolucionistas, la Biblia enseña que el Dios eterno creó el universo, y lo hizo por y a través de y para Su unigénito eterno Hijo, el Señor Jesucristo.

---

[2] Philip E. Johnson, Evolution as Dogma: The Establishment of Naturalism (Dallas, TX: Haughton Publishing Company, 1990), pp. 1,2.

[3] Ibid., p. 7.

El Hijo eterno estaba allá en el principio de la creación como se ve en los pronombres plurales de Génesis 1:26, *"Hagamos al hombre a nuestra imagen, conforme a nuestra semejanza."* Que Él, el Hijo, era esencial en la creación de todas las cosas es enseñado en el Evangelio de Juan:

> **En el principio era el Verbo, y el Verbo era con Dios, y el Verbo era Dios. Él era en el principio con Dios. Todas las cosas fueron hechas por medio de él, y sin él no fue hecho nada de lo que ha sido hecho. En él estaba la vida y la vida era la luz de los hombres (Juan 1:1-4).**

Estos versículos de Juan verifican que Jesús es el Creador, y que todas las cosas fueron hechas por Él. El libro de los Hebreos es otro testimonio que Jesús es el Creador del mundo: **"Dios…en estos últimos días nos ha hablado por el Hijo, a quien constituyó heredero de todo, y por medio de quien, asimismo, hizo el universo"** (Hebreos 1:1-2). La carta a los Colosenses también refiere al Señor Jesús como el Creador de todas las cosas, y continúa nombrándolo a El, como Aquel por medio de quien todas las cosas subsisten (Col. 1:15-17).

Los científicos dicen, "Tenemos un problema. No hay suficientes estrellas, lunas y asteroides para mantener todo el universo unido." Esto se llama el problema de la "Masa Faltante". Todo debía estar volando hacia fuera, pero permanece unido. El creacionista puede decir, "Yo sé que es lo que mantiene el universo unido a pesar del problema de la 'Masa Faltante'- el Señor Jesús, el Creador lo mantiene unido por Su gran poder".

(Hebreos 1 y Colosenses 1). Cuando la Biblia se refiere a la ciencia, puede ser que no sea exhaustiva, pero es exacta. Podemos confiar en ella.

Cuando los científicos escogen creer que Dios el Creador no existe, ellos tienen que encontrar otras explicaciones. Ellos observan que nuestro universo se mantiene unido. Calculan que no hay suficiente masa para hacerlo. Ahora, tienen un problema, así que tienen que encontrar una alternativa. En este caso, la salida que me enseñaron en la universidad durante los últimos años de los cincuenta era que "materia invisible, fría y oscura" mantiene intacto el universo. También, me enseñaron que los neutrinos (llamados por algunos científicos como "la partícula de realidad mas pequeña en el universo") no tenía masa. Pero la explicación más reciente para no tener que creer que es el poder de Dios el que mantiene unido el universo son los neutrinos. Hoy en día es popular en algunos círculos evolutivos creer que los neutrinos tienen tanta masa que ellos mantienen junto al universo, aunque todavía la masa del neutrino no haya sido establecida con precisión.

Las Escrituras nos dicen que Dios mantiene unido el átomo y también el universo. El mundo llegó a existir, no como resultado de una explosión cósmica casual, sino como una creación especial con un propósito único. Dios se propuso hacer personas que le traerían gloria a sí mismo y con quien Él, pudiera tener comunión. Finalmente, el Creador daría un paso dentro del tiempo y de Su creación para hacerse el Salvador. Habrá mas sobre eso adelante.

En el hebreo antiguo del Antiguo Testamento, una palabra se repite para enfatizar esto. Por ejemplo, en Isaías 6:3 se usa la repetición para decirnos que Dios es infinitamente santo: **"¡Santo, Santo, Santo, es Jehová de los Ejércitos! ¡Toda la tierra está llena de su gloria!"** No se puede llegar a ser más santo que Dios. El idioma hebreo usa la misma palabra tres veces para mostrar la total y absoluta santidad de Dios. De una manera similar, Génesis enfatiza el hecho de la creación. Moisés, bajo la inspiración del Espíritu Santo, escribe:

> **Este es el libro de los descendientes de Adán. Cuando Dios creó al hombre, lo hizo a semejanza de Dios. Hombre y mujer los creó, y los bendijo. Y el día que fueron creados, llamó el nombre de ellos Hombre (Génesis 5:1-2, énfasis añadido).**

EL HOMBRE, EL SER CREADO

¡El hombre fue creado, creado, creado! No se puede ser más enfático que eso. La Biblia no dice que el hombre evolucionó, evolucionó, evolucionó. Si Dios hubiera querido mostrar que el hombre se habría originado a través de períodos de cambios evolutivos, Él ciertamente hubiera podido. Pero Su Palabra es Verdad y la Verdad dice que el hombre fue creado. La humanidad ni siquiera es Homo sapiens. Homo sapiens es un término hecho por los hombres que nos pone en el reino de los animales. Nosotros fuimos creados a imagen de Dios en un nivel mucho más arriba del reino animal con el propósito de ejercer dominio sobre las otras formas de vida de este planeta.

El Señor Jesús no solo creó al hombre, Él lo creó a imagen de Dios. ¿Acaso Dios, quien "habló la creación a existencia," tuvo que usar millones de años de errores evolutivos para finalmente lograr que el hombre llevara Su imagen? !¡Por supuesto que no! La idea de los millones de años fomenta menosprecio a la omnipotencia de Dios.

Si la gente realmente evolucionó de criaturas parecidas a los monos, entonces surge la pregunta, "¿Qué de la Virgen María? ¿Estaba María, la madre humana del Señor Jesús, compuesta de genes recombinados de monos?" Si María era una familiar lejana de los monos, ¿Entonces, nuestro Señor, también estaba relacionado genéticamente a los primates? María fue creada a la imagen de Dios, no en el linaje de los monos.

La Biblia nos dice que Dios creó al hombre en Su propia imagen como una creación instantánea (Génesis 1:27). Jesús, el Creador, verifica esto en Marcos 10:6. Él declara: **"Pero desde el principio de la creación, Dios los hizo varón y mujer."** El contexto de Marcos 10:6 es el divorcio. Todos nosotros sabemos que las cucarachas, conejos y ratas no se divorcian. El Creador está hablando de personas. La gente se divorcia. El Creador del matrimonio basado en un solo hombre/una sola mujer hasta que la muerte nos separe nos dice que el divorcio no es Su solución para los problemas de orgullo y egoísmo en el matrimonio. (Si usted quisiera leer algo de lo que la Biblia dice acerca de esto por favor refiérase a Malaquías 2:13-16; Deuteronomio 24:1-5; Mateo 5:31,32; Mateo 19:3-12; Marcos 10:1-12; Lucas 16:18; 1 Corintios 7:10-16; Filipenses 2:1-4; Efesios 4:25-32; Colosenses 3:12, 13; 1 Pedro 3:8,9; también puede visitar la página en internet: www.biblicaldiscipleship.org). Personas creadas instantáneamente a la imagen de Dios, estaban allí en el principio.[4]

Si creemos lo que la Biblia dice (y este libro argumentará que no hay prueba "científica" para no hacerlo), Marcos 10:6 por sí mismo destruye toda la enseñanza evolutiva. Había gente masculina y femenina sobre la tierra desde el principio. El Creador lo dice. Eso no deja espacio ninguno para mil millones de años de formas transitivas de animales (eslabones perdidos) evolucionando desde una sola célula hasta criaturas parecidas a monos y luego el hombre. [Recuerde: La evolución requiere millones y mil millones de años, no solamente cientos o aun miles. Los espacios grandes de tiempo en las genealogías de la Biblia serán tratados mas adelante.]

EL HOMBRE CREADO TOTALMENTE MADURO

Si es la verdad que había gente aquí como personas de ambos sexos desde el mero principio, entonces Dios los creó como adultos "instantáneos". Él creó a Adán, un adulto completamente desarrollado (completo, terminado y en su punto de perfección) quien tenía solamente un segundo de edad. De la costilla de Adán (¡tomada durante la primera anestesia general!), Dios creó a la primera mujer, Eva, completa y madura. Adán se

---

[4] Escuché este argumento por primera vez en un cassette tratando la controversia de evolución/creación por Floyd Jones Ministries, 8222 Glencliffe Lane, Houston, TX, 77070.

despertó y no vio a una bebé. Fue presentado a Eva, su esposa completamente desarrollada en todo sentido. Si usted es un evolucionista teísta (el que cree que Dios usó el Big Bang y el proceso evolutivo durante millones de años para producir moléculas, vida y al hombre), o hasta un creacionista progresivo (el que cree que Dios causó el Big Bang hace unos 16 mil millones de años y entonces creó todo en una forma progresiva a través de millones de años), usted tiene un problema. ¿Conoce usted de algún evolucionista que crea que las mujeres evolucionaron de las costillas? Génesis enseña que Dios hizo a Eva de la costilla de Adán. Sí, esto quiere decir que Eva fue originada en Adán, pero aún fue hecha a mano de la costilla que Dios quitó del costado de Adán. Si es cierto lo que dicen algunos creacionistas progresivos que no se le hizo a Adán ninguna cirugía de costilla, entonces ¿por qué dice que Dios "**...cerró la carne...**" (Génesis 2:21) de Adán después de quitarle una de sus costillas?

Si Adán le hubiera preguntado a Eva cuando la vio por primera vez, "Eva, ¿Cuántos años tienes?" ella habría respondido, "Un minuto de edad, Adán." Ella fue creada como una mujer completamente desarrollada. Ella lucía como que tenía 25 años de edad, pero tenía que esperar un año completo para celebrar su primer cumpleaños. Si Eva hubiera dicho, "Adán, tengo hambre," él podría haber extendido la mano y tomado un durazno maduro aunque el árbol sólo tenía tres días de edad. Dios también creó árboles completamente maduros. Se miraban viejos y producían fruta madura, pero solamente tenían tres días de haber sido creados. Estos árboles estaban creciendo en suelo que fue creado completamente desarrollado. En este suelo, los helechos estaban prosperando y las flores estaban floreciendo. Enormes dinosaurios que tenían minutos u horas de nacidos caminaban sobre la Tierra con Adán y Eva (Afortunadamente, en este momento ellos comían plantas y no humanos. Vea Génesis 1:30.). Aun los rayos de luz de las estrellas podrían haber sido creados en el instante que Dios creó las estrellas. Podría dar la apariencia a los científicos que la luz de las estrellas más lejanas llevó millones de años para llegar a la Tierra, sin embargo, si Dios creó sistemas completamente maduros, entonces ese rayo de luz podría tener la misma edad que la estrella misma.

Al estar hablando acerca del tema de la creación madura (la apariencia de edad) en una clase de estudiantes, invariablemente se levanta una mano en ese punto de la discusión. El estudiante dirá, "Entonces Dios es un mentiroso. Él creó algo que no es lo que parece ser si creó a Adán y Eva y los dinosaurios completamente desarrollados. Ellos se miraban viejos, pero no eran viejos." No, Dios no es mentiroso. Nos dijo exactamente lo que Él hizo en Génesis 1 y 2. Cuando alguien le dice a usted lo que él o ella está haciendo, no es una mentira. Nuestro problema es que no pensamos que podamos creerlo como Dios lo describe. En vez de creer en la Biblia, hemos aceptado las teorías especulativas de la evolución.

Recuerde que en Hebreos 1, Colosenses 1 y Juan 1, Dios nos dice que Jesús es el Creador. ¿Está afuera de la habilidad de Dios crear sistemas totalmente desarrollados y funcionales? El Creador entró al espacio-tiempo-historia como el Salvador. Él hizo Su primer milagro durante la cena de bodas en Caná como fue escrito en Juan 2.

JESUS CREÓ VINO AÑEJO

Décadas antes de que Jesús y el Apóstol Juan caminaron sobre las calles de Caná, el Antiguo Testamento en hebreo había sido traducido al griego. Esta traducción se llama la LXX o la Septuaginta. Mientras que Juan escribió los primeros dos capítulos de su evangelio, aparentemente él tenía en mente los primeros dos capítulos de la Septuaginta (Antiguo Testamento en griego). La similitud no es solo en el uso del idioma griego, sino que Juan 1 y Génesis 1 mencionan el principio del mundo y Juan 2 y Génesis 2 tratan con un hombre y una mujer entrando al matrimonio.

Como está escrito en Juan 2, la fiesta de bodas en Caná se había quedado sin vino. Había seis tinajas de piedras llenas de agua que Jesús convirtió en vino. Los sirvientes llevaron algo de este vino nuevo al jefe de camareros. Después de probarlo él dijo, **"Todo hombre sirve primero el buen vino; y cuando ya han tomado bastante, entonces saca el inferior. Pero tú has guardado el buen vino hasta ahora"** (Juan 2:10).

¿Cómo se produce el vino bueno? Hay que añejarlo. ¿Cuánto tiempo tenía este vino? Solamente un minuto o dos. El Creador tomó un paso dentro del tiempo y ejecutó Su primer milagro **"y manifestó su gloria..."** (Juan 2:11). Él quería que sus discípulos no se equivocaran acerca de quien era Él. Al hacerlo, Él creó algo (vino), con la apariencia de edad. (La palabra en griego para vino es "oinos," vea: Ef. 5:18; 1 Timoteo 3:3, 8; Tito 2:3; Apocalipsis 17:2; 18:3, 13.) El vino (oinos) que fue hecho hace segundos tenía sabor de vino añejo. ¿Cuántas tinajas de piedras indica el récord bíblico en Juan? ¡Seis! ¿Cuántos días trabajó Dios durante la semana de la creación? ¡Seis! Mientras Juan escribía su Evangelio él pudo estar pensando acerca de Génesis 1 y 2. En <u>Génesis</u>, Dios llamó al universo a existencia completamente desarrollado. En <u>Juan</u> 2, Dios creó vino en un instante, completamente maduro en seis tinajas de piedra.

La Escritura tiene una interpretación; sin embargo, puede tener muchas aplicaciones. Una de las aplicaciones de Juan 2 es que el Creador no requiere tiempo. Él puede crear lo que quiera crear y puede hacerlo parecer que "tenga algunos años." Creaciones nuevas pueden parecer que pasaron por medio de un proceso que requería tiempo, pero no había tiempo. Jesús manifestaba Su gloria mientras hacía Sus milagros terrenales, sin el uso de tiempo; justo como Él había creado cada aspecto del universo; instantáneamente completa y totalmente funcional sin el uso de tiempo.

Algunos evolucionistas enseñan que el Big Bang creó el tiempo. La Biblia dice que Dios creó el tiempo, que El está afuera del tiempo, pero tiene una relación con nosotros en el tiempo. ¡Sus milagros son prueba del hecho que El puede hacer cualquier cosa sin que intervenga el tiempo!

ALIMENTANDO A LOS CINCO MIL

Jesús fue movido con compasión. Él decidió proveer comida a una multitud grande de personas. ¿Habrá dicho a sus discípulos: "Vamos muchachos, calienten los hornos. Hoy vamos a hacer pan?" El Señor Jesús alimentó 5,000 hombres (con mujeres y niños había tal vez 15,000 personas), y lo hizo con cinco panitos y dos pececillos. **"Y los que comieron los panes eran como cinco mil hombres"** (Marcos 6:44). Si usted hubiera comido ese pan y no hubiera sabido de donde venía, ¿tal vez habría pensado que fue hecho por el proceso normal de mezclar los ingredientes y hornearlos cierto tiempo? ¡Pero Jesús no usó el tiempo normal!

PEDRO APUNTA PARA MATAR

Cuando Judas Iscariote vino con la multitud para traicionar a Jesús, Pedro tomó una espada y la apuntó hacia la cabeza de uno de ellos. Quiza la persona se agachó y Pedro unicamente logró cortar la oreja de Malco, el sirviente del sumo sacerdote. (Vea: Mateo 26:51; Marcos 14:47; Juan 18:10; Lucas 22:50.) El Dr. Lucas, el médico, es el único autor de los Evangelios que menciona la restauración milagrosa de la oreja: **"Y uno de ellos hirió a un siervo del sumo sacerdote y le cortó la oreja derecha. Entonces respondiendo Jesús dijo: ¡Basta de esto! Y tocando su oreja, le sanó"** (Lucas 22:50,51).

¿Habrá recogido Jesús la oreja, sacado Su equipo de suturas, cosido la oreja en su lugar y dicho: "Regrese en dos semanas y le quitamos sus suturas?" ¡Por supuesto que no! El pudo hacer una oreja nueva o pudo poner la oreja vieja a la persona- sin suturas, sin costras, sin proceso de recuperación, sin tiempo. ¡Lo ve! El Dios de la Biblia no necesita tiempo. ¡No hay manera de poner una oreja sin pasar por el proceso de días de recuperación...a menos que usted fuera Dios, infinito y soberano, el Creador del tiempo, el espacio y la vida misma! ¡Nuestro Creador, el Señor Jesús, no necesita tiempo para hacer lo que nosotros los humanos (limitados y finitos) diríamos dogmáticamente que requiere tiempo!

¿ENSEÑA LA BIBLIA ACERCA DE MIL MILLONES DE AÑOS?

A fin de encontrar una manera de añadir mil millones de años a la Bíblia, algunos cristianos mantienen la creencia que existen espacios grandes de tiempo en las tablas genealógicas de la Biblia. Pensemos en esto por un minuto. Todos están de acuerdo que existen más o menos 2,000 años desde el nacimiento de Cristo el Señor hasta hoy. La fecha mas reconocida para Abraham es alrededor de hace 4,170 años. No hay espacios de tiempo aquí. Así que los espacios deberían existir entre Adán y Abraham.

El versículo de Judas 14, 15 dice:

Acerca de los mismos también profetizó Enoc, séptimo después de Adán, diciendo: He aquí, el Señor vino entre sus santos millares para hacer juicio contra todos y declarar convicta a toda persona respecto a todas sus obras de impiedad que ellos han hecho impíamente y respecto a todas las duras palabras que los pecadores impíos han hablado contra él [énfasis añadido por mi persona].

Hay siete generaciones contínuas desde Adán hasta Enoc según Judas 14. No falta nada aquí. Eso quiere decir que cualquier espacio de tiempo en las tablas genealógicas tendrían que estar entre Enoc y Abraham. ¿Podemos meter millones de años de tiempo evolutivo entre estos dos viejos patriarcas? ¡La respuesta es un fuerte, "¡NO!"

El padre de Noé, Lamec, era el bis, bis, bis, bis, bis, bis nieto de Adán. Ellos fueron una familia grande y alegre. Todos vivían cerca uno del otro y hablaban unos con otros. Yo puedo imaginar a Adán sentando sobre sus piernas a su nieto, Lamec, mientras le decía, "¡Lamec, tu abuelo no debía haber comido esa fruta aquel día en el Huerto de Eden!" Entonces Lamec, años después, le dijo a su nieto Sem (el hijo de Noé), lo que Adán le había dicho.

Sem estaba con su padre Noé en el arca y sobrevivió al diluvio. Muchos años pasaron y Abraham nació. Por mas de 50 años la vida de Abraham fue contemporánea con la de Sem. ¡Definitivamente Sem le enseñó a Abraham todo lo que el había recibido de Lamec, y que éste había recibido directamente de Adán! No hay grandes espacios de tiempo en las tablas genealógicas para compensar por los grandes espacios de tiempo requeridos por la evolución (tampoco, debo admitir, hay grandes espacios de tiempo en la transmisión de la Palabra de Dios). Y si existieran espacios de tiempo, estos no ayudarían a hacer posible la evolución, **debido a que la gente ya estaba aquí.** La evolución enseña que los seres humanos fueron las últimas criaturas por aparecer en el árbol evolutivo. Cuando Adán aparece en escena, todos los animales estaban presentes, así que no había nada mas que evolucionar.

Alguien le podría haber enseñado que hubo grandes espacios de tiempo en las tablas genealógicas las cuales permiteron que ocurriera la evolución. Como puede ver, los espacios de tiempo, si hubieran existido, no habrían ayudado a que evolucionara la Biblia. Cuando hicieron su aparición Adán y Eva, todas las formas de vida ya estaban presentes aquí. Recuerde, fue Adán quien puso los nombres a todos los géneros de aves y bestias en el sexto día (Génesis 2:20).

DIOS CREÓ EL TIEMPO

Dios creó el tiempo. Él no está sujeto a éste, debido a que Él es eterno y el tiempo es algo creado. Algún día, "el tiempo no existirá mas." Eso es el mensaje de 2 Pedro 3:8, **"Pero, amados, una cosa no paséis por alto: que delante del Señor un día es como mil años y mil años como un día."** ¿Cuántas veces ha tenido gente diciendo, "Sabe algo, la Biblia enseña que esos días en Génesis podrían ser largos períodos de tiempo. Dice que un día es como mil años?" 2 Pedro 3:8, no enseña que cada día de la semana de creación fue 1,000 años o un período de tiempo más largo o viceversa (1,000 años como un día), sino que muestra que Dios está por encima del tiempo. El contexto de 2 Pedro 3:8, 9 indica que el tiempo no significa nada para Dios mientras Él espera a que nosotros vengamos al arrepentimiento. Yo creo que el Dios de la Biblia muestra algo de los anhelos de Su corazón en 2 Pedro 3:8, 9. Mientras Él espera a que vengamos al arrepentimiento, un día es como 1,000 años. ¡El día que vengamos al arrepentimiento, si Él hubiera esperado 1,000 años es como si fuera un día! El Creador y Señor Jesucristo no quiere que nadie perezca (2 Pedro 3:9).

Aparentemente, ¡casi todos los milagros de nuestro Creador aparentan requerir tiempo! Sin embargo, nuestro Señor no necesitaba tiempo para Sus milagros, y El no necesitaba tiempo para crear el universo. Para nosotros, al creer que Dios creó el universo en una semana literal de seis días de veinticuatro horas cada uno hace como 6,000 años (como lo registrado en Génesis), tenemos que asumir que Él puede y podrá crear "cosas" (animadas e inanimadas) con la apariencia de edad. Sus milagros nos dicen que esto es consistente con Su poder y Su carácter. Podemos creer la Biblia en el normal sentido histórico y gramatical de su significado.

¿Podría ser que la evolución de moléculas-hombre no está basada en la ciencia verdadera, sino en muchas suposiciones no verificables? Consideramos esto en el Capítulo Dos, pero un pensamiento adicional primero. El primer versículo de la Biblia, Génesis 1:1, dice: **"En el principio creó Dios los cielos y la tierra."** La palabra hebrea para "Dios" (Elohim) es una palabra plural, y la misma palabra a veces es traducida "dioses". El tiempo del verbo "creó" es tercera persona singular, "Él Creó" en hebreo. ¿Cometió Dios un error gramatical (¡lo mismo que si dijéramos "ellos era" lo cual no solo es incorrecto en español sino es muy mal hebreo!) en el primer versículo de la Biblia, al poner un sustantivo plural con un verbo singular? ¡En ninguna manera! Dios nos está diciendo, en Sus primeras palabras escritas para nosotros, que Él es una pluralidad y a la vez una singularidad. Él es el único Dios verdadero en tres personas: el Padre, el Hijo y el Espíritu Santo. ¡Él es el Todopoderoso Dios Trinitario de la Biblia, el tres en uno!

El universo de Dios habla de Sus atributos. El universo está compuesto de tres elementos: espacio, tiempo y materia (lo cual incluye energía). "En el principio"- tiempo, "Dios creó los cielos"- espacio, "y la tierra"- materia. El único y singular universo es una pluralidad, una tri-unidad (el termino tri-unidad se usa en lugar de Trinidad debido a que solamente el Dios de la Biblia es una Trinidad). El espacio es una tri-unidad compuesta de anchura, profundidad y altura. El tiempo es una tri-unidad del pasado, presente y futuro. ¡La materia es una tri-unidad del sólido, líquido y gaseoso! Somos una persona compuesta de tres componentes, cuerpo, alma y espíritu. El átomo es compuesto de tres componentes principales; protones, neutrones y electrones. Este fenómeno de una entidad dividida en tres se encuentra a todo lo largo de la creación y nos llama la atención al Dios especial y Trinitario de la Biblia.

¡En un versículo corto (Génesis 1:1), el Dios de la Biblia describe los aspectos fundamentales de Su universo y se presenta a si mismo como plural y singular a la vez!. Por eso, nosotros los cristianos no somos politeistas (hinduísmo y la nueva era), ni monoteístas (islam y judaísmo). El cristianismo es único entre todos los demás sistemas religiosos. Los cristianos son trinitarios. Nosotros somos bautizados "**...en el nombre** [singular] **del Padre, del Hijo y del Espíritu Santo** [El que es tres]" (Mateo 28:19b) [énfasis del autor].

¡PODEMOS CREER A LA BIBLIA!

Como veremos en los capítulos siguientes, <u>no hay ninguna razón científica para no creer las Santas Escrituras tal como están escritas</u>. Por supuesto, yo no sabía estas cosas en aquel entonces en 1971, y muchos años después aún sigo aprendiendo. Mientras hablaba con esos universitarios de Baylor, empecé a darme cuenta que la teoría de evolución y el relato bíblico de creación no pueden ser integrados. La creencia que Dios usó los procesos evolutivos o aun creaciones sucesivas por extensos períodos de tiempo para cambiar moléculas primitivas hasta llegar a usted y yo (Macro evolución, Evolución Teísta, Creacionismo Progresivo) es inadecuada. Se trata de presentar a un Dios viciado y estúpido lo cual necesitó millones de años de animales feroces comiendo animales o "sobrevivencia del más apto", para producir algo que Él consideraba suficientemente perfecto para anunciar que el hombre era finalmente su propia imagen. La evolución trata de destruir a Dios, Su poder infinito y Su imagen. Además, la evolución trata de esclavizar a Dios a los límites restrictivos del tiempo e intenta robarle de Su gloria (Isaías 48:11).

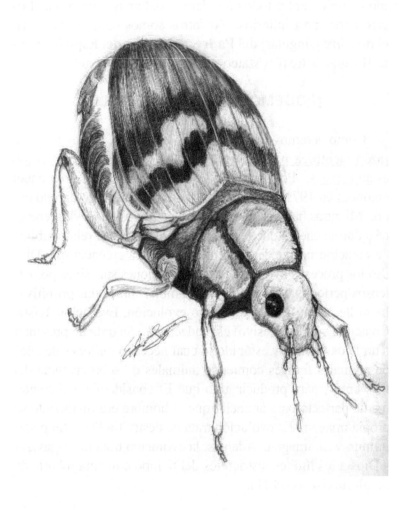

MARAVILLA DE LA CREACIÓN DE DIOS

#1

El Escarabajo Bombardero

Si existiera alguna criatura sobre la tierra que absolutamente no podría haber evolucionado, esa criatura es el escarabajo bombardero. Requirió a Dios para crearlo con todo sus sistemas funcionando en su totalidad. La investigación de este insecto increíble ha durado muchos años. En 1928, los autores C. L. Metcalf y R. L. Flint escribieron: "El escarabajo bombardero, Brachinus, emite un flúido acre el cual es expulsado con un ruído explosivo muy distintivo y una pequeña nube de vapor que parece como el humo de un cañon en miniatura."[5] Más recientemente, la revista *Time Magazine* informa:

...el bombardero (escarabajo) parece ser único en el reino animal. Su sistema de defensa es extraordinariamente intrincado, un cruce entre gas lagrimógeno y una ametralladora. Cuando el escarabajo siente el peligro, mezcla internamente enzimas de una cámara del cuerpo con soluciones concentradas de algunos compuestos inofensivos, peróxido de hidrógeno e hydroquinonas, aislados en una segunda cámara. Esto genera una rociada nociva de benzoquinonas cáusticas, que explota del cuerpo a una temperatura de 100° C.

---

[5] C. L. Metcalf y W. P. Flint, *Destructive and Useful Insects*, 4th ed. (New York: McGraw-Hill, 1962), p. 24.

Además, el fluído es bombeado a través de un par idéntico de boquillas traseras, las cuales pueden ser giradas como las torretas cañoneras de un avión B-17, para disparar a una hormiga hambrienta o a un sapo, con alta precisión.[6]

¿Tal vez usted está pensando acerca de cómo un evolucionista podría explicar este insecto maravilloso? El evolucionista Mark Isaak escribe:

¿Fueron diseñados los escarabajos bombardeos? Sí; lucen como si fueran diseñados por la evolución. Sus caracteres distintivos, acciones y distribución encajan muy bien con el tipo de patrón que la evolución produce. Hasta ahora nadie ha encontrado algo en el escarabajo bombardero que podría ser incompatible con la evolución.[7]

¿Cómo es que la evolución puede "crear" si es un proceso aleatorio y casual sin intervención de inteligencia, sin dirección y sin propósito? Como escribe el académico judío, Dr. Lee Spetner:

El azar es una característica esencial de NDT [teoría neo-darwinista]. No hay ningún mecanismo físico ni químico para generar variaciones herederas que mejorarán la adaptabilidad o aumentarán la complejidad de los organismos vivientes. Por ende, los neo-darwinistas, tuvieron que escoger el mecanismo de la casualidad para producir las variaciones que ellos necesitaban. De esta forma ellos esperaban que, por la dirección dada por la selección natural, ellos podían describir un proceso evolutivo que justificaría su perspectiva del origen y desarrollo natural de la vida.

Los neo-darwinistas han rechazado la no-casualidad como la característica mayor de variación.[8]

---

[6] Natalie Angier por Rick Thompson/San Francisco, *Time Magazine* (February 25, 1985), p. 70.

[7] "Bombardier Beetles and the Argument of Design," por Mark Isaak @ www-.talkorigins.org/faqs/bombardier.html.

[8] Lee Spetner, *Not by Chance!* (Brooklyn: Judaica Press, 1998), p. 209.

La teoría evolutiva tiene grandes problemas cuando intenta explicar la existencia y complejidad del escarabajo bombardero por medio de eventos casuales. Cada etapa en la evolución de sus productos químicos especiales lo hubiera destruido. Este insecto de media pulgada mezcla productos químicos que reaccionan violentamente para producir algo similar a una explosión. ¿Cómo pudo haber evolucionado el escarabajo bombardero un medio de defensa tan complejo sin matarse a sí mismo en el proceso? Este problema tiene a los miembros del establecimiento evolutivo rascando sus cabezas. La teoría evolutiva dice que si no lo usas lo pierdes. Sin embargo, ¿cómo lo usa a menos que lo tenga en una forma completa y totalmente funcional?

Entonces, tenemos dos opciones. Una es creer que un proceso aleatorio y casual sin intervención de inteligencia trajo a existencia lo que sería exactamente esencial para que la criatura se mantuviera y defendiera a si misma. La otra opción es que Dios, en su sabiduría soberana, diseñó y creó precisamente lo que era necesario para el bienestar de la criatura y puso la información en sus genes. Con la evolución sin Dios, una nueva enzima, sustancia química, órgano, aleta, pico o hueso tendrá que evolucionar en una manera aleatoria y casual, sin intervención de inteligencia e inexplicable hasta que la criatura haya logrado una nueva mejora. Como creacionistas, diríamos que Dios lo creó tal como es, un organismo distinto y completamente funcional con un mecanismo de defensa increíblemente complejo.

El escarabajo bombardero es irreduciblemente complejo. ¿Recuerda cuando estudiaba en cuarto primaria y tenía que reducir fracciones al punto que no podían ser reducidas más? ¡Este escarabajo no puede ser reducido! Si no tiene todas sus partes anatómicas, no puede defenderse o, aun peor, podría explotarse a sí mismo. Naturalmente, no podría evolucionar después de explotarse y estar muerto, así que ¿cómo llegó aquí? Los evolucionistas podrían decir, "La Madre Naturaleza, mutaciones beneficiosas, la selección natural y el tiempo lo hizo." Los creacionistas dirían, "Dios lo hizo!" (A propósito, ¿que o quién es la Madre Naturaleza, la que hace todas esas cosas milagrosas?)

Para prevenir su propia destrucción el pequeño escarabajo produce un químico, llamado inhibidor, y lo mezcla con los reactivos químicos. Sin embargo, con el inhibidor, no podría usar la explosión de líquidos y gases calientes y ardientes para desanimar a sus enemigos. Una araña lo comería porque el escarabajo no tendría la solución necesaria para producir la explosión para protegerse a sí mismo. Una vez más, tenemos un escarabajo muerto. Los muertos no pueden desarrollar la próxima sustancia química requerida para liberar la reacción protectora. Esa sustancia resulta ser un anti-inhibidor[9]. Cuando el anti-inhibidor es añadido a las otras sustancias químicas, una reacción explosiva ocurre y el escarabajo puede defenderse a sí mismo.

Sin embargo, todavía hay otro problema. El escarabajo necesita una "cámara de combustión" especialmente dura. Esa cámara tiene que tener una salida para la reacción violenta a fin de poder liberar su energía, o una vez mas tenemos un bicho muerto. Problema resuelto: esta criatura única tiene el equipo necesario, incluyendo un par de tubos traseros para "ventilar" su sistema defensivo. Estos tubos pueden ser apuntados a enemigos en un arco de 180° de atrás hacia adelante. ¡Maravillosamente, no dispara contra criaturas amistosas sino sólo contra sus enemigos! ¿Cómo sabe un insecto de media pulgada como apuntar y disparar a enemigos potenciales?

Cuando el pequeño insecto dispara sus cañones (y puede disparar a cada lado individualmente o ambos a la vez) todo

---

[9] DuaneT.Gish, *Creation Scientists Answer Their Critics* (El Cajon: Institute for Creation Research, 1993), pp. 101-104.

lo que oímos con nuestros oídos humanos es un "pop." Pero no es solamente un "pop" solitario. Es una secuencia de "pop" que pasa tan rápido que suena como si fuera un solo "pop." Si fuera un solo y gran "pop", sería como encendiendo los posquemadores de un motor jet y la diminuta criatura explotaría desintegrándose totalmente. Pero, con una secuencia de "pop" se puede agarrar con sus pequeñas patas y quedarse en el mismo lugar. ¡Maravilloso!

¿Cómo evolucionó su increíble complejo sistema nervioso y su avanzado sistema químico? No hay nada exactamente como el escarabajo bombardero en todo el reino animal.¿Es éste un ejemplo de lo "impersonal sumado a tiempo y a casualidad" o es un ejemplo de una creación especial e intrincada por un Dios que está intimamente involucrado con Sus criaturas? ¿Cuál sistema de creencia puede explicar el maravilloso escarabajo bombardero: Evolución o Creación?[10]

---

[10] Duane Gish, Ph.D., *Dinosaurs Those Terrible Lizards* (San Diego: Creation Life Publishers), pp. 50-55. Estas páginas describen el Escarabajo Bombardero. Este libro para niños es principalmente acerca de los dinosaurios. También vea Duane Gish, Ph.D., *Dinosaurs by Design* (Colorado Springs: Master Books, 1992), p.83.

2

...Y ENTONCES SE EMPEZÓ A SUPONER

Muchos profesores universitarios de ciencia nunca les dicen a sus estudiantes que el modelo de la evolución célula-hombre está basado en suposiciones. ¿Qué es una suposición? Es algo que se da por sentado y se supone que es verdadero.[11] Como creacionista del tipo que cree en la creación hecha en seis días, creo que Dios creó el universo y todo lo que contiene completamente maduro (algunos creacionistas describen esto como siendo creado con la apariencia de edad). Como yo no puedo probar esto con experimentos científicos, esta creencia se llama una suposición. Yo supongo que es la verdad. Los creacionistas asumen que Dios existe y que la Biblia es su Revelación a la humanidad. (Ahora, no me equivoquen en este punto- yo estoy hablando desde la perspectiva de los evolucionistas ateístas. No se confunda. Dios y Su Palabra son totalmente reconocibles.)

De igual forma, los evolucionistas también hacen suposiciones. Ellos dan por sentado muchos pasos necesarios en el modelo de moléculas-hombre. En otras palabras, los evolucionistas asumen que ciertos químicos inertes dieron vida a esa primera célula viva, la cual a su vez, evolucionó

---

[11] *Webster's Third New International Dictionary*, (Springfield,Mass., U.S.A: G. & C. Meriam Company, Publishers, 1981), p.133.

sin intervención de inteligencia y al azar a otras formas de vida más y más complejas. Sin embargo, no existen experimentos científicos para probar el escenario de las moléculas-hombre. El modelo de moléculas-hombre no se puede comprobar científicamente ni verificar experimentalmente; tampoco se puede reproducir ni autenticar de ninguna forma. Y esto es la verdad a pesar de Carl Sagan e Isaac Asimov proclamando por la televisión nacional que la evolución ya no es una teoría sino el hecho mejor comprobado de toda la ciencia.

Escribiendo como un evolucionista, G.A. Kerkut da una lista de las suposiciones principales de la evolución. Estas son las ideas básicas que un evolucionista "da por sentado" o "supone" que sean verdaderas. Todo "la ciencia de moléculas-hombre" está construida sobre estas suposiciones, pero raramente se ven escritas en un libro de texto de secundaria o universitario.

Hay siete suposiciones básicas que en las discusiones sobre la evolución no siempre son mencionadas. Muchos evolucionistas ignoran las primeras seis suposiciones y solo toman en consideración la séptima. Las siete suposiciones son las siguientes:
1. Que de las cosas sin vida originaron la materia viviente, en otras palabras, la generación espontánea ocurrió.
2. Que la generación espontánea ocurrió una sola vez.
3. Que los virus, bacterias, plantas y animales están todos relacionados entre sí.
4. Que los protozoos (formas de vida unicelular) dieron vida a los metazoos (formas de vida pluricelular).
5. Que varios fílum de invertebrados están inter-relacionados.
6. Que de los invertebrados dieron origen a los vertebrados.
7. Que de los vertebrados, los peces dieron origen a los anfibios, de los anfibios a los reptiles y los reptiles a las aves y mamíferos.[12]

---

[12] G.A. Kerkut, *Implications of Evolution* (New York: Pergamon Press, 1960), capitulo 2, p.6.

LA TEORIA DE MOLÉCULAS-HOMBRE
ES UNA SUPOSICIÓN

Lo que el Dr. Kerkut ha enlistado como "suposiciones" es la totalidad de la enseñanza evolutiva. En otras palabras, no hay evidencia científica (experimentalmente comprobable y reproducible) que apoye la evolución. El proceso de pasar de las cosas no vivientes a la primera célula viva y reproductora al hombre y los árboles gigantes de secoyas es totalmente una suposición.

El Dr. Kerkut claramente presenta la suposición evolutiva de que toda la vida está relacionada a esa primera célula. Sin embargo, por medio del uso de los microscopios electrónicos de fase, los científicos han descubierto que hay diferencias consistentes en la sustancia celular en varios tipos de animales. Los estudios microscópicos indican que las cosas vivas del árbol evolutivo no parecen tener ninguna relación la una con la otra. En 1 Corintios 15:39, la Biblia dice: **"No toda carne es la misma carne; sino que una es la carne de los hombres, otra la carne de los animales, otra la de las aves y otra la de los peces."** Esto fue escrito 1,900 años antes que los científicos "descubrieron" las diferencias en los componentes celulares básicos de las varias clases de criaturas vivientes. ¡Dios creó vida y Él sostiene vida! **"En él estaba la vida, y la vida era la luz de los hombres. La luz resplandece en las tinieblas, y las tinieblas no la vencieron"** (Juan 1:4, 5).

El Señor Jesús inspiró a sus apóstoles y profetas para que llevaran un registro de los detalles de Su creación, cosas que los científicos apenas están empezando a descubrir. Dios dice que hay distintos tipos de carne en los cuerpos de Sus criaturas terrenales. Pero, también hay distintos tipos de cuerpos celestiales, las estrellas son diferentes una de la otra y no son iguales al sol o la luna (1 Cor. 15:41). [La Biblia siempre diferencia entre el sol, la luna y las estrellas. Mucho de lo conocido acerca de las estrellas ha sido aprendido por los astrónomos mientras estudian nuestro sol, el cual asumen es una estrella. Sin embargo, la Biblia, la Palabra de Dios, nunca llama a nuestro sol una "estrella." ¡Por lo tanto, mucho de lo que pensamos saber acerca de las estrellas puede estar completamente equivocado!]

Los astrónomos estiman que podría haber un billón de billones de estrellas. Los mejores diccionarios en inglés tienen menos de millón y medio de palabras. Sin embargo, ¡el Dios de la Biblia tiene un nombre y un número para cada estrella, **"...A todas llama por su nombre..."** (Isaías 40:26)! Eso es mas que un billón de billones de nombres. Dios es infinito en Su poder y sabiduría. ¡Si usáramos cada palabra del idioma inglés podríamos poner nombres a menos de .001% del vasto número de estrellas!

Desde la estrella más grande al átomo más pequeño, la magnitud y complejidad del universo son inexplicables, excepto en términos de un Diseñador Creativo que esté infinitamente por encima de cualquier "proceso casual" o tecnología humana. El Creador-Dios diseñó Su creación de tal manera que mientras la humanidad la estudia, tiene que dar gracias a Dios y honrarlo, o, ser reducidos a necias especulaciones y "vanos razonamientos" (Romanos 1). Este escritor cree que la macroevolución es una especulación necia. Es en realidad Filosofía Especulativa, no ciencia verificable.

¿LA VIDA DE QUÍMICOS MUERTOS?

Muchos científicos asumen que la vida surgió de químicos sin vida[13] y que esto ocurrió una sola vez. Dicen que todo lo

---

[13] *The Mystery of Life's Origins* presenta la posición científica que la evolución química es imposible. Este libro por Doctores de Química no ha sido refutado por evolucionistas. Los químicos sin vida al fin y al de cabo no generarán la vida que se reproduce. La química no trabaja en tal forma. [Charles Thaxton, Walter Bradley, Roger Olsen, *The Mystery of Life's Origin: Reassessing Current Theories* (N.Y.: Philosophical Library, Inc., 1984].

vivo que vemos, ya sea planta o animal, se originó de aquella primera célula que era primordial y unicelular. La mayor parte de los evolucionistas no creen que una clase de vida empezó en la Amazonia, otra en Africa y otra en Arizona. Ellos creen que los químicos sin vida dieron a luz a la vida contenida en una sola célula en un lugar específico, y que esa célula aprendió como reproducirse a sí misma antes de morir. Esa célula llegó a ser el ancestro de los reinos animal y vegetal.

¡La ley más comprobada de las ciencias biológicas se llama la Ley de la Biogénesis. Esta ley dice que vida viene de vida! Cualquiera cosa viviente vino de otra cosa viviente. Vida no viene de químicos muertos.

¿Porqué los científicos evolucionistas asumen la realidad de este asombroso evento viniendo de químicos sin vida? "Porque estamos aquí con vida y por ende tuvo que haber ocurrido por lo menos una vez debido a que no hay un Dios-Creador." Las probabilidades de que la vida se desarrollara de la materia inerte son tan astronómicamente altas que es imposible concebirlo sin la existencia de un ser sobrenatural dador de vida.

¿VIDA POR CASUALIDAD?

Los doctores Henry Morris y Gary Parker del Instituto para la Investigación de la Creación han registrado en su libro titulado, *What is Creation Science?* [¿Qué es la Ciencia de la Creación?] (pp. 269-276) las probabilidades del origen casual de la vida de la siguiente manera: si todo el universo fuera llenado con electrones (partículas de electrones), el número máximo de estas pequeñas partículas sería 10 elevado a la 130 potencia. Si a su vez cada partícula pudiera realizar cien millardos de millardos de eventos (pasos siempre más avanzados en el proceso de la evolución) cada segundo durante 3,000 millardos de años (100 veces más tiempo de lo que se dice que tiene el universo), entonces, en ese mismo espacio de tiempo de la historia del universo podrían haber sucedido eventos en número de 10 elevado a la 170 potencia. Pero, para lograr que una serie de por lo menos 1,500 eventos pueden ocurrir en secuencia (y sin la ayuda de Dios), eventos que podría estar evolucionando de los químicos inertes a una célula viva, ¡existe solamente una probabilidad en diez a la 450 potencia! Esto significa que la probabilidad de la evolución sin Dios, solamente para poder iniciarse, es de cero. [¡Hay una ley de la probabilidad que indica que lo que sea más allá de diez elevado al poder quincuagésimo (realmente sería menos del poder quincuagésimo, pero eso daría una fracción y a la mayoría de las personas no les gusta trabajar con fracciones) es imposible!] No hay suficientes electrones en el universo para generar, por casualidad, una sola célula viva de un solo científico evolucionista. Sin embargo, estos científicos, quienes rehusan creer en Dios, están aquí. ¿Cómo llegaron? Fuera de creer en Dios, su única opción es creer en la evolución de químicos sin vida por medio de un proceso sin intervención de inteligencia y propósito durante un tiempo perpetuo e inconmensurable, dando vida a una célula y finalmente al hombre.

Durante los últimos 150 años algunos de los científicos más brillantes en el mundo han tratado de convertir químicos sin vida en alguna forma de vida reproducible. Ninguno lo ha logrado.

UNA CÉLULA NO ES SENCILLA

Una sola célula que se reproduce está lejos de ser algo sencillo. El Dr. Leon Long, del Departamento de Ciencias Geológicas de la Universidad de Texas en Austin, escribe como evolucionista:

> Entre los primeros organismos estuvieron la bacteria sencilla y el alga azul-verde. ¡Ellas son lo más sencillo que pueda ser una célula autosuficiente, lo cual no es nada sencillo, considerando que

una bacteria puede sintetizar algunos 3,000 a 6,000 compuestos a una velocidad de más o menos un millón de reacciones por segundo! Las células de la bacteria y del alga azul-verde contienen una sola molécula de ADN, y les faltan estructuras internas bien definidas, como un núcleo, los cromosomas y membranas internas.[14]

¿Nos sorprende que los científicos pretendan que la vida surgió de químicos sin vida una única sola vez? Según el Dr. Long, ¡las formas de vida más sencillas pueden realizar un millón de reacciones por segundo! Algo tan complejo obviamente tenía un diseñador, y por eso, requería al Creador Señor Jesús.

Los científicos no hablan mucho de la evolución de la membrana celular. La membrana la cual provee la pared exterior (o piel) de la célula, es altamente compleja. Esta membrana permite que concentraciones específicas de ciertos químicos y soluciones entren y salgan de la célula. Si las concentraciones de algunas de estos químicos varían hasta aún 0.01%, una cantidad extramadamente pequeña, la célula moriría. En un punto microscópico del universo, ¿cómo se unieron todos esos químicos en las configuraciones y concentraciones correctas y en el mismo instante? Además, ¿cómo es que la membrana celular se formó alrededor de ellos en el momento preciso permitiendo únicamente ciertas concentraciones específicas de químicos dentro y fuera de la célula ("sabiendo," por supuesto, que es lo que sí tienen y no tienen que hacer esos químicos)? ¿Y cómo podría todo esto de algún modo conocer la forma de reproducirse y no morir en el proceso?

El Dios de la Biblia dijo que ¡*Él creó, creó, creó!* Su creación desafía a las especulaciones de los evolucionistas. La Creación necesita un diseñador. Demanda vida totalmente funcional desde el principio. La biología reconoce esto con su ley mejor comprobada, la ley de biogénesis: Vida genera vida. Si algo tiene vida, tiene vida porque otro ser vivo lo produjo. La Biblia nos dice que el Dios viviente es el creador de la vida, y esa declaración concuerda

---

[14] Leon E. Long, *Geology* (New York: McGraw-Hill Book Company, 1974), p. 172.

con lo que vemos en biología. La vida siempre viene de vida. Al referirse a Jesús, la Biblia dice, "En él estaba la vida, y la vida era la luz de los hombres" (Juan 1:4).

Y todavía, los químicos evolutivos construyen experimentos de laboratorio, los que intentan mostrar los medios por los cuales la vida empezó sin Dios. Muchos de estos experimentadores creen que la atmósfera de la Tierra primitiva era bastante diferente que lo que es el día de hoy. Se sabe que la atmósfera del planeta Júpiter se parece a la de la Tierra temprana. El vapor de agua, hidrógeno, amoníaco y metano eran los supuestos ingredientes. En un experimento muy conocido (en 1953), el Dr. Stanley Miller puso estos cuatro ingredientes dentro de un frasco de vidrio que puso a calentar y dentro del cual pasó descargas eléctricas. Él observó un fluido rosado saliendo al recipiente recolector. Este fluido contenía algunos aminoácidos. Los aminoácidos son los bloques de construcción de las proteínas. Las proteínas forman una parte íntima del tejido vivo, **pero no son vida**.

El experimento de Miller recibe demasiado crédito. No produjo la mezcla correcta de aminoácidos requeridos para vida. En realidad, Miller creó una mezcla venenosa de aminoácidos. Y él hizo trampa porque usó el diseño inteligente, no procesos accidentales, aleatorios, sin propósito e intervención de inteligencia, ¡lo cual demuestra aún más la necesidad de la inteligencia en la generación de los químicos requeridos para la construcción de la vida!

Los experimentos del tipo Miller no muestran químicos avanzando continuamente hacia arriba hasta generar vida reproductora; sin embargo, se supone que en esta manera la evolución ocurrió. De hecho, no existe ninguna evidencia en las rocas de la Tierra ni en los océanos actuales de que el vapor del agua, hidrógeno, amoníaco y metano jamás existieron en la naturaleza en las concentraciones necesarias para que los experimentos de Miller ocurrieran con exactitud.

La afirmación que la evolución química es imposible tal como es presentado en *The Mystery of Life's Origin* [El Misterio del Origen de la Vida] [13] por Dr. Charles Thaxton, no ha sido refutado hasta el día de hoy. ¡Las reacciones químicas desordenadas y casuales no producen vida! El Dr. Stanley Miller y sus seguidores no producen nada con químicos crudos que ni siquiera se aproximam a la vida. Dennis Petersen en su libro informativo, *Unlocking the Mysteries of Creation* [Quitando la Llave de los Misterios de la Creación],[15] en la página 67, cita al Dr. Henry Morris quien lo dice de esta forma:

Químicos *desconocidos* en el pasado primario...por...
Procesos *desconocidos* que no existen mas ...produjeron...
Formas de vida *desconocidas* que no pueden ser encontradas, pero pudo a través de...
Métodos *desconocidos* de reproducción producir nueva vida... en una...
Composición atmosférica *desconocida*... en una...
Compleja sopa oceánica *desconocida*... en un...
Tiempo y lugar *desconocido*.

¡Compruebe cualquiera de estos aspectos desconocidos de la evolución por medio de experimentos científicos que se pueden comprobar y reproducir y el Premio Nobel de Ciencia será suyo!

UN DIOS PERSONAL CREA LA VIDA

El evolucionista ateísta dice que no había Dios, ni poder más alto, ni diseñador ni tampoco una persona atrás del inicio de la vida. Fue lo impersonal (ninguna persona, entonces sin intervención de inteligencia), sumado tiempo y procesos aleatorios-casuales (o, nadie sumado a nada igual a todo). Así que, aunque los experimentos de Stanley Miller tratan de probar que la evolución química es posible, algo que no lograron hacer, aun así usted se

---

[15] Dennis R. Petersen, *Unlocking the Mysteries of Creation,* Vol. 1 (El Cajon: Master Books, 1988), p. 63, como citado del *Bible Science Newsletter,* May, 1974, p.8.

encuentra a un diseñador personal (Miller) haciendo su creación. ¿El hecho de que un científico-diseñador personal haga experimentos en laboratorios cuidadosamente controlados, prueba que la creación de vida ocurrió sin ningún diseñador creador (no Dios) en un fango primitivo enteramente aleatorio-casual? ¡No! Nuestro Dios es digno para recibir honra y gloria y alabanza porque Él creó todas las cosas (Apoc. 4:11). Podemos confiar en Dios y su Palabra, la Biblia. Nada es demasiado difícil para Él (Jeremías 32:17, 27). Él es el Dios de lo imposible (Lucas 1:37).

¿ALGUIEN HA VISTO UN ELECTRÓN?

Uno de los científicos más grande de la edad espacial, el Dr. Werner von Braun dijo:

> Uno no puede ser expuesto a la ley y orden del universo sin concluir que tiene que existir diseño y propósito detrás de todo…Al entender mejor la complejidad del universo y todas sus profundidades, más razones hemos encontrado para maravillarnos del diseño inherente sobre el cual está basado…
>
> Al ser forzado a creer una sola conclusión—que todo en el universo ocurrió por casualidad—violaría la objetividad verdadera de la ciencia…¿Qué proceso aleatorio podría producir el cerebro del hombre o el sistema del ojo humano? Ellos (evolucionistas) desafían a la ciencia que prueba la existencia de Dios. Pero, ¿debemos encender una vela para ver el sol?…ellos dicen que no pueden visualizar a un diseñador. Pues, ¿puede el físico visualizar a un electrón?…¿Qué extraña razón hace que algunos físicos acepten al inconcebible electrón como real mientras se niegan a aceptar la realidad de un Diseñador porque no pueden concebirle?[15]

Pregunte a cualquier científico si cree en los electrones. Él responderá, "Por supuesto." Pregunte al mismo científico si el o ella ha visto alguna vez un electrón, y ellos dirán, "No." Los científicos creen en los electrones por fe mientras observan los resultados de la actividad de los mismos.

¿No es esto parecido a la fe en Dios? No vemos a Dios, pero lo "vemos" por medio de la obra de Sus manos, la creación. Romanos 1 explica que mientras estudiamos la complejidad de los macro y micro universos, debemos pensar acerca de quien los diseñó, quien los hace funcionar y quien los mantiene unidos.

ESPECULACIONES TONTAS

Cuando los científicos examinan las estrellas más grandes y los átomos más pequeños y no honran a Dios como su Creador y no dan gracias a Él, se quedan con especulaciones tontas y razonamientos vanos (Romanos 1:18-23). ¿Puede la evolución del hombre a partir de una sola célula ser una especulación tonta? El Dr. Harrison Matthew, evolucionista y escritor de la introducción a la edición 1971 del libro de Darwin, *Origin of Species by Means of Natural Selection or the Preservation of Favoured Races in the Struggle for Life* [Sobre el Origen de las Especies por la Selección Natural o la Supervivencia de las Razas Favorecidas en su Lucha por la Existencia], dice:

> La realidad de la evolución es el fundamento de la biología, y la biología se encuentra entonces en la posición peculiar de ser una ciencia basada en una teoría no comprobada. Entonces, ¿una ciencia o una fe? La creencia en la teoría de la evolución es exactamente paralela a la creencia en la creación especial, ambos son conceptos que los creyentes conocen como verdaderos, pero, ninguno, hasta al presente, ha podido ser comprobado.[16]

Examinemos lo que el Dr. Matthews hace. ¡El va de llamar a la evolución un hecho, a teoría no comprobada, a fe, a

---

[16] L. Harrison Matthews, FRS, "Introduction," Charles Darwin, *Origin of Species by Means of Natural Selection or the Preservation of Favoured Races in the Struggle for Life* (London: J.M.Dent and Sons, 1971), p. xi, como citado en *The Revised Quote Book,* ed. Andrew Snelling, Ph.D. (Institute for Creation Research, P.O. Box 2667, El Cajon, Calif. 92021), p. 2. Para muchas más citas que niegan la evolución tomadas de la literatura de los científicos evolutivos, adquiera *The Quote Book.* El costo es aproximadamente $4.00 y vale la pena.

creencia, todo en un solo párrafo! Sin embargo, él es un evolucionista honesto cuando dice que la evolución no tiene pruebas científicas. Es una especulación de fe. De todos modos, el Dr. Ernst Mayr, profesor honorario de la Universidad de Harvard, dice:

> Desde Darwin, cada persona pensante está de acuerdo en que el hombre descendió de los monos. El día de hoy, no existe tal cosa como la teoría de la evolución. Es el hecho real de la evolución (énfasis en el original).[17]

En sus escritos en Omni Magazine (la cual promueve la evolución), el Dr. Mayr presenta la evolución sin Dios como un hecho, aun y cuando el Creador dice en Romanos 1 que todo hombre sabe bien: **"Pues la ira de Dios se manifiesta desde el cielo contra toda impiedad e injusticia de los hombres que con injusticia detienen** (o suprimen) **la verdad. Porque lo que de Dios se conoce es evidente entre ellos, pues Dios hizo que fuese evidente"** (Romanos 1:18-19). Romanos 1:22 añade: **"Profesando ser sabios se hicieron fatuos…"** (énfasis del autor).

Dr. T.N. Tahmisian de la Comisión de Energía Atómica está de acuerdo cuando dice:

> Los científicos que siguen enseñado que la evolución es un hecho de la vida son grandes estafadores, y la historia que ellos cuentan podría ser el engaño más grande de todos los tiempos. Para explicar la evolución, no tenemos ni una jota de realidad.[18]

Isaac Asimov, Carl Sagan, Ernst Mayr y otros han presentado la evolución ya no como una teoría, sino como un hecho comprobado. Ellos lo han hecho sin una jota de realidad. Evolucionista, D.M.S. Watson dice de mejor manera:

---

17 Dr. Ernst Mayr, *Omni Magazine,* February, 1983, p. 74.

18 Dr. T.N. Tahmisian, "The Fresno Bee", August 20, 1959, como citado en *The Revised Quote Book*, p. 5.

La evolución en sí está aceptada por zoólogos no tanto porque ha sido observada o porque está apoyada por argumentos lógicos y coherentes, sino porque...ninguna otra explicación alterna es creíble.

Aunque el hecho real de la evolución está aceptada por cada biólogo, el modo en que ha ocurrido y el mecanismo por el que sucedió son aún discutibles.

...la teoría de la evolución en sí es una teoría aceptada universalmente no porque se puede comprobar como verdadera por evidencia lógica y coherente, sino porque la única alternativa es la creación especial, la cual es claramente increíble.[19]

El Dr. Watson claramente identifica el verdadero problema en la controversia evolución/creación—¡es Dios! Watson explica que no hay ciencia "lógicamente coherente" para apoyar la evolución, pero que la única alternativa es la creación especial, la cual el llama algo "claramente increíble." En otras palabras, él preferiría creer en una idea que no tiene ciencia creíble para respaldarla en lugar de creer en el Creador Señor Jesús.

En este punto alquien podría tener una objeción y decir que el Dr. Watson habló en 1929 y que la ciencia de evolución ha encontrado muchas pruebas como apoyo desde aquel entonces. Bien, acerquémonos mas al presente para ver si los tiempos han cambiado mucho para el año de 1997. El profesor de Harvard, Richard Lewontin, evolucionista confirmado, escribe:

...nosotros tenemos un compromiso anterior, un compromiso al materialismo. No es que los métodos e instituciones de ciencia en alguna forma nos empujan a aceptar una explicación material acerca del mundo fenomenal, pero, por el contrario, que estamos forzados por nuestra adherencia anterior a causas materiales a crear una serie de conceptos que producen explicaciones materiales, sin importar cuan contra-intuitivos sean o que tan místicos sean para los no muy experimentados. Además, que el materialismo es un absoluto, porque no podemos dejar ningún lugar para que el Pie Divino se meta en la puerta.[20]

---

[19] D.M.S. Watson, "Adaptation," *Nature*, August 10, 1929, Vol. 124, #3119, pp. 231, 233.

[20] Richard Lewontin, "Billions and Billions of Demons," *The New York Review of Books*, enero 9, 1997, p. 31.

¡Obviamente el asunto todavía es el Creador y Señor Jesucristo! El Dr. Lewontin admite que es confuso y contraintuitivo creer en la evolución. Entonces, ¿por qué permance como evolucionista a pesar de que su propia evidencia científica se le opone? ¡Él rehúsa creer en Dios, su Creador!

De acuerdo a la revista World, del 26 de febrero, 2000, en la página 32, otro evolucionista está de acuerdo con Lewontin:

> Scott C. Todd, imunólogo de la Universidad del Estado de Kansas, tocó precisamente el mismo punto, [como Lewontin, ed.] escribiendo poco después de que el Ministerio de Educación [Kansas] hizo su decisión. En una carta publicada en la revista, Nature, del mes de septiembre, el dijo que "Aunque todo la información mostrara la existencia de un diseñador inteligente, tal hipótesis queda excluida de la ciencia porque no es naturalista."

> A pesar de que el señor Lewontin llama su dogma materialismo mientras que el señor Todd lo llama naturalismo, están hablando de la misma cosa: la fe ateísta que naturaleza significa materia, y naturaleza es todo lo que hay.

¡El punto crucial en la controversia de evolución/creación aún es Dios! El Creador claramente increíble dice en Salmo 19:1:

Los cielos cuentan la gloria de Dios, y el firmamento anuncia la obra de sus manos.

MARAVILLA DE LA CREACIÓN DE DIOS

#2

El Pájaro Incubador

El megápodo o "pájaro incubador" de Australia es único entre los pájaros. Este pájaro de cerca de kilo y medio parece un pollo o un pavo pequeño. Algunos australianos nativos lo llaman el pavo de monte.

Los pájaros incubadores son distintos de todos los otros pájaros. Así que si ellos evolucionaron, ¿de qué evolucionaron? O ¿hacia qué están evolucionado? Un artículo en la revista, Scientific American[21] ofrece muy poco en el sentido de una explicación evolutiva para los orígenes de este pájaro raro.

Todos los pájaros usan calor corporal para incubar sus huevos excepto el pájaro incubador.

En cambio, ellos amontonan grandes montículos de desechos los cuales sirven como incubadoras; el calor del abono en fermentación hace el trabajo. En una especie de esta ave, se han reportado cerros de 6 metros de altura y 15 metros de ancho.[22]

---

[21] Roger S. Seymour, "The Brush Turkey," *Scientific American*, Vol. 265, No. 6, diciembre de 1991, pp. 108-114

[22] Roger Tory Petersen, *Life Nature Library: The Birds* (New York: Time-Life Books, 1973), p. 140.

En lugar de usar su propio calor corporal para incubar los huevos (como hace la gallina), el pájaro incubador usa el calor de la fermentación y "algunos usan el calor solar y otros el calor producido por la acción volcánica."[23]

Un pájaro que usa el calor volcánico o el producido por la fermentación de las plantas para empollar sus huevos: ¡Increíble! Si hubiera algunas criaturas que no es posible que pudieran evolucionar, el pájaro incubador australiano se une al escarabajo bombardero como tal criatura.

La hembra tiene dos actividades. Primero, ella tiene que probar el nido para asegurarse que es adecuado para incubar sus huevos. ¿Qué explicación puede ofrecer la evolución en cuanto a la habilidad de la hembra para evaluar la conveniencia de un nido el cual podría extenderse un metro bajo la superficie y 4 metros o mas sobre la superficie y hasta 15 metros alrededor? ¿Y qué podría motivar a un pequeño pájaro macho de kilo y medio para empezar a construir un segundo nido gigante si la hembra rechazara su primer esfuerzo?

Después de aceptar el nido, la segunda responsabilidad de la hembra se lleva a cabo. Ella pone de 20 a 35 huevos a un ritmo de un huevo cada tres días durante hasta siete meses. "Hasta 16 huevos pueden existir en un montículo normal en cualquier momento."[24] Cada huevo pesa aproximadamente un cuarto de kilo y es tan grande como el huevo de una avestruz. Esa es una cantidad de trabajo tremendo para una gallina de kilo y medio. No es de extrañar que al terminar su tarea de poner los huevos, ella deja el nido para jamás volver. Ella no toma parte en la incubación y la crianza de sus polluelos. ¡Esto no es la forma normal en la evolución!

En este momento el macho empieza a hacer su trabajo dado por Dios de supervisar la incubación de los huevos enterrados

---

[23] *The New Encyclopedia Britannica*, Vol. 7 (Chicago: University of Chicago, 1990 edition), p. 1011.

[24] Seymour, p. 109.

profundamente en el nido. Para que los polluelos de esta especie de pájaro incubador sobrevivan, ellos exijen una temperatura precisa de 32.7°C. Sí, exigen exactamente 32.7° C. Si el macho quiere que los polluelos sobrevivan, ¡el no dejará que la temperatura varíe más de un medio grado sobre o bajo los 32.7°C! ¿Cómo mantiene el papá pájaro una temperatura constante de 32.7°F en un montículo de tierra y plantas descomponiéndose?

Los científicos difieren en lo que piensan en cuanto al mecanismo usado por el pájaro para medir la temperatura. Algunos piensan que el termómetro está en su pico. Otros creen que la lengua puede distinguir 32.7°C y algunas décimas de porcentaje sobre y bajo esta temperatura.

Aquí está el punto: ¿Cómo podría un pájaro evolucionar la habilidad de medir con precisión temperaturas con su pico o lengua? La evolución no tiene una respuesta creíble. ¿Cómo sabría el pájaro incubador que necesitaba mantener sus huevos a 32.7°C? Los polluelos estarían muy calientes o muy fríos y morirían antes de que él se diera cuenta. Y criaturas muertas no evolucionan a otras formas de vida más altas.

Usted puede estarse preguntando, "Entonces, ¿cómo mantiene este pájaro esos huevos a una temperatura de 32.7°C?" El macho excava dentro del nido y verifica la temperatura. En días calurosos, amontona arena adicional sobre el nido para protegerlo del sol. Aún, puede volver a arreglar el montón de hojas y hierba podridas varias veces al día.

En los días mas frescos, el macho megápodo (lo que quiere decir pies grandes) quitará material de sobre el nido para permitir que más rayos de sol lleguen al material orgánico que se está descomponiendo. O, para mantener la humedad alrededor de los huevos a 99.5% puede excavar hoyos cónicos hacia los huevos para llevar más humedad en lo profundo del nido. Mantener la temperatura y humedad exactamente como debe ser es un trabajo grande. En cuanto a la precisión requerida para mantener la temperatura de incubación, Seymour escribe:

El proceso es muy preciso: un centímetro de material fresco añadido al nido puede aumentar la temperatura del núcleo aproximadamente 1.5°C.[25]

No sólo tienen que mantenerse los huevos a 32.7°C y 99.5% de humedad, sino que el polluelo tiene que recibir suficiente aire para respirar. El padre provee el aire fresco para los polluelos mientras excava diariamente hacia los huevos. Pero, los polluelos tienen que recibir el aire dentro del cascarón. Los medios para llevar el aire dentro del cascarón fueron provistos por la hembra mientras formaba el cascarón. Tiene miles de agujeros pequeños (llamados poros). Estos agujeros en el cascarón grueso (en por lo menos una especie) son como conos de helado con la parte aguda hacia el polluelo. Conforme el polluelo crece no puede recibir suficiente aire a través del fondo del cono y entonces empieza a remover la capa interior del cascarón. Mientras adelgaza el cascarón los agujeros se vuelven más grandes (siguiendo el cono de abajo hacia arriba) y el polluelo puede obtener más aire. ¡Asombroso!

La forma en que los polluelos salen de los huevos también es algo único entre los pájaros. A diferencia de otros pájaros, en cuanto salen del huevo están listos para volar pues tienen su plumaje completo. Solamente que una vez salidos del huevo les lleva hasta tres días excavar para salir del montículo. ¿Cómo saben que tienen que excavar hacia afuera o de lo contrario morirían? ¿Cómo saben en que dirección excavar? No han sido instruidos por ningun de los padres. Aún así, se acuestan sobre sus espaldas y ellos excavan hasta salir. ¡Claramente el Dios de la Biblia está involucrado con todos los aspectos de Su creación! Es ilógico pensar en estos pájaros increíbles como producto de eventos accidentales y aleatorios-casuales, sin propósito e intervención de inteligencia por medio de algún proceso evolutivo misterioso durante inmensos períodos de tiempo.

---

[25] Ibid., Roger Seymour, p. 110

Una vez fuera del nido, los polluelos son independientes. No son cuidados ni alimentados por ninguno de los padres. Cuando sean maduros el macho construirá un nido gigante como incubador para los huevos de su pareja. Construirá este montículo grande y preciso sin ninguna instrucción de sus padres. ¡Esto no es conducta aprendida! ¿Cómo sabe el pavo de monte la importancia de 32.7°C?

Hombres y mujeres con grados académicos tienen la audacia de decir que este pájaro es el producto de procesos aleatorios-casualísticos, sin propósito e intervención de inteligencia durante largos períodos de tiempo. Pero en verdad, ¿cómo podría el pájaro incubador existir aún? Solamente si el Dios de la Biblia vive y está involucrado en dar la vida a Sus criaturas.

$$3$$

¿HA SIDO DERRIBADO DIOS?

Cierto día mis dos estudiantes de odontología, que son creacionistas, me pidieron que les diera una explicación científica de cómo ocurre la evolución. En otras palabras, ellos querían que yo defendiera mis creencias evolutivas al decirles la evidencia científica que yo podría presentar como prueba de cómo una criatura evolucionaría en otra y si esa evidencia entra en conflicto con la Biblia. A mí me parecía que Darwin era el punto de partida lógica para buscar mi respuesta. Yo creía que la evidencia estaba allí en alguna parte, pero nunca antes me habían pedido comprobarlo. ¡Qué susto me dio! Darwin no tenía ninguna idea cómo una especie animal podía evolucionar a otra. Él escribió a un amigo en 1863:

> Cuando entramos en los detalles podemos comprobar que ninguna sola especie ha cambiado (p.ej., no podemos comprobar que ni una sola especie ha cambiado): ni podemos comprobar que los supuestos cambios son beneficiosos, lo cual es el fundamento de la teoría. Tampoco podemos explicar por qué algunas especies han cambiado y otras no. Esto último me parece aún más difícil de entender con precisión y detalles que el anterior, el caso anterior, el del supuesto cambio.[26]

---

[26] France Darwin (ed.), *The Life and Letters of Charles Darwin*, (N.Y.: Appleton & Co., 1898), Vol. 11, p. 210 (Darwin's letter to G. Benham, May 22, 1863).

LA VERDADERAMENTE GRAN PREGUNTA

Obviamente, en 1863, cuatro años después de publicar , *Origin of Species by Means of Natural Selection or the Preservation of Favoured Races in the Struggle for Life* [Sobre el Origen de las Especies por la Selección Natural o la Supervivencia de las Razas Favorecidas en su Lucha por la Existencia], Darwin no tenía idea de como una especie podría cambiar a otra. La única cosa que él pensaba que pudo comprobar era que "...ninguna sola especie ha cambiado." El no podía ni imaginar de lo que podía parecer un cambio "beneficioso". Los científicos el día de hoy permanecen frustrados como Darwin.

Los principales pensadores evolucionistas del mundo tuvieron una convención en Roma en el año 1981. Ellos querían decidir qué es lo que hace que una especie evolucione a otra especie, y cómo ese cambio, de una planta o animal a otro, podría ocurrir. El Dr. Ernst Mayr, profesor emérito de Harvard, escribe:

> Tuvimos una conferencia internacional en Roma en 1981 sobre los mecanismos de especiación. Asistieron muchos de los principales botánicos, zoólogos, paleontólogos, genetistas, citólogos y biólogos. La única cosa en que todos se pusieron de acuerdo fue que todavía no tenemos absolutamente ni idea de lo que ocurre genéticamente durante la especiación. Eso es una declaración condenatoria, pero es la verdad.[27]

Estos científicos en Roma en 1981 llegaron a su conclusión, "¡Nosotros no tenemos ninguna idea de cómo ocurre la evolución de una especie a otra!" ¡Tampoco Darwin en 1863! Esta, entonces, es la verdaderamente gran pregunta de la evolución: ¿Cómo ocurre? Dios dice que Él creó cada cosa "según su especie" (Génesis 1:11, 12, 21, 24, 25). Los evolucionistas dicen

---

27 Dr. Ernst Mayr, *Omni Magazine*, February, 1983, p. 78.

que ellos no saben cómo las "especies" llegan a formarse. ¿Qué relato cree usted? ¿El de Dios o el de los evolucionistas? ¡Mi posición es que solamente Dios es digno para ser alabado!

Los científicos no saben cómo una forma de vida podría transformarse en otra. Ellos ni siquiera saben cómo un sencillo compuesto químico podría formarse. El autor y amigo de la evolución, Jeff Goldberg, registra para nosotros los pensamientos de Hans Kosterlitz, uno de los descubridores de los analgésicos naturales del cuerpo humano: las enkefalinas:

> Es una cuestión casi de Dios. Trabajando en las enkefalinas usted llega— sin ser religioso— a tener un compromiso. Usted empieza a admirarse y maravillarse, ¿cómo ocurriría eso—que las plantas y los animales compartieran tales químicos estructurales similares? ¿Cómo, aún después de un millón de años de evolución, podría la Tierra, con todas sus plantas y criaturas, ser tan simple y unificada?[28]

Kosterlitz revisó las enkefalinas, y su estudio del microuniverso le hizo a pensar sobre Dios. Pero, él rápidamente añade la advertencia "sin ser religioso," como que pensar en Dios no es ser religioso cuando uno estudia únicamente una parte pequeña de Su creación. Aparentemente Kosterlitz cree que Dios no tiene nada que ver con la ciencia. Sin embargo, cuando los científicos estudian aspectos específicos de la creación, Dios se ha propuesto que ellos se den cuenta que tiene que haber un Dios-Diseñador atrás de todo. A pesar de eso, la mayoría añade sus advertencias y se niega a honrar a el Creador Señor Jesús como Dios. La Palabra de Dios (p.ej. Romanos 1:18-22) declara que su pensamiento, por, ende ha sido reducido a tontas especulaciones (evolución sobre millones de años, etc.).

---

[28] Jeff Goldberg, *Anatomy of a Scientific Discovery* (N.Y.: Bantam Books, 1988), p. 211

Kosterlitz cuestionó cómo las plantas y los animales podrían "…compartir químicos estructurales tan similares." Si examinamos esta similitud desde una perspectiva creacionista, entonces Dios creó vida para que funcionara en la atmósfera común de la Tierra y la cadena alimenticia común compuesta de ciertos químicos básicos. Las similitudes entre criaturas no comprueban la evolución, sino muestran con mas lógica la sabiduría de Dios en crear las plantas y los animales los cuales con toda su diversidad, pueden existir en un ambiente que tienen en común. [Escribiré mas acerca del Principio Antrópico] Dios diseñó toda la vida para existir usando unos pocos químicos básicos en una atmósfera hecha principalmente de oxígeno y nitrógeno. ¡Que inteligencia muestra el Dios de la Biblia!

¿HA SIDO DERRIBADO DIOS?

Jerry Adler, un escritor de ciencia, hizo unos comentarios acerca del libro del pensador evolucionista de renombre mundial Stephen Jay Gould, *Wonderful Life* [La Vida Maravillosa], con estas palabras:

> La ciencia, habiendo derribado a Dios el Creador y exaltado al Hombre, ahora quiere levantar a la E.Coli y el resto de la masa agitada de vida terrestre allí arriba a su lado. Esta vista no niega la unicidad de Homo sapiens y su distintiva contribución a la vida, el conocimiento humano. Afirma, sin embargo, que no hay nada inherente en las leyes de la naturaleza que dirigieron la evolución hacia la producción de seres humanos. No hay nada predestinado relacionado con nuestra presente preeminencia entre la gran fauna terrestre; somos el producto de una completa serie de eventos contingentes en la historia de nuestro planeta, cualquiera de los cuales podría haber sido reversado para dar lugar a un resultado diferente.
>
> Somos, en pocas palabras, como cualquier otra criatura que alguna vez caminó o se arrastró sobre la tierra, un accidente…

Los sobrevivientes…tuvieron buena suerte.
La historia de la vida es una de extinciones periódicas en masa,
las cuales aniquilaron a la mayoría de las especies de la tierra.[29]

Gould, un ateo, y Adler, evidentemente creen que Dios ha sido "derribado," la ciencia y el hombre son exaltados y todo esto está basado en los "sobrevivientes afortunados" de las extinciones en masa. Así que, aparentemente, la evolución está basada en muerte. Debido a que por la muerte de los "no aptos," los "aptos" sobreviven. ¿Cómo podría un científico describir la vida "no apta?" ¿Creen los evolucionistas que hoy en día hay vida "no apta" entre nosotros? ¿Creyó Hitler eso? Hitler era un evolucionista y aparentemente pensó que estaba acelerando el proceso de la sobrevivencia del más apto. La evolución no es amoral. No es pensar en una forma neutral. Se promueve un sistema de valores el cual permite a cada individuo hacer como le parece bien.

El pensamiento evolutivo promueve materiales de enseñanza para las escuelas los cuales obligan a las mentes jóvenes a escoger quién es apto para sobrevivir y quien no; quien será rescatado por el bote salvavidas y quién será dejado para que muera por la exposición al ambiente o ahogado. Nadie sino Dios está calificado para describir cierta vida como "apta" o "no apta." El pensamiento evolutivo incorrectamente promueve al hombre al nivel de Dios. ¡**"…Y seréis como Dios…"** (Génesis 3:5b) era parte del cuádruple engaño ofrecido a Eva por la serpiente controlada por Satanás en el Huerto del Edén! La evolución ateísta es el fundamento de las engañosas cosmovisiones tan comunes el día de hoy. Ella obliga a la gente a tomar decisiones (por ejemplo acerca de la vida y la muerte, aborto, eutanasia, infanticidio) las cuales deben quedarle solamente a Dios. El Dios de la Biblia dice que El sabe cuantos días están destinados para cada uno de nosotros (Salmo

---

[29] Jerry Adler, *Newsletter*, November 20, 1989, p. 68.

139:16), El sabía todo de nosotros antes de crearnos en el vientre de nuestras madres (Jeremías 2:5, Job 33:4, Isaías 44:2) y El es quien ordena nuestra vida (Números 24:23). Nuestros tiempos están en Sus manos (Salmo 31:14, 15).

VEMOS MUERTE Y EXTINCIÓN, NO EVOLUCIÓN

Los científicos tienen razón cuando observan y publican que es un hecho comprobado que las extinciones en masa han ocurrido en el pasado. En el presente, las extinciones están ocurriendo diariamente. Lo que la ciencia puede comprobar con hechos es que la vida está desapareciendo. La vida de una amplia variedad de géneros de plantas y animales se está extinguiendo. ¿Comprueba ésto que nuevas formas están evolucionando ahora o que alguna vez evolucionaron? *La ciencia ha comprobado concluyentemente que vida está muriendo y que el universo se está acabando (la entropía en acción). Los fósiles son un récord de muerte y extinción. La "Explosión Cámbrica"[30] no es una explosión de vida primitiva. Es un registro fósil de la muerte de millones de organismos complejos los cuales, en gran parte han dejado de existir.* ¡La Explosión Cámbrica de Vida debería llamarse mejor la Explosión Cámbrica de Muerte! Así que entonces, cuando observamos la naturaleza, no vemos nuevas formas emergentes de vida sino muerte y extinción—¡la entropía en acción!

Carl Sagan solía enseñar que nuestro sol logró dominar la entropía, proveyendo así la energía necesaria para que la evolución ocurriera. La evolución requiere mas que energía para

---

[30] Geólogos nos dicen que las rocas Cámbricas son las rocas más antiguas que contienen numerosas formas de vida como fósiles. Muchas de estas rocas muestran criaturas extremadamente complejas que supuestamente existían hace 600,000,000 años. Debido a que los tipos y cantidades de fósiles de criaturas son tantos, se refieren a ello como "La Explosión Cámbrica de Vida." El diluvio de Génesis es una explicación científica factible para esta masiva y rápida destrucción de criaturas vivientes. ¡Este diluvio universal ocurrió hace mas o menos 4,500 años y no 600,000,000!

avanzar. La energía bruta no desarrollará absolutamente nada sin un plan (diseño) y una línea de producción para dirigirla. Así que, si accidentes aleatorios sin propósito e intervención de inteligencia fueran a evolucionar en formas de vida por el uso de la energía del sol por lo menos tres cosas serían requeridas: Energía, diseño y un mecanismo de orden (como la línea de producción en una fábrica). En el dogma evolutivo, el cual es absolutamente un proceso totalmente aleatorio-casual y sin intervención de inteligencia, ¿de dónde viene un diseño? ¿Y quién construye la línea de producción para convertir la energía solar en formas de vida? ¡La luz solar por sí misma no puede causar que químicos inanimados evolucionen en vida!

JESUCRISTO ES LA FUENTE DE VIDA

El Dios-Creador de la Biblia es la fuente de vida. Jesús dijo,

> **De cierto, de cierto os digo que el que oye mi palabra y cree al que me envió tiene vida eterna. Él tal no viene a condenación, sino que ha pasado de muerte a vida.**
> **De cierto, de cierto os digo que viene la hora y ahora es, cuando los muertos oirán la voz del Hijo de Dios, y los que oyen vivirán. Porque así como el Padre tiene vida en sí mismo, así también dio al Hijo el tener vida en sí mismo.**
> **Y también le dio autoridad para hacer juicio, porque él es el Hijo del hombre.**
> **No os asombréis de esto, porque vendrá la hora cuando todos los que están en los sepulcros oirán su voz**
> **Y saldrán, los que hicieron el bien para la resurrección de vida, pero los que practicaron el mal para la resurrección de condenación (Juan 5:24-29).**

Dios creó vida. Él la creó bellamente diseñada y sin pecado. La muerte vino cuando el primer hombre, Adán, y su esposa Eva, se rebelaron contra su Creador y pecaron. Romanos 5:12 dice:

Por esta razón, así como el pecado entró en el mundo por medio de un solo hombre y la muerte por medio del pecado, así también la muerte pasó a todos los hombres, por cuanto todos pecaron.

1 Corintios 15:21 continúa esta enseñanza:

Puesto que la muerte entró por medio de un hombre, también por medio de un hombre ha venido la resurrección de los muertos.

Si la muerte vino como resultado del pecado de Adán, entonces el pecado, descomposición y muerte no existían hasta la Caída. ¿Qué es el registro fósil? Es un testimonio de muerte. ¿Podríamos ver millones de años de muerte y "hombres" fosilizados llevándonos hasta Adán cuando las Escrituras claramente nos enseñan que "por medio del hombre (haciendo referencia a Adán) llegó la muerte?" Los fósiles son un récord de muerte. Sin muerte, no pueden existir los fósiles. ¿Creemos la Biblia o creemos las especulaciones de los científicos? Los científicos creen que la muerte empezó millones de años antes que el hombre evolucionara y apareciera en escena. La Biblia anota que la muerte empezó con Adán.

LA BIBLIA Y LA EVOLUCIÓN EN CONFLICTO

Como criaturas de Dios, no sujetamos la Biblia a la ciencia; sujetamos la "ciencia" a la Biblia. El desafío entre creerle a Dios y Su Palabra o a la teórica ciencia evolutiva es presentado por Scott Huse, un pensador cristiano, en su excelente libro, *The Collapse of Evolution* [El Colapso de la Evolución]. El conflicto de la teoría evolutiva con la Santa Escritura es imposible reconciliar. Huse da 24 contrastes entre la Biblia y el pensamiento evolutivo:

1. **Biblia**: Dios es el Creador de todas las cosas (Gen. 1).
   Evolución: Los procesos naturales y casuales pueden explicar la existencia de todas las cosas.

2. **Biblia**: El mundo fue creado en seis días literales (Gen.1).
   Evolución: El mundo evolucionó durante millones de años.

3. **Biblia**: La creación está terminada (Gen. 2:3).
   Evolución: Los procesos creativos continúan.

4. **Biblia**: El océano fue creado antes que la tierra (Gen. 1:2).
   Evolución: La tierra existió antes que los océanos.

5. **Biblia**: Atmósfera entre dos hidrósferas (Gen. 1:7).
   Evolución: Atmósfera e hidrósfera contiguas.

6. **Biblia**: La primera vida empezó en la tierra (Gen. 1:1).
   Evolución: La primera vida empezó en los océanos.

7. **Biblia**: La primera vida fueron plantas terrestres (Gen. 1:11).
   Evolución: Los organismos marinos evolucionaron primero.

8. **Biblia**: La Tierra antes del sol y estrellas (Gen. 1:14-19).
   Evolución: Sol y estrellas antes que la Tierra.

9. **Biblia**: Árboles frutales antes que peces (Gen. 1:11).
   Evolución: Peces antes que árboles frutales.

10. **Biblia**: Todas las estrellas hechas en el cuarto día (Gen. 1:16).
    Evolución: Estrellas evolucionaron en varios tiempos.

11. **Biblia**: Pájaros y peces creados el quinto día (Gen. 1:20,21).
    Evolución: Peces evolucionaron cientos de millones de años antes que los pájaros aparecieran.

12. **Biblia**: Pájaros antes que insectos (Gen. 1:20,21).
    Evolución: Insectos antes que pájaros.

13. **Biblia**: Ballenas antes que reptiles (Gen. 1: 20-31).
    Evolución: Reptiles antes que ballenas.

14. **Biblia**: Pájaros antes que reptiles (Gen. 1: 20-31).
    Evolución: Reptiles antes que pájaros.

15. **Biblia**: Hombre antes que lluvia (Gen. 2: 5).
    Evolución: Lluvia antes que el hombre.

16. **Biblia**: Hombre antes que la mujer (Gen. 2: 21-22).
    Evolución: Mujer antes que el hombre (por genética).

17. **Biblia**: Luz antes que el sol (Gen. 1: 3-19).
    Evolución: Sol antes que cualquier luz.

18. **Biblia**: Plantas antes que el sol (Gen. 1: 11-19).
    Evolución: Sol antes que plantas.

19. **Biblia**: Abundancia y variedad de vida marina de repente
    (Gen. 1: 20-21).
    Evolución: Vida marina se desarrolló poco a poco a partir
    de una masa orgánica primitiva.

20. **Biblia**: El cuerpo del hombre del polvo de la tierra (Gen. 2: 7).
    Evolución: Hombre evolucionó de monos.

21. **Biblia**: Hombre ejerció dominio sobre todos los organismos
    (Gen. 1: 28).
    Evolución: La mayoría de los organismos extintos estuvie-
    ron antes de que el hombre existiera.

22. **Biblia**: Hombre originalmente un vegetariano (Gen. 1:29).
    Evolución: Hombre originalmente un carnívoro.

23. **Biblia**: Géneros fijos y distintos (Gen. 1: 11, 12, 21, 24, 25;
    1 Cor. 15:38-39).
    Evolución: Formas de vida continuamente en cambio.

24. **Biblia**: El pecado del hombre es la causa de muerte (Rom. 5:12).
    Evolución: Lucha y muerte existía mucho antes de la evo-
    lución del hombre.

Además de estas contradicciones directas y específicas, hay diferencias marcadas de principio general entre evolución ateísta y
cristianismo bíblico. Jesús dijo:

El árbol sano no puede dar malos frutos, ni tampoco puede el árbol podrido dar buenos frutos (Mateo 7:18).

El fruto de evolución ha sido todo tipo de sistemas anti-cristianos de creencia y práctica. Ha servido como el fundamento intelectual para el nazismo de Hitler y el comunismo de Marx. Ha causado apostasía, ateísmo, humanismo secular y libertinaje, además de establecer una base para relativismo ético, el cual se ha extendido por nuestra sociedad como un cáncer. La mente y bienestar general de la humanidad ha sufrido grandemente como resultado de esta filosofía naturalista.

De acuerdo a la Biblia, el hombre es una criatura responsable. Un día tendrá que dar la razón por las acciones y motivos de su vida. Pero, cuando el hombre es visto como producto de algún vago proceso evolucionario sin propósito, es convenientemente librado de todas las obligaciones morales y responsabilidades. Al fin y al cabo, él es simplemente un accidente de la naturaleza; un animal inteligente en el mejor de los casos.[31]

Evolución o creación: ¡usted no puede tener las dos! La lista de Scott Huse es absolutamente clara. Mire otra vez el contraste #14, por ejemplo. La Biblia dice en Génesis 1: 20-31 que las aves aparecieron el quinto día y los reptiles el sexto día. Eso quiere decir que los pájaros existieron antes de los reptiles. Sin embargo, la evolución enseña como un hecho comprobado que los reptiles existieron antes de los pájaros. Los dos puntos de vista son mutuamente excluyentes. O usted cree la Biblia o cree las especulaciones de los hombres.

La evolución declara que la Tierra empezó como un planeta seco. Durante muchos años, la actividad volcánica y cometas impactando a la Tierra generaron nuestros océanos. Esto no es lo que dice la Biblia. Dios dice que la Tierra empezó totalmente cubierta con agua. **"Y la tierra estaba sin orden y vacía. Había tinieblas sobre la faz del océano, y el Espíritu de Dios se movía sobre la faz de las aguas"** (Génesis 1:2). La evolución

---

[31] Scott Huse, *The Collapse of Evolution* (Grand Rapids: Baker Book House, 1983), p. 122-124.

declara que la Tierra empezó seca. Dios dice que empezó húmeda. Si usted es un evolucionista teísta o un creacionista progresivo y todavía cree en la cosmología del Big Bang, usted tiene un
gran problema aquí: ¡El Big Bang dice seco, Dios dice húmeda!

Alguien podría quejarse acerca de los veinticuatro contrastes de Huse. Por ejemplo, el contraste #13 podría leerse mejor,
"Ballenas contemporáneas con reptiles." Aun así, la evolución
tiene a las ballenas viniendo al escenario mucho después de la
edad de los dinosaurios. Mas recientemente algunos evolucionistas están proponiendo que las ballenas evolucionaron de vacas o hipopótamos o criaturas parecidas a lobos que "regresaron
a sus raíces evolutivas en el mar."

¿EVOLUCIONARON LAS BALLENAS DE MAMÍFEROS TERRESTRES?

La evolución de ballenas a partir de mamíferos terrestres
(por supuesto desde nuestra perspectiva esto nunca ocurrió) no
es un pequeño problema a resolver por el evolucionista. Como
el evolucionista Georges Fichter lamenta, es "algo misterioso."

> Cetáceos [ballenas] desarrollaron a partir de mamíferos que vivían
> en la tierra, su regreso al mar inició tal vez hace 60 millones de años.
> La evidencia fósil es escasa, entonces el cuadro preciso y completo
> de la evolución de los cetáceos permanece como algo misterioso.[32]

Douglas Chadwick recorta cerca de diez millones de años
de los números de Fichter al hablar de "...el cachalote, una de
las 83 especies de cetáceos cuyo pasado está firmemente enraizado en la tierra. Hace más o menos 50 millones de años sus
antepasados aprendieron a nadar por primera vez".[33]

---

[32] Georges Fichter, *Whales and other Marine Animals* (New York: Golden
Press), 1990, p.8.

[33] Douglas H. Chadwick, "Evolution of Whales," *National Geographic*, November 2001, p. 64.

Parece que vacas, hipopótamos y lobos aún son vacas, hipopótamos y lobos. Y saben cómo nadar en agua dulce o salada desde su nacimiento.

Una de las supuestas formas transitivas es llamada Ambulocetus. Parte de un esqueleto permanece. Fue publicado que esta criatura tenía unos dos metros de largo (por cierto, ¡no hay suficiente vértebra para afirmarlo con seguridad DEBIDO A QUE LA MAYOR PARTE DE LAS VÉRTEBRAS NUNCA HAN SIDO ENCONTRADAS!). Frecuentemente lo dibujan con cuatro patas y cubierto de pelo. Parece que el pelaje eliminaría al hipopótamo como su ancestro aunque ¡el pelaje es solo la idea del artista debido a que los huesos no tienen pelaje! Puesto que falta el cíngulo pélvico no hay manera de determinar si la criatura caminaba o nadaba. [Para mayor información acerca del Ambulocetus,vea: www.answersingenesis.org/docs/1344.asp]

Se supone que el Basilosaurio es pariente del Ambulocetus. Pero, el Basilosaurio es semejante a una serpiente y de unos 21 metros de largo y totalmente acuático. El siguiente es Pakicetus. "...Pakicetus es conocido solo por algunos dientes de pómulo y fragmentos del cráneo y la quijada inferior, así que no tenemos ninguna manera de saber si su locomoción era transitoria."[34] ¡Los evolucionistas no han podido probar de ninguna manera que las ballenas evolucionaron de los mamíferos terrenales tales como vacas o hipopótamos o lobos!

¿LA ATMÓSFERA ENTRE DOS HIDROSFERAS?

Huse menciona una atmósfera entre dos hidrosferas. La cubierta de agua bajo la capa de ozono y sobre donde vuelan las aves será examinada después (y la teoría de la cubierta de

---

[34] Vea: Jonathan Sarfati, *Refuting Evolution* (Brisbane: Answers in Genesis, 1999), p.76.

agua no es bien vista aun dentro de círculos creacionistas). ¡Pero, si no hubo agua sobre nuestra atmósfera entonces hubiera habido lluvia y diluvios desde Adán a Noé y el arco iris pierde su sentido de pacto!

¿Se inclinará usted ante la "ciencia" evolucionista, o se inclinará ante su Creador? Hay ciertas cosas en la vida que son blanco o negro. Debemos tener la integridad, especialmente como cristianos profesantes, de escoger la Palabra de Dios y no las especulaciones de hombres. Nosotros los cristianos debemos definirnos. **"...Escogeos hoy a quién sirváis..."** (Josué 24:15). ¿Cambiaremos nuestros principios y serviremos a los dioses de la evolución o nos pondremos en pie y estaremos firmes **"...frente a las intrigas del diablo..."** (Efesios 6:11b).

Usted no puede ser evolucionista y creer en la Biblia tal como está escrita. La palabra clara de la Escritura es "Dios creó." Por ende, la evolución de moléculas-hombre o lobosballenas es una falsa especulación del hombre. Walter Brown revela 57 diferencias irreconciliables entre la Biblia y la evolución "teísta" en su libro, *In the Beginning* [En el Principio] (El Centro para la Creacionismo Científico, 5612 N. 20th Place, Phoenix, AZ 85016, 1989, pp. 110-115).

MICROEVOLUCIÓN VERSUS MACROEVOLUCIÓN

Cuando hablamos de evolución como una falsa especulación, queremos decir la macroevolución—de una célula al hombre. Lo que los científicos llaman microevolución, obviamente ocurre. La microevolución puede ser definida como variación genética, sin embargo una mejor definición es "errores aleatorios en los genes" dentro de cierto tipo de organismo. Nuevas especies pueden ocurir dentro de, pero no fuera de las "especies" creadas por Dios. Por ejemplo, la gente es totalmente diferente aunque venimos de una pareja de progenitores (Adán y Eva, luego Noé y la esposa). ¿Cómo pueden más de cinco millardos de personas variar tan ampliamente en apariencia y habilidades si todos venimos de la misma pareja de padres? Esto es adaptación o, preferiblemente, la variación genética o, tal vez, deriva genética. No es ningún tipo de evolución en el sentido de cambios en los genes.

La microevolución son cambios aleatorios (errores) en la composición genética de un organismo. Un ejemplo puede ser una ave nacida sin una ala o un gato sin bigotes. La microevolución casi siempre es dañina o neutral a una forma de vida.

La macroevolución es algo convirtiéndose en otra cosa debido a cambios que producen NUEVA información en los genes, tal como un reptil de sangre fría convirtiéndose en un ave de sangre caliente o un pez convirtiéndose en anfibio o avena en maíz.

Tenemos diferentes especies de maíz, perros y mostaza, pero todavía son identificados como maíz, perros y mostaza. Hay maíz para palomitas, elote dulce y elote del campo; sabuesos, poodles (perros de lanas) y collies (pastores escoceses); muchas variedades de mostaza. Esto no comprueba que la evolución sea verdad. Solamente demuestra la gran cantidad de información genética original diseñada por Dios dentro las familias de maíz, perros y mostaza.

Usando su inteligencia, computadoras y sofisticado equipo de laboratorio los investigadores pueden manipular genéticamente, por ejemplo, maíz. Tal vez el término microevolución puede ser usado para describir lo que cambió al maíz, pero no fue un proceso aleatorio y accidental. Este maíz alterado genéticamente puede ser menos susceptible a ciertos hongos en el campo, lo cual es bueno para los cultivadores de maíz, pero están surgiendo preguntas en cuanto a si podría no ser saludable para la gente comer ese maíz.

DIFERENTES "RAZAS" DE PERSONAS

¿Cómo explicaría un creacionista todas las "razas" de personas? El registro de Dios de lo que ocurrió con la Torre de Babel en Génesis 11 provee la respuesta:

Toda la tierra tenía un solo idioma y las mismas palabras. Pero aconteció que al emigrar del oriente, encontraron una llanura en la tierra de Sinar y se establecieron allí. Entonces se dijeron unos a otros: "Venid, hagamos adobes y quemémoslos con fuego." Así empezaron a usar ladrillo en lugar de piedra, y brea en lugar de mortero.

Y dijeron: "Venid, edifiquémonos una ciudad y una torre cuya cúspide llegue al cielo. Hagámonos un nombre, no sea que nos dispersemos sobre la faz de toda la tierra."

Jehová descendió para ver la ciudad y la torre que edificaban los hombres.

Entonces dijo Jehová: "He aquí que este pueblo está unido, y todos hablan el mismo idioma. Esto es lo que han comenzado a hacer, y ahora nada les impedirá hacer lo que se proponen. Vamos, pues, descendamos y confundamos allí su lenguaje, para que nadie entienda lo que dice su compañero."

Así los dispersó Jehová de allí sobre la faz de toda la tierra, y dejaron de edificar la ciudad.   Por tanto, el nombre de dicha ciudad fue Babel, porque Jehová confundió allí el lenguaje de toda la tierra, y desde allí los dispersó sobre la faz de toda la tierra (Génesis 11: 1-9).

En el principio, todos hablaban el mismo idioma. Por ende, podían unir sus recursos intelectuales. Todos podían comunicarse unos con otros. Como resultado, nada era "imposible para ellos" ni "les impedía hacer lo que se proponían" (Gen. 11: 6). Ellos escogieron violar el mandato de Dios de dispersarse sobre la tierra (Gen. 9: 1), una violación la cual resultó en Dios creando los diferentes idiomas básicos. ¿Ha pensado usted alguna vez acerca del milagro asombroso que hizo nuestro Señor en Babel? ¡El no solo creó idiomas completamente desarrollados, sino también, antes que pudiera programar instantáneamente cada persona en la tierra con idiomas recientemente hechos, tuvo que entrar en sus cerebros para seleccionar y borrar su idioma anterior! ¡Y después El volvió a poner todas las memorias de ellas en el cerebro de cada persona pero ahora en el nuevo idioma! Los esposos aún conocían a sus esposas e hijos y recordaban como construir, cocinar, casar, etc. ¡Oh, la sabiduría, ingenio y poder del Dios de la Biblia!

Desde Babilonia, solo pequeñas poblaciones aisladas de otros grupos de gente pudieron comunicarse unos con otros. Esto explicaría el período del "Hombre de las Cavernas" (vea Job 30) siendo que las restricciones del lenguaje y el caos del "período de dispersión" ciertamente podría haber creado ciertos grupos de gente extremadamente aislados y primitivos. Las restricciones del lenguaje les exigieron dispersarse sobre la tierra y "reproducirse entre parientes." Ciertas "razas" de personas surgieron luego de varias generaciones de este tipo de reproducción. [Dios eventualmente declaró el incesto un pecado según la Ley de Moisés. Caín y Set tomaron esposas entre sus hermanas o primas pero esto no fue pecado hasta que llegó la Ley.]

> **Por tanto, guardaréis mis estatutos y mis decretos, los cuales el hombre que los cumpla, por ellos vivirá. Yo, Jehová.**
> **"Ningún hombre se acerque a una mujer que sea su parienta cercana para descubrir su desnudez. Yo, Jehová.**
> **"No descubrirás la desnudez de tu padre o la desnudez de tu madre. Ella es tu madre; no descubrirás su desnudez.**
> **"No descubrirás la desnudez de la mujer de tu padre. Es la desnudez de tu padre.**
> **"No descubrirás la desnudez de tu hermana, hija de tu padre o hija de tu madre, nacida en casa o nacida fuera de ella (Levítico 18:5-9).**

Los científicos nos dicen que todas las razas de la humanidad surgieron de un solo progenitor femenino. En este punto, la Escritura no niega la "ciencia." Eva es la madre de la "raza" de Adán de la cual todos somos miembros. Los diferentes tipos de seres humanos (variaciones dentro de la "especie" humana) son probablemente el resultado de la dispersión de la gente alrededor del globo hecha por Dios después de la Torre de Babel.

LOS LENGUAJES NO EMPIEZAN CON GRUÑIDOS

El estudio del lenguaje se ha desarrollado en un campo académico complejo. Los lingüistas nos dicen que los idiomas se vuelven más y más complejos mientras más los rastreamos hacia atrás. Lo mas antiguo ("más primitivo") que sea un idioma, más complejo parece . Esto es evidencia fuerte contra evolución.

Si la evolución es verdad y el hombre evolucionó poco a poco de criaturas más primitivas, el lenguaje debe volverse más y más sencillo mientras más antiguo sea. El hombre prehistórico debía haberse comunicado primero con gruñidos; después con sílabas solitarias; luego con palabras multi-silábicas (ba-na-no); luego, con fragmentos de oraciones, desarrollando hasta oraciones ("Quiero banano"), etc. Lo que se encuentra es justamente lo contrario. Los lenguajes primitivos como el sumerio son tan complejos que únicamente unos pocos de los eruditos más brillantes pueden decifrarlos. El incidente de La Torre de Babel explica las "razas" y el problema de la complejidad de los lenguajes "primitivos." Dios creó los lenguajes en un instante y totalmente desarrollados. ¡La evolución no ofrece ninguna buena explicación para la complejidad de los primeros lenguajes conocidos!

EL PRINCIPIO DEL IDIOMA INGLÉS

Los investigadores lingüísticos de alrededor del mundo han publicado sus ideas concernientes a la ubicación geográfica de la "raíz" del idioma inglés. Los lingüístas llaman este lenguaje Proto-Indo-Europeo. Dos lingüístas rusos, Thomas Gramkrelidze y Vyacheslav Ivanov han ofrecido evidencia "...que el Indo-Europeo se originó en una área conocida como Anatolia, la cual ahora forma parte de Turquía, y de allí se extendió a través de Europa y el sub-continente." (vea *U.S. News and World Report*, Nov. 5, 1990, página 62).

U.S. News and World Report, no fue la primera publicación en reportar que el lenguaje puede ser rastreado de regreso a Turquía. La Biblia relata para nosotros que después del diluvio Noé y su familia iniciaron su vida de nuevo en Turquía y allí tuvieron su primeras conversaciones post-diluvio :

El día 17 del mes séptimo se asentó el arca sobre los montes de Ararat... (Génesis 8:4).

Los científicos rastrean el lenguaje de regreso a un lugar específico de la tierra: la Biblia describiría ese lugar como las montañas de Ararat en Turquía. ¡Los lingüistas están de acuerdo! Por supuesto, hay otros grupos de lenguaje sobre la tierra que alguien podría argumentar tuvieron sus orígenes en Australia o las Amazonias hace miles de años. Sus ideas acerca del origen de los idiomas están determinados por los "lentes de su cosmovisión." Si Noé y su familia fueron las primeras personas conversando sobre este planeta después del diluvio, y la Biblia no enseña otra cosa, entonces todos los idiomas serán rastreados tarde o temprano a Noé o el incidente de la Torre de Babel.

BABEL Y LA CIENCIA DE ALTA TECNOLOGÍA

Desde la creación de los lenguajes en la Torre de Babel, los esfuerzos de la humanidad por generaciones han sido limitados (incapaz de hacer lo imposible) por la barrera del lenguaje. Pero ahora, por primera vez desde el tiempo de la Torre de Babel, nuestra generación tiene un lenguaje común internacional—el lenguaje de las computadoras de alta tecnología. Con computadoras, otra vez podemos compartir nuestras investigaciones internacionales y conocimientos y hacer lo imposible (el hombre en la luna, transplantes de corazón, viajar por avión supersónico, etc.). Dios dió un paso dentro del tiempo para detener esta situación en Génesis 11:5-7:

Jehová descendió para ver la ciudad y la torre que edificaban los hombres. Entonces dijo Jehová: "He aquí que este pueblo está unido, y todos hablan el mismo idioma. Esto es lo que han comenzado a hacer, y ahora nada les impedirá hacer lo que se proponen. Vamos, pues, descendamos y confundamos allí su lenguaje, para que nadie entienda lo que dice su compañero.

Otra vez la humanidad tiene un lenguaje común. Si Dios paró una generación de hacer lo que habían "imaginado," ¿que podría Él hacer con nuestra generación? Las ideas imaginadas de evolución están convenciendo más y más personas de que Dios no nos hizo y de que Él no es necesario para ninguna parte de nuestra existencia. Nos estamos transformando rápidamente en un pueblo que cree la enseñanza principal del poema *Invictus* de William Henley: "Yo soy el dueño de mi destino, soy el capitán de mi alma." Esta fue la actitud de Babilonia, y al Creador no le agradó.

Otro pensamiento a considerar en Génesis 11—¿Podría haber estado la gente de Babel construyendo una torre a prueba de agua? El texto bíblico indica el uso de ladrillos cocidos (endurecidos) y el uso de alquitrán a prueba de agua ("brea") en vez de mezcla. El juicio por diluvio de la época de Noé habría estado presente en las mentes de esta gente. ¿Podrían haber estado amenazando a Dios con el puño (rebelándose) con sus recursos intelectuales unificados mientras construían una torre a prueba de agua y en esa forma haciendo una declaración? "¡Dios, tu no puedes agarrarnos otra vez con un diluvio! Todos nosotros nos juntamos en nuestra torre a prueba de agua que llega al cielo. Salvaremos nuestras propias vidas a pesar de Tí. Controlaremos nuestro destino. Tomaremos control de nuestras vidas." ¿Cuánto se parece esta actitud a la de Lucifer: **"...seré semejante al Altísimo"** (Isaías 14:13, 14)?

La ciencia de aquel día pudo haber convencido a la gente que ellos podían vivir adecuadamente separados de su Creador. Los científicos del día de hoy suben a sus torres de marfil y dicen en sus corazones y en sus escritos: "No hay Dios. Podemos seguir adelante muy bien sin Él. Somos todos dioses y controlamos nuestros propios destinos. La evolución ha comprobado que podemos estar aquí sin la necesidad de Dios." Lamentablemente, este tipo de pensamiemto "políticamente correcto" ha infectado a la iglesia. Cada uno de nosotros debe **"sobre toda cosa guardada, guarda tu corazón…"** (Proverbios 4:23) y no permitir que nuestros principios sean arriesgados, neutralizados y diluídos por la influencia del mundo. Hay un camino que parece derecho, pero que al final es camino de muerte (Proverbios 14:12).

EVOLUCIÓN Y EL MÉTODO CIENTÍFICO

Los científicos a menudo hacen declaraciones y publican investigaciones que los elevan a ser como si fueran dioses. ¿Estamos forzados a creer que la ciencia y el método científico han "derribado" a Dios? Desde nuestros primeros días en la escuela, nos enseñan que la ciencia está basada en experimentación cuidadosa, observación y pensamiento disciplinado. La ciencia nos da hechos reales. Podemos confiar en ello. Nos siguen educando a través de programas de televisión y entrevistas con personas que tienen doctorados como Carl Sagan declarando que "la evolución ya no mas es una teoría, sino un hecho comprobado." ¡Esto no es el método científico! El evolucionista, Hy Ruchlis, define el método científico:

> El Método Científico es el conjunto básico de procedimientos que usan los científicos para obtener nuevo conocimiento acerca del universo donde vivimos.[35]

Hacer una declaración que la evolución ya no mas es una teoría, sino un hecho comprobado es sencillamente eso—una

---

[35] Hy Ruchlis, *Discovering Scientific Method* (N.Y.: Harper & Row, 1963), p. 7.

declaración. No es ciencia verificable. No cabe dentro de la definición del Método Científico. El Método Científico empieza con una observación. Luego, el conocimiento previo es examinado en relación a su observación y se forma una hipótesis (la hipótesis es algo como una predicción que usted hace acerca de su observación). Una vez se llega a su hipótesis, usted diseña un experimento, recolecta cualquier información (datos) que queda de los resultados de su experimento y entonces trata de interpretar sus datos (resultados). En este punto, de nuevo consulta conocimiento previo y después forma sus propias conclusiones de su experimento. Ruchlis continúa:

> A menos que las enseñanzas de los autoridades en una materia estén basadas en el método científico, el error puede ser transmitido tan fácilmente como el hecho real...
> El punto más importante a recordar acerca del método de ciencia es que depende de la actitud de una mente abierta. En concordancia a esta actitud, uno tiene el derecho de cuestionar cualquier hecho aceptado. Quien busca la verdad tiene que aprender a cuestionar profundamente las cosas que son generalmente aceptadas como verdades muy obvias (énfasis añadido).[36]

Comparado con la explicación del método científico hecha por Ruchlis, ¿cómo califica la evolución como una explicación "científica" de los orígenes? Recibe una nota deficiente. ¿Podría ser la evolución "error...transmitido como un hecho real?" Absolutamente podría ser cierto. ¿Tienen los evolucionistas una "mente abierta"? ¿Permiten sus estudiantes cuestionar su presentación de la evolución como "una verdad muy obvia"? Al contrario, los evolucionistas han demostrado ampliamente que quieren que un solo punto de vista sea enseñado en las aulas del mundo. Cuando un científico creacionista con grado

---

[36] Ibid: Ruchlis, pp. 7, 8.

académico presenta evidencia concreta que apoya al Creador y Su creación, el o ella es acusado de enseñar religión.

Sin embargo, la evolución célula-hombre no está basada en el método científico[37] y por eso es un sistema de fe. Eso quiere decir que es tan "religioso" como fe en creación especial. La pregunta no es, "¿son evolución, ciencia y creación religiones?" sino "cuál sistema de creencia—creación o evolución—tiene más respaldo de la ciencia objetiva?" Por ejemplo, la evolución no ofrece una explicación que pueda ser comprobada experimentalmente para el origen de la materia. Tampoco hay una explicación científica para el origen de la vida. No hay duda acerca de esto, el Creacionismo y la Evolución, ambos son sistemas religiosos de fe cuando hablan acerca de los orígenes.

LA MACROEVOLUCIÓN NO SE PUEDE COMPROBAR

David E. Green (Instituto para Investigaciones sobre Enzimas, Universidad de Wisconsin, Madison) y Robert F. Goldberger (Institutos Nacionales de Salud, Bethesda, Maryland) han estudiado el método científico y su relación con los procesos de evolución. La opinión calificada de ellos es que la macroevolución queda fuera del rango de "hipótesis verificable." En otras palabras, no se puede comprobar que es un hecho real por medio del método científico.

---

[37] "La mente abierta es uno de los aspectos importantes de la actitud científica que forma parte de la base del método científico. Una persona que se acerca a un problema con una mente cerrada, no dispuesta a examinar nuevos hechos reales, sin ningún deseo de hacer observaciones cuidadosas, y sujeto a la tiranía de certeza, tiene poca o ninguna posibilidad de resolver adecuadamente ese problema. Pero, una persona con actitudes científicas, que sabe lo fácil que es estar equivocada, que examina nuevos hechos reales aun cuando ellos aparentemente contradicen sus creencias más importantes, que en verdad sale buscando tales hechos reales—tal persona tiene ventaja mientras va en camino hacia la solución de cualquier problema que se enfrenta." Ibid: Ruchlis, p.11.

El origen de la primera célula viviente es científicamente "incognoscible." A pesar de ello, los evolucionistas Green y Goldberger[38] niegan la existencia de cualquier cosa sobrenatural ("parafísico"). En oposición al pensamiento de estos dos científicos, la macroevolución no es ciencia: es una religión basada en fe. Sin embargo, los evolucionistas religiosos no están dispuestos a dejar a los creacionistas religiosos presentar sus opiniones en el sistema de escuelas públicas. De hecho, como todos saben, nuestras salas de justicia en América ("...la tierra de los libres y el hogar de los valientes.") no permitirán un punto de vista alternativo para el origen del hombre para ser presentado en nuestras aulas sin algún tipo de objeción. Si es tan obvio que la creación es una absurda opción de creencia, ciertamente uno tendría que preguntar por qué es un concepto tan amenazante para considerarlo en las aulas de nuestros hijos. **Sin duda, si la evolución es la verdad y es tan fácilmente corroborada como los científicos afirman, no debe existir ninguna amenaza en permitir que sea desafiado por la "absurda opción científica" de la creación.**

Es interesante notar que un número creciente de científicos evolucionistas se están dando cuenta que existe una ausencia enorme de evidencia científica para apoyar el modelo de evolución moléculas-a-hombre. La realidad inquietante

---

[38] "...la transición de la macromolécula-célula es un salto de dimensiones fantásticas, la cual queda fuera del rango de hipótesis verificable. En esta área, todo es conjetura. Los hechos disponibles no proveen una base para postular qué células llegaron a existir en este planeta. Esto no quiere decir que algunas fuerzas parafísicas estaban trabajando. Sencillamente queremos señalar el hecho de que no hay evidencia científica. El físico ha aprendido a evitar el especificar cuando empezó el tiempo y cuando fue creada la materia, salvo dentro del marco de pura especulación. El origen de la célula precursora tal vez caiga bajo la categoría de incognoscibles." David E. Green (Instituto Para Investigaciones Sobre Enzimas, Universidad de Wisconsin, Madison, U.S.A.) y Robert F. Goldberger (Institutos Nacionales de Salud, Bethesda, Maryland, U.S.A.), *Molecular Insights into the Living Process* (New York: Academic Press, 1967), pp. 406-407, citado de *The Quote Book*, p.20.

es que, como un evolucionista ha comentado: "Parece ser que los creacionistas tienen el mejor argumento."

EL SEÑOR PREVALECERÁ

Cuando una religión compite con otra religión, la religión verdadera prevalecerá. El Dios de la creación ya es el vencedor. Un escritor anónimo, M.B., quien trabaja para la Agencia Para la Protección Ambiental (E.P.A. por sus siglas en inglés) lo expresó en esta forma:

Dios creó los Cielos y la Tierra. Muy pronto tuvo que enfrentar un juicio por falta de tramitar una declaración de impacto ambiental. Le fue concedido un permiso provisional para la parte celestial del proyecto pero estaba estorbado con una prohibición judicial contra la parte terrenal.

En la audiencia, Dios fue preguntado por qué empezó su proyecto terrenal. Él respondió que ¡sencillamente a Él le gustaba ser creativo!

Entonces Dios dijo, "Sea la luz" e inmediatamente las autoridades exigieron saber como haría la luz. ¿Habría minería descontrolada? ¿Qué de la polución térmica? Dios explicó que la luz saldría de una enorme bola de fuego. A Dios le fue concedido un permiso para hacer luz, asumiendo que la bola de fuego no produciría humo, y que para conservar energía, la luz tendría que ser apagada la mitad del tiempo. Dios estuvo en acuerdo y dijo que llamaría la luz "Día" y la oscuridad, "Noche." Las autoridades respondieron que no les interesaba la semántica.

Dios dijo, "Produzca la tierra hierba verde, que produzca semilla." La Agencia para la Protección Ambiental estuvo de acuerdo mientras que usara semilla casera. Dios dijo, "Produzcan las aguas inumerables seres vivientes, y haya aves que vuelen sobre la Tierra." Las autoridades indicaron que esto requeriría la aprobación de la Comisión de Animales y Peces en coordinación con la Federación de Vida Silvestre Celestial y la Sociedad Audobongélica.

Todo iba bien hasta que Dios dijo que quería terminar el proyecto en seis días. Las autoridades dijeron que tomaría por lo menos 100 días para analizar la solicitud y la declaración de impacto

ambiental. Después de eso habría una audiencia pública. Luego, pasarían 10 a 12 meses antes...
En ese momento, ¡Dios creó el infierno!

La evolución podría estar ganando algunas confrontaciones tácticas en conjunto con el sistema mundial de Satanás, pero no olvidemos jamás que nuestro Señor tendrá la última palabra. El Creador nos dice como terminará todo en Filipenses 2:10,11:

> **...para que en el <u>nombre de Jesús</u> se doble toda rodilla de los que están en los cielos, en la tierra y debajo de la tierra; y toda lengua confiese para gloria de Dios Padre que Jesucristo es Señor (énfasis añadido).**

¡Nuestro Señor, nuestro Creador es el Vencedor! Isaac Asimov, Carl Sagan, Ernst Mayr y Stephen Jay Gould, además de ese profesor universitario evolucionista o aquel maestro evolucionista de secundaria, todos doblarán sus rodillas delante de su Salvador y Creador, Jesucristo el Señor. Ellos confesarán en voz alta con su propia lengua, "Jesucristo es Señor," para gloria de Dios el Padre. Ellos han examinado la creación y a propósito han tomado la decisión de creer una mentira. A menos que vengan al Señor Jesús con una fe sencilla y confiesen su rebelión pecaminosa contra Él, ellos "se doblarán" y "confesarán" en el juicio final pero no valdrá de nada. <u>Ellos aparecerán en el Juicio delante de Dios su Creador sin excusa.</u>

> **Porque lo que de Dios se conoce es evidente entre ellos, pues Dios hizo que fuese evidente.**
> **Porque lo invisible de él, su eterno poder y deidad, se deja ver desde la creación del mundo, siendo entendido en las cosas creadas; de modo que no tienen excusa.**
> **Porque habiendo conocido a Dios, no le glorificaron como a Dios ni le dieron gracias; más bien, se hicieron vanos en sus razonamientos, y su insensato corazón fue entenebrecido.**
> **Profesando ser sabios se hicieron fatuos,**

Y cambiaron la gloria del Dios incorruptible por una imagen a la semejanza de hombre corruptible, de aves, de cuadrúpedos y de reptiles (Romanos 1: 19-23).

Las mentes grandes de evolución el día de hoy tienen una tendencia a elevar al hombre y la criatura a la condición de Dios. De los químicos hasta el hombre, todo es esencialmente igual. ¡Todo es "Uno"! Pero, ¿es esto sabiduría o tontería? Dios dice: **"El comienzo de la sabiduría es el temor de Jehová, y el conocimiento del Santísimo es la inteligencia"** (Proverbios 9: 10). La verdadera sabiduría es creer en Dios el Creador. Hay unidad y diversidad en Su creación. Tal vez el hombre se parezca a un mono y aún actúe como un mono, pero no puede recibir una transfusión de sangre de un mono. Como cristianos profesantes, cuando dejamos de rendirnos delante de Dios en el reconocimiento de Su soberanía y omnipotencia, nos abrimos a ser corrompidos con las vanas filosofías y las especulaciones tontas de este sistema mundial. ¿Nos hemos dedicado de tal manera a aprender los caminos del mundo que hemos descuidado los caminos de la Palabra? ¿Nos paramos condenados delante de nuestro Creador porque nuestro verdadero compromiso está con las imaginaciones y especulaciones de los hombres mas que con las verdades eternas de la Biblia? ¿Nos falta fe porque hemos caído en sujetar la Biblia a la "ciencia" en vez de sujetar la ciencia a la Biblia? ¿Estamos buscando la aprobación de los hombres mas que la aprobación de Dios (Juan 12:43)? De cierto, **"Hay un camino que al hombre le parece derecho, pero que al final es camino de muerte"** (Proverbios 14:12). "Oh Dios, ¡ayúdanos con nuestra incredulidad!"

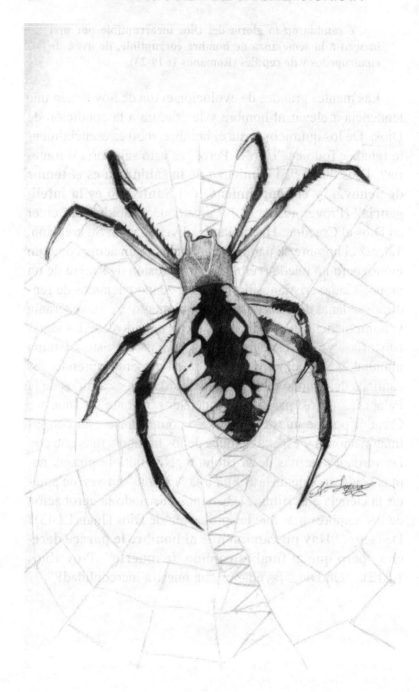

MARAVILLA DE LA CREACIÓN DE DIOS

#2

La Araña negro y amarillo de jardín

La araña jardinera es una creación especial del Dios de la Biblia. Al igual que las demás especies de arañas, tiene su propia y singular tela, la cual puede ser tejida más de 60 centímetros de diámetro. En el centro de la telaraña, la araña hace una densa área de seda que a menudo se parece un cierre de cremallera o un bulto de seda en forma de zigzag.

La hembra teje para depositar sus huevos un saco de unos 2 centímetros y medio de diámetro que tiene forma de pera. Ella entonces coloca el saco de huevos junto a la telaraña principal.

Esta araña pone todos sus huevos a la vez. Generalmente hay 40 o 50. Mientras cada huevo es expulsado, la hembra lo rocía con una sustancia polvorienta. Este procedimiento provee al huevo de una capa que asemeja la lozanía de una ciruela o una uva.

Los huevos están encerrados en una bolsa de seda en el centro del saco. La bolsa, a su vez, está cubierta por una capa de seda vellosa. Y para protección adicional la hembra teje otra capa de seda alrededor de la bolsa y del hilo. Esta capa exterior está apretadamente tejida y es de color café.

Poco tiempo después de que la araña pone los huevos se salen del cascarón. Los recién nacidos se llaman "arañuelos." Ellos rompen los cascarones por medio de un órgano conocido como "diente de huevo." Éste desaparece más tarde.[39]

La araña negra y amarilla de jardín parece una fábrica en miniatura. Produce distintas variedades de tejido en más de un color para diferentes propósitos, así como también produce esa sustancia polvorienta con la que cubre sus huevos. Parte de su tejido es pegajoso para atrapar insectos para comer. Otras partes de la telaraña no son pegajosas, permitiendo que la araña se movilice rápidamente sobre ella sin atraparse a sí misma. ¿Cómo explica la evolución (lo impersonal sumado a tiempo y a casualidad) la habilidad complicada de una araña de producir distintos tipos de tela para diferentes propósitos y aun en diferentes colores (variado de blanco a café)? ¿Y cómo explica la evolución la presencia de un "diente de huevo" en una araña recién nacida?

Cuando la araña decide que es tiempo de moverse a un nuevo territorio, tiene un método ingenioso para viajar:

> Para alcanzar nuevos sitios la araña viaja por un medio de transportación conocido como "ballooning" (viajar por globos aereostáticos). Un arañuelo o una araña adulta tira unos chorros de seda. Estos hilos forman un tipo de "alfombra voladora." Sube con las corrientes calientes de aire ascendentes y entonces las arañas y recién nacidas son llevadas alto y esparcidas lejos y ampliamente. A veces ellas llegan tan alto como 4,200 a 4,500 metros y viajan varios cientos o aun miles de kilómetros.[40]

Las arañas experimentan varias mudas antes de madurar completamente. Si no se quitan su piel, mueren. ¿Cómo sabría esto la araña sin que creciera demasiado grande para su cascarón y que muriera? ¡Las arañas muertas no evolucionan nuevas habilidades!

[39] Will Barker, *Winter-Sleeping Wildlife* (New York: Harper and Row, Pubs., 1958), pp. 94- 96.
[40] Ibid: Will Barker, p. 96.

La piel se desprende y abre en una manera especial. Primero, la araña inyecta un cierto líquido llamado "líquido de muda" entre su vieja piel exterior y la nueva piel en desarrollo. ¿De dónde viene este líquido especial, y cómo sabe la araña qué debe hacer con el y cuándo usarlo? ¡Usar el líquido de muda muy temprano o muy tarde es fatal!

La manera en que la vieja piel se revienta es crucial. Si se rompe en los lugares equivocados, o en ángulos equivocados, la araña perece.

Una vez que la vieja piel está suficientemente floja, grietas aparecen sobre los lados del cuerpo y frente a los ojos. Pero, ninguna grieta horizontal ocurre a lo largo del cuerpo. La grieta vertical de la piel sobre cada lado del cuerpo y la que cruza frente a los ojos deja la piel colgando.

La araña empuja hacia afuera este pedazo de piel como si fuera un hombre abriendo una escotilla. Empuja y empuja hasta que el pedazo vuelve a caer sobre el abdomen. De la abertura emerge la araña.[41]

¡Qué cuidado infinito ha tomado nuestro Dios-Creador en el diseño de la araña! Esta pequeña criatura rompe todas las reglas del modelo evolucionario con su maravillosa complejidad. Necesitaba que Dios la creara justo como es con todas sus habilidades y peculiaridades.

Durante el verano del año 2001, siete arañas jardineras vivían en varias lugares alrededor de nuestra casa en Texas. Mientras las alimentábamos con saltamontes y grillos (yo los lanzo en la telaraña, pero mi esposa los pone sobre la telaraña), nos dimos cuenta que parecía que tenían distintas personalidades. La mayoría de ellas corrían sobre la telaraña para apresar su comida, pero una era mas cuidadosa. Ella esperaría hasta el momento perfecto para saltar sobre su presa. Un día, Jenna Dee puso un saltamontes grande y muerto en la telaraña

---

[41] Ibid: Will Barker, p. 97

de esa araña. Me quedé para ver lo que iba a pasar. La hembra grande se quedaba solamente observando al saltamontes sin vida por varios minutos. Entonces, extendió sus dos patas delanteras y pellizcó la telaraña. Parecía que ella estaba tratando de sacudir su telaraña para ver si el saltamontes atrapado se movería. ¿Puede una araña pensar?

A otra hembra grande le gustaba columpiarse en su telaraña. Parecía que ella notaba cuando nosotros estábamos llevándole algo para comer. Varias veces caminé hacia ella con mis manos vacías y ella no se columpió. Sin embargo al llegar al final del verano casi cada vez que nos acercábamos a ella con un saltamontes ella empezaría a columpiarse. ¿Podría ella haber estado expresando su estímulo por la posibilidad de recibir algo sabroso? Bueno, no puedo resistir compartir una observación adicional. Una tercera araña era muy precipitada. En el momento en que uno lanzó un insecto a su telaraña ella corrió, lo mordió y rapidamente lo envolvió en capas de hilo. Un día lancé un grillo empapado con cloro a su telaraña. Ella bajó corriendo por la telaraña y lo mordió y entonces brincó hacia atrás, mirándolo como diciendo, "¿Qué es esto? Tiene un sabor horrible." Luego ella se dió la vuelta y caminó de regreso al centro y lo ignoró. Está bien, le cuento una más. Otro día puse cuatro saltamontes en el mismo punto de la telaraña de una araña. Una hora más tarde regresé para ver lo que ella había hecho. Para mi sorpresa había colocado los cuatro saltamontes a casi exactamente 30 centímetros de separación formando un cuadrado.

La araña negra y amarilla de jardín es una maravilla de la creación de Dios—el Dios para quien nada es imposible (vea Lucas 1:37; Jeremías 32:17, 27; Marcos 10:27; Mateo 19:26), Aquel que vive diariamente intercediendo por nosotros (Romanos 8:34) y Quien nos ama tanto que El voluntariamente dio Su vida por nosotros (Juan 3:16).

4

"LOS ESLABONES PERDIDOS" ESTÁN PERDIDOS

Como estudiante universitario yo estaba convencido que la evolución era verdad y que, con el tiempo, los científicos encontrarían las piezas perdidas. Pensé que la ciencia eventualmente nos proveería de una cadena ininterrumpida de evidencias apoyando la evolución y la conexión de todas las cosas. Muchos científicos todavía están esperando esta evidencia. Sin embargo, Stephen Jay Gould, quien fue Profesor de Geología y Paleontología en la Universidad de Harvard, cree que la cadena ininterrumpida de evidencias evolutivas nunca será encontrada— que lo que vemos en los fósiles y en las criaturas vivientes se explica con mas exactitud con el modelo del creacionismo. Gould era todavía un evolucionista, pero él escribió:

> Las aves de Massachusetts y los bichos en mi jardín son miembros inequívocos de especies reconocidas de la misma forma por todos los investigadores con experiencia.
>
> Esta noción de especies como "géneros naturales"…encaja espléndidamente con los principios de los creacionistas…
>
> Pero, ¿cómo podría una división del mundo orgánico en entes distintos ser justificada por una teoría evolutiva que proclamaba cambios constantes como el hecho fundamental de la naturaleza?[42]

---

[42] Stephen Jay Gold, "A Quahog is a Quahoug," *Natural History*, Vol. 88 (7), August-September, 1979, p. 18.

El Dr. Gould está haciendo una declaración sobre lo que vemos en comparación con lo que la teoría de evolución teoriza que debemos estar viendo. Vemos entes distintos, especies distintas. En el registro fósil, hay peces, tortugas y cucarachas. Son criaturas individualmente distintas e identificables. En la vida, también podemos ver peces, tortugas y cucarachas. Podemos identificarlos. No son mitad pez y mitad tortuga ni mitad tortuga y mitad cucaracha. No vemos elefantes evolucionando aletas ni ballenas evolucionando alas. Las entes discretas que vemos en el récord de los fósiles y en la vida real no son especies "dudosas." No son formas transitivas, como requeriría la evolución. Este es un problema para los evolucionistas. Si la evolución es verdad, las criaturas no deberían ser tan fácilmente identificables. Cada criatura sería difícil de sistematizar, clasificar y nombrar, si la evolución fuera correcta (y la vida estuviera "evolucionando"). ¿Podría la evolución no ser correcta? El hecho de que cada animal sea fácilmente identificable (como jirafa, escarabajo, pez, tortuga o cucaracha) verdaderamente "encaja espléndidamente con los principios creacionistas." <u>Cambios constantes en el registro fósil o en las plantas y animales vivientes no parece ser "… el hecho fundamental de la naturaleza</u> (Énfasis añadido)."[43]

DIOS CREÓ LOS GÉNEROS

Dios nos dice que El creó cada planta y animal según su género (Génesis 1:11, 12, 21, 24, 25). Nada evolucionó de alguna forma de vida mas baja y tampoco está en este momento evolucionando hacia una forma mas alta de vida. Desde una posición creacionista, lo que vemos en el registro fósil y en la vida es exactamente lo que esperaríamos ver. ¿Y qué deberíamos esperar ver teniendo puestos nuestros anteojos de la visión

---

[43] Ibid

bíblica del mundo? Debemos ver discretas e identificables formas, tanto vivas como fosilizadas, que son o eran totalmente funcionales, diseñadas y hechas ¡según la sabiduría y el poder de Dios Todopoderoso el Creador! Esto es exactamente lo que vemos. Cada forma de vida muestra los atributos de su propio género de carne: carne de pez, carne de ave, carne de bestias, carne de humanos, etc. (1 Corintios 15:39).

La falta de formas transitivas en entes fosilizados y vivientes es el motivo por el cual los evolucionistas tienen el problema de "los eslabones perdidos", aunque algunos niegan esto. Los "eslabones perdidos" están perdidos. Están totalmente ausentes del registro fósil y también en los organismos vivientes. Nunca serán encontrados porque el Creador no creó formas transitivas entre géneros de criaturas.

Dios creó cada planta y animal según su propio género, por lo tanto, usted no esperaría ver "eslabones perdidos." Aun el eslabón más famoso, el Archaeopteryx, ya no es considerado por muchos evolucionistas un "eslabón." Hace años se creía que el Archaeopteryx era un eslabón (una forma transitiva) entre los reptiles y las aves. Ahora es reconocido como un ave aun en círculos evolutivos.[44]

"ESLABONES PERDIDOS" O "LAZOS CONTÍNUOS"

La máquina de propaganda de los evolucionistas constantemente nos agrede por medio de televisión pública, revistas y periódicos con amplias ambigüedades y declaraciones no documentadas apoyando la teoría de evolución. Una carta en *The Dallas Morning News* por los Drs. Alvin y Joel Taurog de la Facultad de Medicina del Sudeste es un buen ejemplo de este tipo de propaganda:

---

[44] Vea *The Dallas Morning News*, Science Update, por Matt Crenson, 23 de octubre, 1995, y *Nature* del mismo mes

La evolución biológica declara que todos los organismos vivientes están inter-relacionados por lazos contínuos de genealogía. Aunque se refieren a ella como una una teoría, la evolución es un hecho real, tan real como cualquier otra cosa descubierta por la ciencia, tan bien confirmado como la rotación de los planetas alrededor del sol o la redondez de la tierra. El concepto de evolución es central en biología y un sólido cuerpo de evidencia corrobora el origen evolutivo de todos los organismos vivos, incluyendo los humanos. Mientras que mucho queda por aprender en cuanto a los mecanismos de evolución, la evolución de las especies es aceptada por biólogos como un hecho probado.[45]

Evaluemos este párrafo de los doctores Taurog. Si "…todos los organismos vivientes están inter-relacionados por lazos contínuos de genealogía," entonces el pensador líder en la evolución de Harvard, el Dr. Stephen Jay Gould, está equivocado. Gould dice:

La ausencia de evidencia fósil para las etapas intermediarias entre transiciones mayores en diseño orgánico, por cierto nuestra falta de habilidad, aun en nuestra imaginación, de construir en muchos casos formas intermedias funcionales, ha sido un problema persistente y molesto para relatos de una perspectiva evolucionista gradual.[46]

"Evolución gradual" quiere decir la evolución de una criatura a una que es mas sofisticada y más compleja a través de largos períodos de tiempo. Una criatura gradualmente se vuelve otra si se la da suficiente tiempo. La evolución gradual, si es cierta, debe mostrar evidencia de formas intermedias de vida transitiva en fósiles y animales vivientes. Gould continua diciendo:

---

[45] Drs. Alvin y Joel Taurog, *The Dallas Morning News*, March 6, 1987, Letters to the Editor.

[46] Stephen Jay Gould, "Is a New and General theory of Evolution Emerging?" *Paleobiología*, Vol. 6 (1), enero, 1980, p. 127, como citado en *The Quote Book*, p. 8.

Todos los paleontólogos saben que el registro fósil contiene muy poco de las formas intermedias; transiciones entre grupos mayores son generalmente abruptas.[47]

Lo que Gould dice es que los eslabones perdidos siguen perdidos. No hay formas transitivas (en medio de). Ningún animal o planta está evolucionando a una forma más alta según el registro fósil. ¡Aún en formas vivientes no vemos polluelos-patitos o patitos-polluelos!

"SALIDA DEL SOL" O "ROTACIÓN DE LA TIERRA"

¿Dónde están estos "lazos continuos" a los que se refieren los Doctores Taurog? Ellos no presentan evidencia científica para apoyar su punto de vista. La evidencia está solamente implícita. Ellos levantan un "hombre de paja-creacionista" (un argumento débil y facil de contestar) y lo golpean. Al mencionar "la rotación de los planetas alrededor del sol o la redondez de la Tierra" como ciencia verdadera, ¿dan a entender ellos que la Biblia y los creacionistas creen en "la salida del sol sobre una tierra plana?" ¿ Qué tan precisos son estos doctores en el uso del lenguaje? Dicen al paciente, "¿Vió la bella salida del sol esta mañana?" O preguntarían ellos en una forma científicamente correcta, "¿Vió usted la bella rotación de la Tierra esta mañana?"[48] La Biblia usa lenguaje común y ordinario. Que la tierra no es plana, sino una esfera nos enseña Isaías 40:22: **"Él es el que está sentado sobre el círculo de la tierra…"** La Biblia enseña que como Dios mira la tierra desde arriba, aparece como esfera o círculo. Salmo 19 es un pasaje que usa lenguaje normal y hace referencia a la salida del sol.

---

[47] Stephen Jay Gould, "The Return of Hopeful Monsters," *Natural History*, Vol. LXXVI (6), June-July, 1977, p. 24. Citado de *The Quote Book*, p. 8.

[48] Hay otra idea llamada "Geocentricidad." Nos enseña que la Tierra es estacionaria y todo da vuelta alrededor de ella. Aparentemente no existe alguna forma para comprobar definitivamente cualquiera de las dos teorías sin salir fuera de nuestro universo para observar cómo los planetas, estrellas, etc., se mueven en relación cada uno de los otros.

La Biblia no es errónea por usar formas comunes de hablar.

¿Dónde podemos encontrar "el sólido cuerpo de evidencia [que] corrobora el origen evolutivo de todos los organismos vivos, incluyendo los humanos," como los Drs. Taurog
afirman? El "sólido cuerpo de evidencia" comprobando la
evolución del hombre no llenaría un solo ataúd según el evolucionista y prolífico autor, el Dr. Lyall Watson:

> Los fósiles que adornan nuestro árbol familiar son tan escasos
> que todavía hay mas científicos que especímenes. ¡El hecho ex-
> traordinario es que toda la evidencia física que tenemos para la
> evolución humana puede ser puesta, con espacio de sobra, den-
> tro de un simple ataúd![49]

Los Drs. Alvin y Joel Taurog dicen aún mas:

> Cuando religión y ciencia entran en conflicto, generalmente tienen
> que ver con el área de creencia…Creencia científica está basada
> solamente en la evidencia que está confirmada por observación,
> experimento y predicción; ni la creencia religiosa, ni cualquier
> otro sistema de creencia, está sujeto a estas obligaciones.[50]

Aparentemente, los Drs. Taurog creen que el modelo
evolutivo de una célula al hombre es ciencia y por ende puede ser confirmado con el método científico. La ciencia creacionista es aparentemente creencia religiosa desde su perspectiva. Ellos añaden, "Las inter-relaciones entre organismos vivientes de los microbios al hombre nunca han sido
mas claras…" No está precisamente clara a qué se están refiriendo estos doctores, pero de las formas de vida más pequeñas a las más grandes, de las más sencillas a las más complejas, no hay evidencia científica para comprobar que ellos
(pequeño a grande o sencillo a complejo) están relacionados

---

[49] Dr. Lyall Watson, "The Water People," Science Digest, Vol. 90, May, 1982, p.44.
[50] Drs. Alvin and Joel Taurog, *The Dallas Morning News*, March 6, 1987, Letters to the Editor.

como antepasados de o descendientes uno de otro. La revista, *Natural History*, de mayo, 1977, p.14, publicó las palabras del Dr. Stephen Jay Gould:

> La extrema rareza de las formas transitivas en el registro fósil persiste como el secreto de paleontología. Los árboles evolutivos que adornan nuestros libros de texto tienen información solamente en los puntas y nudos de sus ramas; el resto es inferencia y tal vez razonable, pero no la evidencia de fósiles... Nos vemos como los únicos verdaderos estudiantes de la historia de la vida, sin embargo, para cuidar nuestra explicación favorita de evolución por selección natural tomamos nuestra información como algo tan malo que nunca vemos el verdadero proceso que profesamos estudiar.

¡LOS CRISTIANOS LEVANTAN LA BANDERA BLANCA DE RENDICIÓN!

¿Nos damos cuenta los cristianos cuánto nos ha afectado la cultura mundial? A finales del siglo diecinueve, el evolucionismo darwinista se hizo popular. Parecía que los evolucionistas habían comprobado que el universo tenía millardos de años de edad. Parecía tan obvio que los seres humanos venían de una criatura parecida al mono. ¿Qué hicieron nuestros teólogos? ¡Sacaron la bandera blanca! Inventaron la evolución teísta con el fin de inyectar evolución a la Biblia. Al hacerlo, ellos sujetaron la Biblia a la "ciencia" en vez de sujetar la "ciencia" a la Biblia, y se rindieron a la actual moda cultural del darwinismo. Pero, logramos la aprobación de los académicos e intelectuales. ¿Lo hicimos, verdad? (vea Juan 5:44; 12:43)

Hoy en día, la idea de la evolución lenta y gradual por millones de años ya no es tan bien vista . El Dr. Gould ha popularizado el equilibrio puntuado, aparentemente debido a la "extrema rareza de las formas transiconales en el registro fósil." El ateo y evolucionista Richard Milton, el más destacado periodista en la ciencia evolutiva escribe:

La dificultad con el equilibrio puntuado es que es una completa especulación y ha sido presentado simplemente para justificar la ausencia de fósiles que deben existir en la teoría neo-darwinista.[51]

¿Qué están haciendo los cristianos? Nos estamos moviendo de nuestra cultura de evolucionismo darwinista (la evolución teísta es el evoluciónismo darwinista con versículos de la Biblia clavados) al equilibrio puntuado que hemos renombrado como "Creación Progresiva." (¡El creacionismo progresivo, como puede discernir este escritor, es el equilibrio puntuado de Gould con versículos de la Biblia clavados!) Aparentemente, Hugh Ross es el líder en el campo del creacionismo progresivo. Ross cree que el universo tiene 16 millardos de años y que el Diluvio fue el desbordamiento de un río local. Además, él cree que una raza de gente sin almas recorría sobre la tierra antes de Adán. ¡Ellos vivieron y murieron por miles de años antes que Adán pecara y que Dios proclamara la muerte como el castigo por el pecado! La muerte antes de la muerte es una idea interesante.

Tanto la evolución teísta (darwinismo cristianizado) como el creacionismo progresivo (equilibrio puntuado cristianizado) requieren millardos de años de historia terrestre y eliminan el diluvio global de los días de Noé. Ninguna de estas ideas es bíblicamente exacta o aceptable. Así que, si el diluvio ocurrió hace solo 4,500 años como lo enseña la Biblia, los evolucionistas afirman que todavía no podría existir la diversidad de vida animal y vegetal— no habría habido suficiente tiempo para la evolución de todas estas formas de vida. Entonces, los evolucionistas teístas y los creacionistas progresivos, siguiendo el ejemplo de los evolucionistas paganos, retienen la idea de la Tierra antigua. ¡Y esto aun cuando hay evolucionistas en sus áreas de especialidad diciendo que los creacionistas tienen los mejores argumentos!

---

51 Richard Milton, *Shattering the Myths of Darwinism* (Rochester, Vermont: Park Street Press), 1997, p.215.

LA BIOLOGÍA MOLECULAR DESAPRUEBA LA EVOLUCIÓN

Aun al nivel de moléculas, hay falta de evidencia para apoyar la evolución. En el Capítulo 2, discutimos el hecho de que al nivel celular de las criaturas vivientes hay diferencias importantes que las distinguen entre géneros básicos de carne. Por ejemplo, las células que componen la carne de las aves y peces no son las mismas. Los científicos están estudiando entes aun más pequeñas que células mientras examinan las moléculas de la célula. Este campo de estudio se llama Biología Molecular.

Un libro que cada familia cristiana (y las no-cristianas también) debe tener es, Of Pandas and People: The Central Question of Biological Origines [De Pandas y Gente: La Pregunta Central de los Orígenes Biológicos]. Escrito por creacionistas como un libro de texto suplementario de biología a nivel secundario en apoyo del punto de vista que la vida exige un diseñador, este libro trata la evidencia molecular para la creación.

El estudio de las cosas vivientes al nivel molecular es un campo relativamente nuevo. La información que los científicos obtienen de la biología molecular puede ser usada para comparar y clasificar organismos, un campo conocido como taxonomía bioquímica. El análisis bioquímico mantiene la promesa de hacer que la taxonomía sea una ciencia mas precisa, porque permite que las diferencias entre varios organismos sean cuantificadas y medidas... Los proponentes del diseño inteligente encuentran similitud en estructura como un reflejo de similitud en función. Todos los organismos vivientes tienen que sobrevivir en el mismo universo y tienen que encajar con su red ecológica. Todo tiene que caber en una cadena alimenticia. La necesidad de funcionar dentro de un universo común pone requerimientos físicos y químicos comunes para todos los organismos. Sería a la vez lógico y eficiente para un agente inteligente diseñar cosas vivientes con una base bioquímica común... La nueva contribución significativa que la bioquímica ofrece es un método matemáticamente cuantificable para determinar qué tan parecidas son las clases de organismos. Pero, cuando varias similitudes son puestas lado a lado, el patrón que surge contradice todas las expectativas basadas en la evolución (énfasis añadido).[52]

Los animales que los evolucionistas siempre han creído están cercanamente relacionados en la cadena evolutiva son conocidos por no estar relacionados cuando son estudiados al nivel molecular. Kenyon y Davis continúan diciendo:

Usando terminología evolutiva clásica, los anfibios son intermedios entre peces y los otros vertebrados terrestres. Sin embargo, los análisis de sus aminoácidos no ponen a los anfibios en una posición intermedia. Esto es verdad no importando la especie de anfibios que escojamos para comparar. Basado en la serie evolutiva, esperaríamos que algunos anfibios fueran mas parecidos a los peces (especie "primitiva") y otros mas parecidos a los reptiles (especies "avanzadas"). Pero este no es el caso. No importando qué especies sean tomadas para comparación, la distancia entre anfibios y peces, o entre anfibios y reptiles, es siempre la misma…
La revolución en biología molecular nos ha dado nuevos datos, matemáticamente cuantificables, para las similitudes entre las cosas vivientes. Pero, los datos han servido para apoyar un cuadro del mundo orgánico consistente con la teoría de diseño inteligente (énfasis añadido).[53]

El autor Michael Denton (Evolution: A Theory in Crisis)[Evolución: Una Teoría en Crisis (Harper and Row, 1986)], un doctor en biología molecular (quién no es creacionista hasta donde yo sé), sostiene que la evolución de una célula al hombre no está demostrada al nivel de la molécula. Luego de examinar las moléculas en busca de evidencia de "los eslabones perdidos" entre las diferentes clases de criaturas, Denton escribe (p. 286):

---

[52] Percival Davis y Dean H. Kenyon, *Of Pandas and People* (Dallas: Haughton Publishing Co., 1989), pp. 34-36.

[53] Ibid, pp. 37,38.

Hay una ausencia total de clases parcialmente inclusivas o intermedias, y por ende, ninguno de los grupos tradicionalmente citados por los biólogos evolutivos como intermedios da todavía la más mínima indicación de un supuesto carácter transitorio.

Por supuesto, si no existe evidencia al nivel molecular para las relaciones evolutivas, las cuales son los bloques de construcción básicos de la naturaleza, entonces la idea de la evolución de enzimas, proteínas, plasma y tejido es totalmente absurda. La Biblia dice:

Porque así ha dicho Jehová? el que ha creado los cielos, él es Dios; el que formó la tierra y la hizo, él la estableció; no la creó para que estuviera vacía, sino que la formó para que fuera habitada?: "Yo soy Jehová, y no hay otro...
No hay más Dios aparte de mí: Dios justo y Salvador. No hay otro fuera de mí (Isaías 45: 18, 21b).

El Dr. Vincent Sarich, evolucionista y profesor en la Universidad de California, en Berkeley, hizo una serie de investigaciones al nivel molecular sobre la evolución del hombre. En un principio, sus colegas evolucionistas rechazaron sus investigaciones. El tuvo la audacia de anunciar en 1967 que Ramapithecus (proclamado por Elwyn Simons y David Pilbeam de Yale, ser uno de los antepasados más antiguos del hombre) no fue para nada ancestro del hombre, sino más probablemente algún ancestro del orangután.

El año era 1967. Sarich y su socio, Allan Wilson, estaban comparando proteínas de sangre de seres humanos, chimpancés y gorilas—encontrándolas notablemente parecidas. Después de analizar las leves diferencias, ellos decidieron que los antepasados de los seres humanos tenían que haber divergido de los de los monos africanos únicamente hace 5 millones de años, en lugar de los 20 a 30 millones de años que la evidencia fósil parece sugerir.
Su conclusión fue tomada por muchos paleontólogos como herejía. Era suficientemente desagradable que Sarich y Wilson estaban desafiando la estimación convencional de la edad de la línea

humana. Peor aún, lo estaban haciendo con tubos de ensayo y bioquímica—casi ignorando los fósiles en los cuales está basada mucha teoría evolutiva. La mayoría de los expertos en aquel entonces creía que los seres humanos podían rastrear su genealogía por lo menos desde una criatura de 14 millones de años llamada Ramapithecus, y el paleontólogo Elwyn Simons, en aquel entonces de Yale, tomó la palabra por muchos de sus colegas cuando declaró el trabajo de Sarich—Wilson "imposible de creer."

Los tiempos han cambiado. Mientras Simons todavía piensa que Ramapithecus puede ser un antepasado humano, él tiene pocas personas que están de acuerdo con él. Nuevos descubrimientos de fósiles han convencido a muchos expertos que el animal fue antepasado del orangután.[54]

Las investigaciones moleculares están eliminando los supuestos ancestros de la gente, uno por uno.

Creó, pues, Dios al hombre a su imagen; a imagen de Dios lo creó; hombre y mujer los creó (Génesis 1: 27).

Por la palabra de Jehová fueron hechos los cielos; todo el ejército de ellos fue hecho por el soplo de su boca.
Él junta como un montón las aguas de los mares, y guarda en depósitos los océanos.
Tema a Jehová toda la tierra; témanle todos los habitantes del mundo.
Porque él dijo, y fue hecho; él mandó, y existió.
Jehová hace nulo el consejo de las naciones, y frustra las maquinaciones de los pueblos. El consejo de Jehová permanecerá para siempre, y los pensamientos de su corazón, por todas las generaciones (Salmo 33:6-11).

---

54 Kevin McKean, "Preaching the Molecular Gospel," *Discover*, Vol. 4 (7), julio 1983, p. 34.

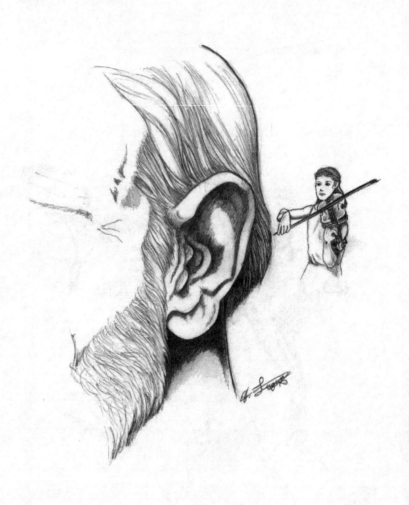

MARAVILLA DE LA CREACIÓN DE DIOS

#4

La Lagartija Geco y El Oído Humano
(Cosas Pequeñas)

Estas dos maravillas de la creación de Dios están incluídas no solamente para mostrar los diseños increíbles de Dios en Sus criaturas, sino también para que ustedes estén mas ampliamente familiarizados con el tipo de información que pueden obtener de la revista creacionista, *Creation Ex Nihilo*. En el Vol. 14, No. 4 de septiembre-noviembre, 1992, aparecieron dos excelentes artículos que están incluídos aquí.[55]

El Dr. Robert Kofahl nos enseña acerca de la lagartija Geco en la página 6.

Una Lagartija sobre su techo

La lagartija Geco puede caminar cabeza abajo sobre tu techo sin caerse. ¿Cómo lo hace?

---

[55] Robert Kofahl, Ph.D., "A Lizard on Your Ceiling," y Tom Wagner, "Your Hearing: A Powerful Pointer to God's Creation," la revista *Creation Ex Nihilo*, Vol. 14, No. 4 de september-noviembre, 1992 (publicado por Creation Science Foundation Ltd., P.O. Box 302, Sunnybank, QLD, 4109, Australia). ¡En mi opinión cada familia debería suscribirse a la revista *Creation Ex Nihilo*! [Puede hacerlo por: www.answersingenesis.org]

Hasta hace unos años los científicos no lo sabían, aunque propusieron varias teorías conflictivas. Una investigación de las almohadillas de los dedos por los microscopios ópticos a una magnificación de hasta 2,000 diámetros reveló miles de pequeñas fibras arregladas como los conjuntos de cerdas de un cepillo de dientes. Empero, la pregunta se quedó sin respuesta. Finalmente, una respuesta fue provista por el poderoso microscopio electrónico que fue capaz de tomar una serie de extraordinarias fotografías que fueron amplificadas hasta 35,000 diámetros y más.

¿Qué es lo que fue revelado?

La lagartija Geco tiene en las almohadillas de los dedos varios millones de finas fibras con pequeñas copitas de succión en el extremo, cada una mas o menos de dos cienmilésimas de centímetro de diámetro. Además de esto las patas de la lagartija están diseñadas con el fin de que las puntas de los dedos se doblen o se enrollen hacia arriba para que pueda despegar gradualmente las copitas a cada paso y no quedar por sí mismo tan firmemente pegada a la superficie. Se estima que la Geco tiene por lo menos 500 millones de copitas de succión en sus dedos.

La extraordinaria estructura microscópica de las almohadillas de los dedos de la lagartija geco claramente demuestra diseño inteligente y con propósito. Ningún plan aun lejos de ser plausible para explicar el origen de las copitas de succión de la lagartija por mutaciones casuales y la selección natural, ha sido propuesto hasta el momento por teóricos evolucionistas. Y en caso que algún científico con una imaginación hábil lograra idear tal plan, aún le faltaría cualquier pequeña evidencia de fósiles para demonstar que el hipotético proceso de la evolución realmente tuvo lugar en el pasado.

Usted no puede ver a simple vista las pequeñas copitas de succión sobre las almohadillas de los dedos de la lagartija. Pero cada arruga tiene la forma de galón sobre la increíble pata de la lagartija y está hecha de millones de fibras con copitas microscópicas de succión en cada extremo. Esto permite que camine cabeza abajo sobre el techo o de lado sobre su pared.

¿Es posible que las diferentes especies de gecos podrían tener diferentes mecanismos en sus patas? La revista *Nature* publicó en su edición del 8 de junio, 2000, No. 405 (6787), pp. 681- 685, un artículo escrito por Keller Autumn, Ph.D., et al., "Adhesive Force of a Single Gecko Foot Hair" [La Fuerza Adhesiva de un Solo Hilo de Pelo de la Pata del Gecko]. Este equipo de investigadores examinaron los pequeños pelos de la pata del geco Tokay y llegaron a una asombrosa conclusión: ¡La geco Tokay utiliza las fuerzas de Van der Waal para adherirse a las superficies lisas cuando corre cabeza abajo sobre ellas! Las fuerzas de Van der Waals son débiles uniones de corto alcance entre moléculas.

¡Asombroso! ¿Como podría la evolución totalmente aleatoria y casual sin propósito e intervención de inteligencia producir un mecanismo como el de la pata de la gecko Tokay? La utilización de la fuerzas de Van der Waals por una amistosa lagartija requiere inteligencia e ingeniería mucho mayores a las que los seres humanos han mostrado hasta hoy. Los mecanismos de las patas deben funcionar favorablemente con cualquier material en la superficie que toquen (áspera o lisa) o la gecko se caería a su muerte. Esta pequeña gecko no usa copitas de succión o una substancia pegajosa. Ella usa la atracción atómica o molecular. Con tan maravillosa evidencia de un diseñador, ¿cómo alguien puede dudar de la existencia de Dios?

En la misma edición de Creation Ex Nihilo referida con anterioridad, Tom Wagner escribió un "Think Spot" [Punto de Pensamiento] detallando algunos puntos específicos concernientes al oído humano (pagina13):

El Oído: Un poderoso Indicador de La Creación de Dios

Contemplar el tamaño de las cosas creadas puede ser una herramienta eficaz para comprender la grandeza de Dios. Por ejemplo, considere la habilidad técnica del Creador en un estudio del oído humano. La habilidad de nuestros oídos para detectar el sonido es mucho mayor que el requisito mínimo esperado para sobrevivir si el hombre hubiera sencillamente evolucionado.

En el libro editado por David Lipscomb, 1988, *Hearing Conservation in Industry, Schools and the Military* [La Conservación del Oído en La Industria, Escuelas y El Ejército], leemos en la página 303:

'El oído es capaz de responder sensorialmente al sonido con una presión sobre el tímpano no mayor de dos veces diez milésimas partes de una millonésima de presión barométrica. Esta presión mueve al tímpano aproximadamente dos cienmillonésimas de centímetro. Esa dimensión es aproximadamente un centésimo del ancho de una molécula de hidrógeno, la más pequeña de todas las moléculas conocidas. Por ende, una significativa porción del rango dinámico del oído, está moviéndose en dimensiones sub-moleculares.'

Para poder entender gráficamente la increíble sensibilidad descrita por Lipscomb, imagine cómo sería ver a un hombre de casi dos metros de altura parado sobre la superficie de la Tierra, encogerse hasta solamente dos cienmillonésimas de centímetro. La Tierra, encogiéndose también—pero todavía enorme en comparación al hombre— ¡se reduciría proporcionalmente a una pelotilla no más grande que la letra pequeña 'o' en esta página! El hombre se volvería totalmente invisible, aun a los microscopios más potentes del día de hoy.

Con este ejemplo, una persona puede empezar a apreciar la forma en que Dios ha creado lo incomprensiblemente pequeño, lo mismo que las cosas inimaginablemente grandes de este universo. También nos ayuda considerar el milagro de oir con el cual nuestro Creador nos ha bendecido. Algo por lo cual debemos agradecerle. Porque después de todo, 'la fe viene por el oír...'

¡Así que alabanzas sean a Dios por todo lo que Él ha hecho!

5

ORANGUTANES, MONOS
Y EL HOMBRE

Al estudiar al nivel de las moléculas, células o huesos fósiles, los ancestros evolutivos de los seres humanos (mono-hombre u hombre parecido a los monos) no pueden ser encontrados. A pesar de esto, se hacen esmerados intentos para "comprobar" que el hombre evolucionó de los primates primitivos (criaturas parecidas a los monos). Mientras que uno revisa la literatura sobre nuestros supuestos ancestros evolutivos humanos, no se encuentra mucha concordia. La propuesta hecha por un evolucionista es negada por las propuestas de otro.

A finales de los años sesenta y a principios de los setenta, mucha de la comunidad científica declaró al Ramapithecus (una criatura parecida al mono) ancestro del orangután o de un mono, en lugar de su posición original como ancestro de los humanos. En 1973, Alan Walker y Peter Andrews, considerando al Ramapitecus, escribieron su creencia que la mandíbula de Ramapitecus era la de un mono verdadero (Nature, Vol. 244, 1973, p. 313).

Sin embargo, en 1982, el hijo de Louis y Mary Leakey (famosos pioneros a nivel mundial en el estudio del hombre "prehistórico"), declaró:

Se piensa que los Ramapitecines forman parte del grupo del cual evolucionaron nuestros antepasados.[56]

EL HOMBRE DE PILTDOWN

Si Ramapitecus aparece en los libros de texto de secundaria o de la universidad como parte de la evolución del hombre, puede ser descartado, así como debería serlo el Hombre Piltdown, el cual en 1953, fue mostrado ser un engaño.[57] La dentadura y el hueso del Hombre Piltdown habían sido manchados para hacerlos parecer antiguos.

Catorce años después de que el Hombre de Piltdown fue comprobado por la comunidad científica evolutiva como una estafa total y un mal chiste, Harvard University Press publicó estas palabras (sé que es una cita larga, pero la incluyo para mostrar hasta donde llegó la comunidad evolutiva para apoyar sus pronunciamientos carentes de pruebas, aun años después de que una de sus "pruebas" ha sido comprobada ser un fraude):

> Diferente a todos los fósiles de hombres es *Eoanthropus*, conocido de un cráneo fragmentario y la mitad derecha de la mandíbula inferior con dos dientes, los molares primero y segundo, puestos en sus lugares. Los especímenes fueron conseguidos por el Sr. William Dawson de una pequeña abertura por el camino a Piltdown, Sussex, Inglaterra, y descritos por Sir Arthur Smith Woodward. Es difícil determinar su edad, porque fragmentos de mamíferos característicos del Plioceno y Pleistoceno están mezclados en la grava llevada por el río. Si es contemporáneo con los

---

[56] Richard Leakey, *Human Origins*, Lodestar Books (New York: E.P. Dutton, 1982), p. 20. Para bastante información sobre el hombre fósil desde una perspectiva creacionista, por favor lea: *Bones of Contention* por Marvin Lubenow (Baker Books: Grand Rapids) 1992. También: *The Illustrated Origins Answer Book* por Paul S. Taylor (Eden Productions, P.O. Box 41644 Mesa, AZ 85274-1644 1992).

[57] Vea *The Hominid Gang: Behind the Scenes in the Search for Human Origins* por Delta Willis, con una introducción por Stephen Jay Gould (New York: Viking Press, 1989), p. 24. Vea también: *The Piltdown Man* por Ronald Millar (New York: St. Martin's Press, 1972), portada.

más modernos, el Hombre Piltdown muy probablemente no fue mas reciente que la tercera etapa interglacial, debido a que el *Hippopotamus* y otros animales subtropicales aparecen junto a éste.

El cráneo está tan fragmentado que los que lo han estudiado no han podido ponerse de acuerdo en cuanto a la correcta reconstrucción: estimaciones de su capacidad craneal han variado desde 1079 cc. hasta 1500 cc., y se ha llegado finalmente a una cantidad intermedia de aproximadamente 1300 cc. No es para nada del tipo Neanderthal, sin embargo tiene una frente alta como la del hombre moderno. Dejando de un lado el hecho de que los huesos son extremadamente gruesos, no es nada raro. La mandíbula, no obstante, es reconocida por todos de ser más como la de chimpancé que de cualquier hombre, vivo o extinto. Esto fue reconocido en la descripción original. Los dos dientes son como molares humanos, pero el resto de la mandíbula da demasiado espacio para ser llenada por dientes ordinarios. Por eso, en su restauración de la parte anterior, Smith Woodward hizo los caninos grandes, como los de un chimpancé, y permitió un espacio pequeño entre los dientes . Lo correcto de su punto de vista fue demostrado en una manera impresionante el año después de la publicación, cuando Dawson y el Padre Teilhard de Chardin, quienes estaban cirniendo otra vez el piedrín en el lugar donde fue encontrada la mandíbula, encontraron un canino grande. Es dos veces más grande que del de un hombre y casi exactamente igual al de un chimpancé moderno. Esta asociación se parecía a muchos no muy natural, así que la mandíbula fue designada por algunos a una especie de chimpancé. El posterior descubrimiento de algunos fragmentos adicionales en un sitio cercano parece, sin embargo, haber convencido a la mayoría de los interesados que el cráneo y la mandíbula pertenecen al mismo esqueleto. *Eoanthropus dawsoni* (el hombre de Piltdown), es para algunos el eslabón perdido entre el hombre y los monos. La frente es alta, el borde óseo sobre los ojos es insignificante, y el cerebro grande, todos los rasgos del hombre, pero la mandíbula sin mentón tiene los caninos grandes de un mono.[58]

Entonces hasta 1967, el prestigioso Harvard University Press aún estaba promoviendo el engaño de Piltdown como un

---

[58] Percy E. Raymond, *Prehistoric Life* (Cambridge: Harvard University Press, 1969) pp. 282, 283

posible "…eslabón perdido entre el hombre y los monos," cuando había sido comprobada una farsa casi quince años antes.

EL HOMBRE DE NEBRASKA

El hombre de Nebraska (*Hesperopithecus haroldcookii*) fue formado de un solo diente encontrado en 1922. El evolucionista Henry Fairfield Osborn, del Museo Americano de Historia Natural, publicó en la revista *Illustrated London News* (el 24 de junio, 1922) el dibujo de un hombre , una mujer y sus herramientas, todo el resultado de un solo diente. Unos años después, el cráneo fue localizado y el diente encajó perfectamente bien en el alveolo. En 1924, el cráneo fue encontrado y el diente entró perfectamente en el alveolo vacío—fue el diente de un cerdo.[59]

NEANDERTHAL Y CRO-MAGNON

Tal vez también debemos añadir que ahora se creen al hombre de Neanderthal y de Cro-magnon como 'homo sapiens' europeos normales. Algunos de estos "hombres prehistóricos" tienen cavidades cerebrales más grandes que las del hombre moderno.

El Dr. Percy E. Raymond de la Universidad de Harvard, dice acerca del Neanderthal:

En cuanto a capacidad real, la cavidad craneal era más grande que la del europeo promedio, algunos cráneos median 1,600 cc.[60]

Donald Johanson, uno de los expertos más reconocidos del mundo en el área del "hombre fósil," escribe:

---

[59] Vea *The Hominid Gang*, p.22. Vea también W.R. Bird, *The Origen of the Species Revisited* (Regency: Nashville)Vol. 1, 1991, pp. 227, 228.

[60] Raymond, p. 281.

...el Hombre de Neanderthal. Él era otro Homo. Algunos piensan que él era de la misma especie como nosotros...
Considero al Neanderthal no de la misma especie con sapiens, o sea, conmigo. Uno escucha comentarios acerca de vestirlo de traje y dejarlo suelto en el subterráneo. Es la verdad; uno podría hacerlo, y pasaría inadvertido. Él era de huesos un poco más gruesos que la gente del día de hoy, más primitivo en algunos rasgos faciales. Pero, era un hombre. Su cerebro era tan grande como el del hombre moderno, solo con una forma un poco diferente. ¿Podría el hacer cambio de moneda en la caseta del subterráneo y reconocer una ficha? Definitivamente podría.[61]

Según el evolucionista Johanson, Neanderthal no es hombre prehistórico, ningún antiguo ancestro evolutivo, sino exactamente como nosotros, ¡un hombre moderno! También ha sido comprobado que los Neanderthal hicieron y tocaron instrumentos musicales y que ellos enterraron sus muertos, ¡justamente como lo hacemos nosotros!

EL HOMBRE DE PEKÍN

El hombre de Pekín ha sido clasificado como Homo erectus. Desapareció durante la Segunda Guerra Mundial. No ha quedado ni un solo hueso del hombre de Pekín, aunque algunos libros han sido escritos acerca de la búsqueda internacional de los "huesos."

Un libro divertido y fácil de leer sobre la búsqueda del hombre de Pekín fue escrito por Christopher Janus junto a William Brashler, titulado, *The Search for Peking Man* [La Búsqueda del Hombre de Pekín]. Mencionado en el libro como una de las personas que ayudó en el descubrimiento del hombre de Pekín es Teilhard De Chardin—¡uno de los perpetradores del engaño del hombre de Piltdown![62] Debido a que De Chardin estuvo implicado en

[61] Donald C. Johanson y Maitland A. Edey, *Lucy: The Beginnings of Humankind* (New York: Simon and Schuster, 1981), p. 20.

[62] Christopher Janus, *The Search for Peking Man* (New York: MacMillan Pub. Co., Inc., 1975), p. 31.

el engaño de Piltdown y logró involucrarse con el hombre de Pekín también, ¿cómo podemos estar seguros que la documentación que tenemos del hombre de Pekín es confiable?

Janus registra el número total de fragmentos fósiles del hombre de Pekín antes de la invasión japonesa de China:

> ...ellos pusieron etiquetas, hicieron descripciones, tomaron fotografías y clasificaron los modelos de los 175 fragmentos fósiles que habían sido recolectados.[63]

Supuestamente el hombre de Pekín consistía de:

> ...5 cráneos, alrededor de 150 fragmentos de mandíbula, 9 huesos de muslo y fragmentos, 2 huesos de la parte superior del brazo, una clavícula y un hueso de la muñeca.[64]

¡Todos estos huesos han desaparecido! Aparentemente, los científicos evolutivos no pueden ponerse de acuerdo en cuanto el número de huesos que representaba el hombre de Pekín. Johanson relata:

> ...5 cráneos, 15 piezas pequeñas del cráneo o la cara, 14 mandíbulas y 152 dientes.[65]

Así que no hay evidencia concreta que el hombre de Pekín es ancestro de Homo sapiens. Algunas fotografías del hombre de Pekín todavía existen. Los cráneos fueron quebrados por atrás y más probablemente, los cerebros servían como alimento para los verdaderos Homo sapiens. No es muy probable que el antiguo antepasado del hombre viviera concurrentemente con él y que su cerebro fuera considerado una delicadeza para sus bisnietos,

---

63 Ibid, p. 30.
64 Ibid, p. 32.
65 Johanson and Edey, p. 34

Homo sapiens. Desde 1957, el paleontólogo francés, Dr. Marcellin Boule, propuso que la gente que hizo las herramientas usadas
para matar al hombre de Pekín fueron verdaderos Homo sapiens.[66]

EL HOMBRE DE JAVA

El Dr. Eugene Dubois descubrió una criatura en la categoría de Homo erectus, la cual llamó el "Hombre de Java." El
hombre de Java era el casquete craneal y un hueso de la pierna
(Trinil femur). Al final de su vida, Dubois se recantó. El creyó que el hueso de la pierna pertenecía a Homo sapiens y el
casquete cerebral a un mono gigante o gibón. El Hombre de
Java fue el primero de la categoría de los Homo erectus. Tal
vez un párrafo del excelente libro escrito por Marvin Lubenow,
Bones of Contention [Los Huesos de Contienda] (Grand Rapids: Baker Book House, 1992), p. 127, sería de utilidad.

Cuando la gente se da cuenta de las abundantes falsedades en las fechas relacionadas con el material fosilizado de Homo erectus, se
queda perpleja. Sin embargo la evidencia concreta es tan clara que
no puede ser existosamente desafiada. La perplejidad normalmente da lugar a la pregunta, "¿por qué los evolucionistas hacen esto?"
La respuesta es obvia. Si el rango de fechas de todos los fósiles con
morfología de Homo erectus fuera publicado comúnmente en una
gráfica como se hace en este libro, sería claro que la evolución humana no ha ocurrido. Pero, es posible que los evolucionistas no están siendo engañados a propósito. La razón podría ser más
profunda y más compleja. Debido a la fe de los evolucionistas en
la evolución y su compromiso con ella, creo que estamos viendo un
fenómeno psicológico. Los evolucionistas nos dan las fechas que
ellos quieran que el Homo erectus tenga, las fechas que ellos desea-
rían que tuviera. Sospecho que es mas un caso de auto-decepción
de parte de los evolucionistas que un intento por decepcionar a
otros. Esto indica cómo tan profundamente su fe ha afectado la
confiabilidad de la información que ellos tienen (énfasís mío).

---

[66] Marcellin Boule, *Fossil Men* (Dryden Press, 1957), p. 535

EL HOMBRE DE HEIDELBERG

El otro Homo erectus mencionado con frecuencia es el hombre de Heidelberg. El evolucionista Johanson escribe:

> El hombre de Heidelberg, por ejemplo, fue llamado Homo heidelbergensis. Su descubridor reconoció que él fue un hombre y, de este modo, pertenecía al género Homo, pero decidió ponerlo en su propia especie .[67]

El hombre de Heidelberg consiste de un solo fósil—una mandíbula inferior con dientes.[68] ¡El hombre de Heidelberg es imaginación construida alrededor de una "quijada"! Algunos investigadores clasifican esta quijada fósil con los Neanderthal.

"LUCY" Y LOS AUSTRALOPITECENSES

Aun Australopitecus es dudoso. La estrella de este "ancestro humano", con 1.07 metros de altura, es "Lucy" de Donald Johanson. Supuestamente, Lucy fue la primera criatura en caminar sobre dos patas en vez de las cuatro, como otros monos lo hicieron (y todavía lo hacen). Lucy se parece a Homo sapiens en tres aspectos (teóricamente): su rodilla, longitud brazo-pierna, y el hueso pélvico izquierdo. A excepción de su articulación de rodilla similar a la humana, los huesos de Lucy parecen los del esqueleto de un extinto chimpancés pigmeo.

LOS ESQUELETOS DEL "HOMBRE" FÓSIL SON COMPUESTOS

Siendo justos con los evolucionistas, los esqueletos fósiles que ellos arman son casi siempre formados de partes distintas.

---

[67] Johanson y Edey, p. 36.
[68] Raymond, p. 280.

En otras palabras, ellos escogen un área de un país, asumiendo que cualesquiera huesos encontrados allí probablemente vienen de las mismas criaturas, y entonces ellos a menudo traen un hueso de acá y otro de allá y "componen" un esqueleto.

Johanson publicó que la proporción brazo-pierna de Lucy era 83.9%. En otras palabras decía que el hueso del brazo era 83.9% el largo del hueso de la pierna. Esto la pondría más o menos a medio camino entre mono (brazo y pierna mas o menos de igual longitud) y humano (brazo casi 75% de la longitud de la pierna). La proporción de 83.9% parece ser bastante específica, pero el hueso de la pierna había sido fracturado en dos o más lugares y un extremo estaba machacado. Las piezas no se encajan perfectamente bien, así que no existe manera de medirlo con exactitud. Los 83.9% suenan bien, sin embargo, es una conjetura (Vea *Ex Nihilo*, Vol. 6, 1983, p. 5).

El otro hueso con características humanas, es el hueso pélvico izquierdo. Este hueso está completo y es utilizado como prueba de que Lucy caminaba erecta. El problema es que este hueso no comprueba que ella caminaba erecta. Johanson cree que el hueso ha sido distorsionado en alguna manera. Sin embargo, no hay otro hueso pélvico con que compararlo. ¡El hueso tal como está, mas parece mostrar que Lucy caminaba sobre las cuatro patas!

Según otro evolucionista, el Dr. Solly Zuckerman, Australopitecus es un mono y caminaba sobre las cuatro patas. Zuckerman evaluó el hueso pélvico de los Australopitecenses y concluyó que este hueso clave correspondía en un tipo de medida a los monos y babuínos. Visto desde otro ángulo, era "...completamente diferente al hombre, e idéntico a los monos y simios."[69]

---

[69] "Sucedió que el ángulo de torcedura entre el plano principal de ilion y la parte ischio-púbico del innominado en el molde de yeso del Australopitecus correspondía al cuadrúpedo macaco o monos cercopitecus y babuínos,...Otra dimensión que hemos examinado describe la longitud del cuerpo del isquion en comparación al innominado como una totalidad...En esta característica, Australopitecus es completamente diferente al hombre, e idéntico con los monos." Sir Solly Zuckerman, *Beyond the Ivory Tower* (New York: Taplinger Pub.Co., 1970), pp. 89, 91.

Otro compañero evolucionista, el Dr. Charles Oxnard, cree que Australopitecus caminaba en una manera similar a un chimpancé[70] o a un orangután. Oxnard escribe:

> Volvamos ahora a nuestro problema original: los fósiles de Australopitecus. No le cargaré con los detalles de todas las investigaciones que hemos hecho pero...la información... muestra que mientras que la sabiduría convencional es que los fragmentos de Australopitecus generalmente son algo parecidos a los humanos y que cuando son diferentes se desvían algo hacia la condicion de monos africanos, las nuevas investigaciones indican conclusiones diferentes. Las nuevas investigaciones sugieren que los fragmentos de fósiles son singularmente diferentes de cualquier forma viviente; cuando tienen similitudes con especies vivientes, son a menudo parecidas a las del orangután.[71]

Lyall Watson tiene la razón. No parece que haya suficientes huesos del "verdadero" hombre fósil, "...para llenar un solo ataúd." [Si le interesan los fósiles, el libro escrito por Marvin Lubenow, *Bones of Contention* (Los Huesos de Contienda), y el del Dr. Duane Gish, *The Fossils Still Say No!* (¡Los Fósiles Todavía Dicen No!) son excelentes y pueden ser encontrados en la mayoría de las librerías cristianas o en la red en los sitios www.icr.org o www.answeresingenesis.org .]

Richard Milton, ateo y evolucionista, lo pone así:

> En antropología humana, cada nuevo fragmento de hueso o diente es recibido con entusiasmo como evidencia adicional de la descendencia humana de una criatura ancestral parecida al mono por selección natural ...cada uno de los descubrimientos de este tipo ha sido asignado en una manera definitiva o es humano o es mono, no a ninguna categoría intermedia.

---

[70] Dr. Chas. Oxnard, "Human Fossils: New Views of Old Bones," *American Biology Teacher*, Vol. 41, No. 5 (May, 1979), 264. También vea *Fossils, Teeth and Sex — New Perspectives on Human Evolution* (Seattle and London: University of Washington Press, 1987), p. 227.

[71] Ibid, p. 273.

Esta degeneración intelectual es la expresión externa del hecho que el neo-darwinismo ha dejado de ser una teoría científica y ha sido transformado en una ideología_ un sistema de creencia tan extenso que penetra todo el pensamiento en el área de ciencias biológicas y más allá todavía.[72]

Milton habla en una forma muy directa. Mas adelante escribe que la verdadera ciencia debería estar abierta al debate. Y que la buena ciencia es trabajo duro.

Debido a que es trabajo difícil, ha surgido un entendimiento tácito que sería indecente o feo criticar seriamente a la ciencia o a los científicos, como si fueran banqueros que hicieron sumas incorrectamente o el tendero que olvidó entregar las salchichas.

Rechazo este consenso tácito. Soy un cliente del servicio científico por el que nosotros les pagamos a los científicos para que nos provean y tengo una queja de cliente: No estoy satisfecho con las respuestas que han dado en cuanto el mecanismo de evolución y quiero que ellos regresen a sus laboratorios y que investiguen mas.

Creo que ya es tiempo que la sociedad de consumo encuentre una voz dentro del sector público y en el mundo académico que sea tan eficaz como la tiene en la industria y el comercio. Y no acepto el convenio de que los científicos solo pueden ser criticados por sus propios colegas.[73]

Para que no haya ninguna equivocación en cuanto a la perspectiva del Sr. Milton, permítame citarlo un poquito mas. Su libro acusa a sus compañeros evolucionistas de no tener ninguna prueba para sus pronunciamientos evolutivos, especialmente en relación a la evolución del hombre. Dice que él experimentó un "tipo de actividad como de cacería de brujas por la policía darwinista" (p. 268) cuando publicó *Shattering the Myths of Darwinism* [Destrozando los Mitos del Darwinismo]. El famoso

---

[72] *Shattering the Myths of Darwinism*, p. 240.
[73] *Shattering the Myths of Darwinism*, p. 276.

zoólogo de Oxford, Richard Dawkins, describió a Milton como "loco," "estúpido" y "necesitado de ayuda psiquiátrica." El Dr. Dawkins a espaldas de Milton fue y escribió, "...cartas a los editores de prensa alegando que soy un creacionista secreto y por esto no se me debe creer" (p. 268). Milton continúa diciendo:

> Permítame dejarlo tan claro que no admita duda acerca del hecho que no soy creacionista, ni tengo creencias religiosas de ninguna naturaleza. Soy escritor profesional y reportero especializado en el área de ciencia y tecnología y uno que escribe sobre asuntos que creo son de interés público.
>
> Para que quien sea, a donde sea, decir que soy creacionista, creacionista secreto, "un aliado creacionista " o cualquier otra formulación de palabras de esta naturaleza, es un acto de deshonestidad intelectual por ellos quienes no tienen otras respuestas para las objeciones científicas que he presentado públicamente...
>
> El darwinismo aun tiene un gran numero de críticos y no solo con creacionistas quienes tienen serias dudas en cuanto a la teoría o aquellos que han cuestionado el punto de vista establecido de la geología histórica.[74]

¡Usted debe respetar a este hombre! Tiene mas honestidad intelectual que muchos seudo cristianos y ha recibido mucha crítica por eso. Pero, hermanos y hermanas en Cristo, ¡seamos así de valientes en defender la fe! No seamos intimidados por la sabiduría de los hombres. Mas bien, seamos transformados por el conocimiento de Dios: **"El comienzo de la sabiduría es el temor de Jehová, y el conocimiento del Santísimo es la inteligencia"** (Proverbios 9:10).

Mi amigo querido, Mark Cahill, atrevido defensor de la fe, nos recuerda de 1 Pedro 4:14a: **"Cuando sois injuriados en el nombre de Cristo, sois bienaventurados; porque el glorioso Espíritu de Dios reposa sobre vosotros."**

Y luego Lucas 6:22, 23a:

---

[74] *Shattering the Myths of Darwinism*, p. 269.

Bienaventurados sois cuando los hombres os aborrecen, cuando os apartan de sí y os vituperan, y desechan vuestro nombre como si fuera malo, por causa del Hijo del Hombre. Gozaos en aquel día y saltad de alegría, porque he aquí vuestro galardón es grande en el cielo...

Proclamemanos audazmente la Palabra de Dios y si nos rechazan, ¡saltemos de alegría! ¡Porque el Espíritu de gloria y de Dios se descansarán sobre nosotros y grande será nuestro galardón en el cielo! Oigan, mis hermanos y hermanas, ¿cuando fue la última vez que fueron rechazados por proclamar el nombre y la obra de creadora de Jesús? ¿Estaba saltando de gozo o estaba triste y desanimado? El rechazo por la causa de Jesús trae gloria y gozo.

ARTE ANTROPOLÓGICO

Aun el arte usado comúnmente para representar criaturas evolucionando gradualmente de apariencia de mono al hombre es cuestionable. Esas fotografías al estilo *National Geographic* de monos gradualmente volviéndose más y más humanos hasta finalmente ver al hombre en la calle (usualmente con corte de pelo y barba parecido al mono) se llaman arte antropológico.

Desafortunadamente, la gran mayoría de las concepciones artísticas están basadas mas en la imaginación que en la evidencia... Mucho de la reconstrucción, sin embargo, es conjetura. Los huesos no dicen nada acerca de las partes carnosas de la nariz, labios u orejas. Los dibujantes tienen que crear algo entre mono y ser humano: mientras más antigua que sea la muestra, más parecida al mono la hacen...la vellosidad es puramente asunto de conjetura.

El método conjetural a menudo lleva a errores.[75]

---

[75] Autor desconocido, "Anthropological Art," *Science Digest*, 89 No. 3 (April, 1981), p. 44.

¿Cómo aparecieron las palabras mencionadas arriba en una revista evolutiva como Science Digest (ya no se publica)? Esos dibujos de National Geographic del hombre "evolucionando" son "concepciones artísticas," "imaginación" y "conjetura." ¿Cuándo fue la última vez que usted vio algún hueso con pelo? ¿O cómo saben los dibujantes qué tipo de orejas o labios poner en los fragmentos de cráneo o aún los cráneos completos. ¿Ha visto alguna vez un hueso con el labio puesto? Como Science Digest confiesa, es la "imaginación" del artista. ¡Esto no es ciencia!

Cada hueso o fragmento de hueso descubierto hasta este momento ha sido clasificado, por alguno u otro experto evolutivo, como simio u hombre—no mono-hombre u hombre-mono. Los evolucionistas no están en acuerdo entre sí en cuanto a que fósiles prueban ser el hombre en el proceso de la evolución. Esto es bueno, aun cuando, la mayor parte de ellos toman una postura al respecto. Para un investigador el ancestro humano es un orangután y para otro un chimpancé enano. Los investigadores publican valientemente (y en verdad es valientemente) sus diferencias mientras mantienen firmemente la fe de que una cadena ininterrumpida de evidencia (probando que ellos evolucionaron de algún primate) será encontrada algún día.

¿ES UN MONO CASI UN HOMBRE?

Existen otros hechos a considerar cuando uno intenta probar que el hombre tuvo antepasados evolutivos simiescos. J. W. Klotz da una lista de algunas de las diferencias importantes entre el hombre y los primates.[76] He editado la lista de 31 mayores diferencias de Dr. Klotz para indicar, en mi opinión,

---

[76] J.W. Klotz, *Genes, Genesis, and Evolution* (St. Louis: Concordia Publishing House, 1972), pp. 332-336.

las diez más importantes. Si el hombre hubiera evolucionado de los primates, entonces todo en la columna derecha (características de los primates) tendría que evolucionar a las características del hombre en la columna izquierda.

HOMBRE	PRIMATE
1. Locomoción bípeda permanente	1. Cuadrúpedo
2. Dedo grande en línea con los otros dedos	2. Dedo grande como pulgar
3. Cerebro más grande	3. Cerebro más pequeño
4. Cabeza balanceada sobre la parte alta de la columna vertebral	4. Cabeza doblada frente a la columna vertebral
5. Menos maduro al nacer	5. Más maduro al nacer
6. Más vertebrados	6. Menos vertebrados
7. Brazos más cortos	7. Brazos más largos
8. Piernas más largas	8. Piernas más cortas
9. Un tipo de mano	9. Otro tipo de mano
10. 46 cromosomas	10. 48 cromosomas

Existen diferencias básicas, reales entre el hombre y los primates. Examinemos tres.

EL DEDO GORDO

¿Que requeriría para evolucionar un dedo grande como el del pie de un primate al dedo grande como del pie de un hombre? En el primate está ubicado y funciona como pulgar. Con su dedo grande parecido al pulgar, puede agarrar la rama de un árbol.

Sin embargo el dedo grande del hombre sale de la parte anterior de su pie en linea con sus otros dedos. En realidad, no hay ningún animal en la supuesta familia evolutiva del hombre con un dedo grande ubicado en algún lugar entre el del hombre que "sale de la parte anterior" y el del primate que "es más hacia atrás y a un lado". No hay animales vivientes ni animales fósiles que hayan sido aún encontrados que muestren un dedo grande cambiando (en transición) hacia la parte anterior del pie. ¡De seguro la "sobrevivencia del más apto" atraparía y destruiría cualquier primate que perdió su habilidad de agarrar las ramas con su dedo grande que "está evolucionando hacia arriba!" Rápidamente se extinguiría y no evolucionaría más arriba en "la cadena evolutiva" al hombre. Quiza es por esto que no ha sido encontrado ningun fósil de un dedo grande emigrando—cualquier mutación en esa dirección fue eliminada en una generación.

LA POSICIÓN DE LA CABEZA

La posición de la cabeza también es muy significativa. Una cabeza humana está balanceada sobre la parte alta de la columna vertebral para facilitar el caminar y el correr en la posición erecta y bípeda. ¿En dónde está la evidencia que los primates de algún modo lograron mover sus cabezas de estar dobladas frente a la columna vertebral (para facilitar su función como cuadrúpedo) a la parte alta de la columna vertebral como es en los humanos? ¿Cómo podría funcionar una criatura que tenía la cabeza posicionada a mitad de la distancia entre el primate y el hombre? Obviamente, "sobrevivencia del más apto" lo atraparía también. Muy probablemente se extinguiría en un simple momento evolutivo.

LOS BEBÉS HUMANOS SON DESVALIDOS

Parece que la evolución va en retroceso mientras que usted ve la habilidad de los bebés humanos para sobrevivir, comparados a los primates. Los bebés humanos están totalmente desvalidos al nacer y por meses después. Los bebés simios están listos para correr a la seguridad o trepar a la espalda de su madre para tomar un paseo desde recién nacidos.

¿Cómo habrían sobrevivido los primeros bebés humanos? ¿Y cuál es la probabilidad que la última pareja de parientes simios diera a luz gemelos dizigóticos (un hombre y una mujer) los cuales no solamente podrían sobrevivir como los primeros bebés humanos-no simios sino podrían reproducir progenie (un hombre y una mujer) que podría de nuevo reproducirse una y otra vez? ¿Y porqué todavía tenemos tantas especies de simios y monos, si están evolucionando de algo y hacia algo, tal vez aun a seres humanos? Una vez más yo podría enfatizar el hecho de que lo que vemos en el espacio de historia registrada, en fósiles y en la vida real el día de hoy, son animales, plantas y personas discretas e identificables; no formas de vida transitorias e intermedias.

UN GRAN PROBLEMA POBLACIONAL

Si, como creen los evolucionistas, las criaturas parecidas a los monos evolucionaron al hombre hace casi 1 millón de años (Se dice que Lucy tiene alrededor de 2.8 millones de años y que algunos de los huesos "humanoides" u "hominides" mas recientemente encontrados son más antiguos que Lucy, posiblemente eliminándola del "árbol de vida humana de los evolucionistas."), anticiparíamos un gran problema poblacional. El Dr. Henry Morris da algunos datos interesantes en su libro, *Biblical Cosmology and Modern Science* [La Cosmología Bíblica y la Ciencia Moderna], publicado en 1970. Asumiendo padres que vivieron hasta la edad de 35 años y tuvieron cuatro hijos, ¡aproximadamente 3 millardos de personas hubieron sido producidos en solamente los primeros mil años! Usted podría decir, "Bueno, esos son demasiados hijos por familia." El Dr. Morris muestra los datos para una familia con tres hijos, usando la misma condición mencionada. En más o menos 2 mil años la población de la Tierra habría logrado alrededor de 4.5 millardos. Con 2.5 hijos por familia y extendiendo el largo de una generación a 43 años, en poco más de 4 mil años, 3 millardos de personas poblarían la Tierra. Citando al Dr. Morris textualmente: "¡Empieza a ser muy evidente que la raza humana no puede ser muy antigua!"[77]

De acuerdo al Dr. Morris, si la población de la Tierra empezó con dos personas hace 4,300 años, solamente tendría que aumentar a una tasa de 0.5% por año para alcanzar la población del mundo en 1970. Este 0.5% es significativamente menos que la tasa de crecimiento de población de 2% por año en 1970. Mientras más atrás en la historia usted vaya, más alto es el porcentaje de crecimiento. Como promedio la gente menos industrializada tiene familias más grandes.

El Dr. Morris declara que la mejor estimación secular aproximada de la población mundial en el tiempo de Cristo, es de 200,000,000 personas. Usando 2.75 hijos por familia, más una generación de 40 años y empezando con dos personas en el año 2340 A.C., habrían existido alrededor de los 210 millones de gente viviendo en el año 1 D.C. Estos números encajarían perfectamente en el esquema bíblico del tiempo.

POBLACIÓN, ENFERMEDAD Y GUERRAS

Considerando los efectos de la enfermedad y las guerras en el crecimiento de la población, el Dr. Morris dice:

¿Pero qué de la posibilidad que las grandes plagas y guerras del pasado pudieran haber servido para permitir a la población crecer con la tasa de crecimiento indicada? ¿Podría la población haberse quedado estática por largos períodos de tiempo y solamente en los tiempos modernos haber empezado a expandirse? No podemos responder a estas preguntas en una forma dogmática, por supuesto, ya que los datos de la población en los tiempos anteriores no están disponibles ...

---

[77] Henry M. Morris, *Biblical Cosmology and Modern Science* (Nutley, New Jersey: Craig Press, 1970), p. 75.

Además, realmente no existe evidencia que el crecimiento de la población haya sido retardado por guerras ni epidemias. El siglo pasado que ha experimentado las más grandes explosiones de poblaciones, también ha visto las guerras más destructivas en toda la historia, así como las peores plagas y hambrunas.[78]

El Dr. Morris señala al pueblo judío como un buen ejemplo de la exactitud de sus estimaciones de población. El pueblo judío no tuvo tierra natal por muchos años. Ellos sufrieron persecución y el holocausto. Morris dice que si la familia judía promedio tuvo 2.4 hijos y una generación de 43 años, en 3,700 años (empezando alrededor del tiempo del patriarca, Jacob) debían haber existido 13,900,000 de gente judía viviendo en 1970.[79] El Dios de la Biblia en Génesis 46:27b dice: **"...así todos los miembros de la familia de Jacob que entraron en Egipto fueron setenta."** Eso es un total de 70 familiares quienes fueron a vivir en Egipto. Pero, unos 400 años después, en el Éxodo, ¡varios millones de descendientes cruzaron el Mar Rojo sobre tierra seca! Sin control de natalidad, aborto, infanticidio y eutanasia, las poblaciones crecen rápidamente y exponencialmente.

El hombre no podía haber estado aquí como hombre por 1,000,000 años. ¡Usando los números de Morris, 1,000,000 de años es más de 28,600 generaciones, lo cual pondría a la población del mundo de 1970 en 10 elevado a la cinco milésima potencia! Eso es suficiente gente para llenar el universo entero, y no estamos incluyendo las ratas y los conejos. Como dice el Dr. Morris,

> ¡Empieza a ser muy evidente que la raza humana no puede ser tan antigua! ...la suposición de los evolucionistas que el hombre apareció primero hace un millón o más de años vuelve a ser totalmente absurda cuando se examina a la luz de las estadísticas de población.[80]

---

[78] Ibid, p. 76.
[79] Ibid, p. 77.
[80] Ibid, p. 75, 77.

Si el hombre ha sido reconocido como hombre por 30 millones de años, 15 millones de años o aún 500,000 años, ¡tendrían que existir cientos de millardos de fósiles dispersos en cerros inmensos sobre toda la tierra! ¿Dónde está el hombre fósil? Hay que aceptarlo—¡el hombre no ha estado y no puede haber estado en la tierra por mucho más que unos pocos miles de años! Si los estudios de estadísticas de población exigen una historia corta (pocos miles de años) del hombre sobre la tierra, ¡entonces la evolución del hombre por miles o millones de años es muy improbable, sino totalmente imposible!

EL HOMBRE PREHISTÓRICO NO ES PREHISTÓRICO

¿Podría ser que el hombre "prehistórico" no estaba "antes de la historia" después de todo? Job podría haber hecho referencia al tipo de gente que los científicos llaman "cavernícola" cuando escribió:

> Pero ahora se ríen de mí los que son en edad más jóvenes que yo, aquellos a cuyos padres yo habría desdeñado poner junto con los perros de mi rebaño.
> ¿Para qué habría necesitado yo la fuerza de sus manos, si su vigor se había ido de ellos?
> Por la miseria y el hambre están anémicos; roen la tierra reseca, la tierra arruinada y desolada.
> Recogen malvas entre los arbustos y la raíz de la retama para calentarse.
> Están expulsados de la comunidad, y gritan contra ellos como a ladrones.
> Habitan en los barrancos de los arroyos, en los huecos de la tierra y de las peñas. Chillan entre los arbustos y se apiñan debajo de los espinos
> ¡Insensatos! ¡También gente sin nombre, echados a golpes de la tierra (Job 30:1-8)!

Quizás los "cavernícolas" fueron desechados de las sociedades civilizadas de su día. Posiblemente estos eran gente dada a una mente reprobada debido a su pecado habitual y decadencia. De todos modos, no eran los ancestros del hombre. Ellos vivían concurrentemente con el hombre.

El Dios de la Biblia dice que Él creó al hombre conforme a Su propia imagen del polvo de la Tierra:

> **Entonces Jehová Dios formó al hombre del polvo de la tierra. Sopló en su nariz aliento de vida, y el hombre llegó a ser un ser viviente (Génesis 2:7).**

Dios formó al hombre del polvo, no de algúna criatura prehistórica, simiesca, homínida o del fango primordial. El polvo se transformó, por el diseño creativo y el poder de Dios en un hombre; pero el hombre no tenía vida hasta que Dios sopló vida en él. Génesis 2:7 indica claramente que la emersión del hombre de alguna criatura viviente previa no es verdad. Él salió de polvo no viviente que se transformó, por el diseño creativo y el poder de Dios, un hombre—un hombre que no tenía vida hasta que el Dios vivo le sopló vida. Esto significa que el hombre no pudo haber evolucionado de alguna criatura "VIVIENTE" parecida al mono y más primitiva. Los seres humanos fueron creados por Dios a la imagen propia de Dios.

Parte de la imagen de Dios es nuesta habilidad de elaborar pensamientos y tomar decisiones. Nuestro cerebro no origina los pensamientos.

> Si lo hiciera, tendríamos que hacer lo que nuestros cerebros decidirían. Al contrario, nosotros (las verdaderas personas dentro) pensamos y decidimos, y nuestros cerebros toman estos pensamientos no físicos y los traducen en acciones físicas por medio de una conexión entre el espíritu y el cuerpo que la ciencia no puede sondear…
>
> La ciencia no puede escapar al hecho que el hombre mismo, como su Creador, ha de ser un ente no material para poder originar los pensamientos procesados por el cerebro.[81]

---

[81] Dave Hunt, "The Living Word of God," *The Berean Call*, P.O. Box 7019, Bend, Oregon 97708, enero, 2001

El cristiano no puede permitir que sus convicciones en cuanto al origen del hombre sean arriesgadas y diluidas. No venimos de criaturas parecidas a monos, sino a través del indescriptible, insondable y sobrenatural poder del Dios de la Biblia. Él nos creó a Su imagen, "**...para hacer las buenas obras que Dios preparó de antemano para que anduviésemos en ellas**" (Efésios 2:10).

EL PRINCIPIO ANTRÓPICO

Dios puso al hombre, el pináculo de Su creación, en un ambiente especial de sistemas en un equilibrio delicado. Los científicos ahora llaman a este equilibrio de ecosistemas (que sostienen la vida del hombre) el "Principio Antrópico." Para que nuestras vidas sean sostenidas, necesitamos las cantidades exactas de oxígeno, hidrógeno, dióxido de carbono, luz del sol, campo magnético, velocidad de rotación y de revolución de la Tierra, distancia de la luna, distancia del sol, ozono, agua, gravedad, etc., etc., etc. Todos estos factores tienen que estar en las cantidades exactas, en los lugares adecuados, en los tiempos correctos y en las relaciones exactas unos con los otros.

Por ejemplo, si la gravedad de nuestra tierra fuera más débil, nuestra atmósfera se enrarecería y no podría sostener la vida. Si la gravedad fuera más fuerte, gases no deseables como el gas amoníaco se mantendría en altas concentraciones y sería perjudicial para la vida. Eso significa que nuestra Tierra tiene que haber sido creada exactamente en el tamaño correcto para generar la cantidad perfecta de gravedad para sostener nuestra atmósfera.

Pero, la Tierra también tenía que tener el tamaño correcto para mantener en órbita nuestra luna—eso significa que la luna tenía que ser creada al tamaño correcto para que no saliera al espacio o se estrellara con la Tierra—y la luna también tenía que tener el tamaño correcto para que las mareas del océano estuvieran bajo control. Eso quiere decir que tenía que haber habido la cantidad exacta de agua en los océanos para armonizar con el tamaño de la luna para establecer los patrones de marea. Por supuesto, la Tierra y la luna tienen que estar en una relación precisa no solo la una con la otra sino también con nuestro sol, y el tamaño de los tres no deja margen para error. ¿Cuántos eventos casuales tendrían que ocurrir para producir todas estas condiciones (y muchos millardos más) EXACTAMENTE correctas para que el hombre viviera en este planeta? Esto requiere mucha fe. Podríamos seguir y seguir con esto, pero el hecho es que el modelo de la evolución como una explicación para este universo increíble, tan cuidadosamente diseñado con el hombre en mente, ¡se queda tremendamente corto! Dios, el Dios de la Biblia, será alabado. Él, solo, recibirá la gloria y honra. "Bueno es alabar a Jehová, cantar salmos a tu nombre, oh Altísimo" (Salmo 92: 1).

> **Los cielos cuentan la gloria de Dios, y el firmamento anuncia la obra de sus manos. Un día comunica su mensaje al otro día, y una noche a la otra declara sabiduría. No es un lenguaje de palabras, ni se escucha su voz; pero por toda la tierra salió su voz y hasta el extremo del mundo sus palabras. En ellos puso un tabernáculo para el sol; y éste, como un novio que sale de su dosel, se alegra como un valiente que emprende la carrera. En un extremo del cielo está su salida, y en el otro está su punto de retorno. ¡Nada hay que se esconda de su calor! La ley de Jehová es perfecta; restaura el alma. El testimonio de Jehová es fiel; hace sabio al ingenuo. Los preceptos de Jehová son rectos; alegran el corazón. El mandamiento de Jehová es puro; alumbra los ojos. El temor de Jehová es limpio; permanece para siempre. Los juicios de Jehová son verdad; son todos justos. Son más deseables que el oro, más que mucho oro fino. Son más dulces que la miel que destila del panal. Además, con ellos es amonestado tu siervo; en guardarlos hay grande galardón. ¿Quién entenderá los errores? ¡Líbrame de los que me son ocultos! Asimismo, guarda a tu siervo de los arrogantes, que ellos no se enseñoreen de mí. Entonces seré íntegro y limpio de gran rebelión. Sean gratos los dichos de mi boca y la meditación de mi corazón delante de ti, oh Jehová, Roca mía y Redentor mío (Salmo 19).**

MARAVILLA DE LA CREACIÓN DE DIOS

#5

La Jirafa

Veamos otra de las maravillas de la creación de Dios—la jirafa. La jirafa tenía que ser creada como un animal totalmente funcional y único.[82] Un macho maduro crece hasta llegar a los 5 metros y medio de altura. Para poder bombear sangre hacia arriba por su largo y delgado cuello hasta su cerebro, la jirafa requiere una bomba poderosa. Su corazón (bomba) puede medir hasta 76 centímetros de largo. Es tan poderoso que mientras el animal se inclina hacia abajo para satisfacer su sed, la presión sanguínea es mas que suficiente para hacer estallar los vasos sanguíneos del cerebro.

Si la evolución es verdad, entonces la jirafa nos lleva de regreso a los procesos totalmente aleatorios, casuales, accidentales y sin intervención de inteligencia, ocurriendo por largos períodos de tiempo, para salvar su vida y prevenir que explote su cerebro cada vez que inclina su cabeza hacia abajo para tomar agua. ¡Esta idea de la evolución se queda corta! ¿Es la evolución un proceso progresivo y milagrosamente inteligente que, sin ni una jota de inteligencia, de alguna manera se da cuenta que se necesita una mejora o adaptación y luego se pone a diseñar y fabricar la

---

[82] Bob Devine, God in Creation (Chicago: Moody Press, 1982), pp. 35-37. Este folleto explica como diez animales (incluyendo la jirafa) y plantas distintos exigen un Creador por sus características especiales.

increíblemente compleja estructura orgánica? Y si la compleja mejora no aparece a tiempo, el animal muere y se extingue.

Aun los animales extintos fosilizados tienen todo las partes necesarias para existir; no muestran un esqueleto, aleta o pico, etc. parcialmente formado. Todos los fósiles y formas vivientes son completamente funcionales y perfectamente adaptados para su nicho.

¿Cuándo podría saber la jirafa que necesitaba proteger su cerebro de la devastación provocada por la excesiva presión sanguínea? A mi me parece que no lo sabría hasta que hubiera muerto de una hemorragia cerebral mientras tomaba un trago fresco. ¿Cómo puede "evolucionar" un mecanismo protector si no sigue vivo para hacerlo?

La jirafa tiene un mecanismo protector que fue diseñado por nuestro Creador. Mientras que el macho inclina su cabeza hacia abajo para beber, las válvulas de las arterias de su cuello se empiezan a cerrar. La sangre que queda luego de la última válvula sigue moviéndose hacia el cerebro. Pero, en lugar de pasar a alta velocidad al cerebro, causándole daño o destruyéndole, la última oleada sanguínea es desviada bajo el cerebro a un grupo de vasos similares a una esponja. Este agregado de vasos sanguíneos se llama "rete mirabile." El cerebro está protegido y la oleada poderosa de sangre oxigenada suavemente llena esta "esponja" ubicada bajo éste.

Sin embargo, de este mecanismo surge otro problema. Un león se trepa y prepara para matar a su presa moteada. La jirafa rápidamente levanta su cabeza y, sin algo que compense el reducido flujo de sangre, se desmaya. Se levantó demasiado rápido, generando presión sanguínea baja y disminución del contenido de oxígeno del cerebro. ¡El león come una comida saludable y la jirafa, si estuviera viva, se daría cuenta que fuera mejor evolucionar algún mecanismo para reponer el oxígeno que le faltó a su cerebro! Todos sabemos que los animales que han sido comidos por un león no evolucionan nada, aun cuando los evolucionistas querrían que creyéramos que criaturas evolucionan las mejoras necesarias para la vida, a medida que sean requeridas para sobrevivir.

¡Sin embargo la jirafa sobrevive! El Creador la diseñó de tal manera que mientras empieza a levantar su cabeza, las válvulas arteriales se abren. La "esponja" exprime su sangre oxigenada al cerebro; las venas que pasan bajo el cuello contienen algunas válvulas las cuales se cierran para ayudar a nivelar la presión sanguínea, y la jirafa puede ponerse rápidamente y correr sin desmayarse, evitando convertirse en el almuerzo del león. Dios hizo a la jirafa tal como es con todos los sistemas completos y listos para cualquier emergencia. No hay manera de que la jirafa pudiera haber evolucionado sus características especiales lenta y gradualmente a través de largos períodos de tiempo como requiere la evolución. Los mecanismos funcionales de la jirafa exigen que Dios sea su Creador. ¿Por qué no aceptar entonces a Dios como el Creador de todo?

Todos están de acuerdo, creacionistas y evolucionistas— una jirafa es una jirafa. Es una especie distinta, una entidad única. Nadie diría que una jirafa es un "eslabón perdido" o una "forma transitoria." Una jirafa no es alguna criatura saliendo de alguna otra criatura o transformándose en un animal más "elevado" o más complejo—¡una jirafa es una jirafa! Puede ser examinada científicamente con resultados que demuestran la necesidad de un solo hecho creativo. Esta criatura con cuello largo tenía que haber sido formada con todas sus complejas características totalmente funcionales.

Cada organismo viviente tiene que ser totalmente funcional y diseñado perfectamente para su lugar en la naturaleza o deja de existir. Corazones, pulmones, intestinos, hígados, cerebros, vasos sanguíneos, redes nerviosas, ojos, piel, pelo, plumas, escamas, dientes, lenguas, astas, cuernos, habilidades reproductivas, etc., etc., etc., tienen que estar en su lugar y funcionando armoniosamente o ¡la forma de vida muere! Los mismo es verdad con los autos. Tienen que ser diseñados y fabricados de tal forma que la bomba de agua, carburador, líneas de combustible, batería, transmisión, switch de arranque, etc., trabajen cada uno adecuadamente y en armonía con todo lo demás o el auto no camina. ¡Todo tiene que estar allí y trabajando desde el inicio!

Alguien podría comentar que la jirafa es el producto de la "sobrevivencia del más apto." Pensemos acerca de esta idea de sobrevivencia del más apto. ¿Apoya la evolución o encaja mas con el creacionismo? Suponga que había dos jirafas machos y una hembra. El primer macho es alegre, saludable y 100% jirafa macho. El segundo está evolucionando fuera de ser jirafa por ende ya no es mas total y completamente jirafa. Estos dos machos van a pelear, como hacen los animales, para ver cual de los dos toma la hembra. ¿Cuál macho piensa usted es más apto y ganará la pelea? Obviamente, el más parecido a una jirafa ganará la pelea y el afecto de la hembra. La sobrevivencia del más apto quiere decir que el más apto sobrevive. Esta idea encaja mas con la enseñanza bíblica de que cada forma de vida es creada según su género. El más fuerte de su género sobrevive.

¡La jirafa es una jirafa y testifica de la existencia de su Creador, el Señor Jesucristo! ¿Ha pensado usted algo sobre el genio absoluto de nuestro Creador el Señor Jesús? Él empezó con nada_sin modelos o ejemplos_¡y simplemente pensó en todo y todo funciona! Piense en la diversidad increíble de plantas y animales, sin mencionar los insectos que no se parecen a ninguna otra cosa. No hay ninguna posibilidad concebible para las formas intermedias y transitivas. Él ha apartado tantas formas diferentes de cosas vivientes con brechas sin puentes y la imposibilidad total de estar interrelacionadas. Desde las serpientes, aves, insectos y orquídeas de todos colores, formas y tamaños a los peces, gatos y jirafas, ¡el poder creativo sin igual del Señor Jesucristo domina por completo a la idea de la evolución casualística, accidental, no dirigida, sin propósito e intervención de inteligencia!

6

LOS DIEZ MANDAMIENTOS
Y LOS DÍAS DE
LA SEMANA DE CREACIÓN

En 1971, dos estudiantes tuvieron el valor para retar cortésmente a uno de sus profesores (yo) para que defendiera su posición en cuanto al origen de todas las cosas. Eso me parecía trabajo fácil debido a que yo estaba convencido que existían grandes cantidades de evidencia científica real comprobando la verdad de la evolución (durante millardos de años). ¡En 1972, el estómago de este profesor estaba agitado con frustración! La evidencia para un universo viejo promovido como un hecho probado por los evolucionistas no se encontraba por ningún lado. Esto no significa que no exista literatura escrita sobre la evolución, sino que no existe evidencia científica verdadera que no esté basada en suposiciones (haga referencia al principio del Capítulo 2, Siete Suposiciones Básicas).

En aquel entonces a los principios de 1970, era obvio para mí que evolución requería largos períodos de tiempo. ¿No podría ser que esos días de Génesis 1 fueron un millardo de años cada uno? Si podemos de algún modo insertar largos períodos de tiempo dentro del texto de Génesis 1, la evolución y la Biblia concuerdan muy bien entre sí. O así pensaba yo.

¿DÍAS DE 24 HORAS O LARGOS PERÍODOS DE TIEMPO?

¡Esos días de Génesis son días de 24 horas! Si creemos la Biblia, no pueden ser millardos de años cada uno. Aún la lógica en los Diez Mandamientos exige días de 24 horas [No nos haría mal a ninguno de nosotros dar un repaso a los Diez Mandamientos], así que hagamos algunas observaciones de Exodo 20:1-20:

Y Dios habló todas estas palabras, diciendo:
Yo soy Jehová tu Dios que te saqué de la tierra de Egipto, de la casa de esclavitud: No tendrás otros dioses delante de mí.
No te harás imagen, ni ninguna semejanza de lo que esté arriba en el cielo, ni abajo en la tierra, ni en las aguas debajo de la tierra.
No te inclinarás ante ellas ni les rendirás culto, porque yo soy Jehová tu Dios, un Dios celoso que castigo la maldad de los padres sobre los hijos, sobre la tercera y sobre la cuarta generación de los que me aborrecen.
Pero muestro misericordia por mil generaciones a los que me aman y guardan mis mandamientos.
No tomarás en vano el nombre de Jehová tu Dios, porque Jehová no dará por inocente al que tome su nombre en vano.
Acuérdate del día del sábado para santificarlo.
Seis días trabajarás y harás toda tu obra,
Pero el séptimo día será sábado para Jehová tu Dios. No harás en él obra alguna, ni tú, ni tu hijo, ni tu hija, ni tu siervo, ni tu sierva, ni tu animal, ni el forastero que está dentro de tus puertas.
Porque en seis días Jehová hizo los cielos, la tierra y el mar, y todo lo que hay en ellos, y reposó en el séptimo día. Por eso Jehová bendijo el día del sábado y lo santificó.
Honra a tu padre y a tu madre, para que tus días se prolonguen sobre la tierra que Jehová tu Dios te da.
No cometerás homicidio.
No cometerás adulterio.
No robarás.

No darás falso testimonio contra tu prójimo.

No codiciarás la casa de tu prójimo; no codiciarás la mujer de tu prójimo, ni su siervo, ni su sierva, ni su buey, ni su asno, ni cosa alguna que sea de tu prójimo."

Todo el pueblo percibía los truenos, los relámpagos, el sonido de la corneta y el monte que humeaba. Al ver esto, ellos temblaron y se mantuvieron a distancia.

Y dijeron a Moisés: —Habla tú con nosotros, y escucharemos. Pero no hable Dios con nosotros, no sea que muramos.

Y Moisés respondió al pueblo: —No temáis, porque Dios ha venido para probaros, a fin de que su temor esté delante de vosotros para que no pequéis.

¿Notó usted que la "semana laboral" del hombre es paralela a la "semana laboral" de Dios (Éxodo 20:9-11)? Por ende, si el hombre trabaja seis días de 24 horas, entonces la lógica de Éxodo 20:11 requiere que Dios trabajó seis días de 24 horas y descansó durante el séptimo día como el hombre tiene que descansar un día cada semana. La idea aquí es que Dios trabajó los mismos tipos de días que el hombre trabaja. Entiendo que algunas veces los días de trabajo se sienten como un millardo de años, pero todos nosotros sabemos que no lo son.

Un hecho interesante de la historia que parece ser apropiado insertar aquí es este: La sociedad de Francia, durante la Revolución Francesa, intentó convertirse en una sociedad atea. Ellos intentaron sacar de la cultura francesa cualquier cosa que tuviera que ver con la Biblia, entonces ellos tomaron una semana de diez días. ¿Se practica aún en Francia una semana de diez días? ¡Absolutamente que no! No funciona. Existen eventos astronómicos que diferencian días de meses y meses de años (la salida del sol y la puesta del sol, las lunas llenas, primavera, verano, otoño e invierno), pero solamente la Palabra de Dios y Su ejemplo de Creación semanal nos señala hacia la semana de siete días.

Los eruditos del idioma hebreo concuerdan universalmente que los días (la palabra "yom" en hebreo) de Génesis 1, son días de 24 horas. Estos eruditos no necesariamente creen que Dios tiene la habilidad para crear todo en seis días normales, o tal vez no creen que la Biblia es la Palabra inspirada de Dios, pero sí creen que la palabra hebrea, yom, significa un día de 24 horas.

Los eruditos liberales han querido pretender que algún escritor antiguo, quien no tenía conocimiento de ciencia y geología, escribió un relato corto del origen del hombre en términos muy simplistas. Muchos eruditos dicen que no importa lo que dicen las palabras porque es el significado o el mensaje detrás de estos "palabra-símbolos" lo que es importante. Sin embargo, si eso es verdad, debemos echar fuera los léxicos [diccionarios] de hebreo y de griego. Cada palabra en Génesis 1 está en el léxico hebreo. Cada palabra tiene un significado definido y podemos buscar cual es su significado. No es alguna "palabra-simbólica" nebulosa que está limitada en su sentido solamente por la extensión de la imaginación del lector. El día de hoy, en los campus universitarios, este método de locura se llama Deconstruccionismo Postmoderno. Naturalmente, si el verdadero sentido de las palabras depende de usted o de su profesor, entonces el significado de la Biblia no tiene sentido.

Mas del noventa y ocho por ciento de las veces que yom (día) es usado en el Antiguo Testamento (mas de 2,5000 veces), significa un día de 24 horas o la parte con luz natural de un día normal. El resto de las veces se refiere a tales cosas como el "Día del Señor," que los eruditos dicen podría ser un día de 24 horas hasta mas de 1,000 años y aún la eternidad. El hecho es que Génesis 1 usa yom con términos que aclaran su sentido como día uno, día dos, etc. En cualquier otra parte de la Biblia donde se encuentre yom con una clarificación (números uno, dos, tres, etc.) incuestionablemente indica un día de 24 horas.

CADA DÍA ES MITAD LUZ Y MITAD OSCURIDAD

Dios utilizó cada palabra que fuera posible usar para demostrarnos que Él se está refiriendo a una rotación de la Tierra frente a su fuente de luz (o una revolución de la fuente de luz alrededor del planeta Tierra que se llama Geocentricidad). Estos son "yoms" de 24 horas en Génesis 1. Literalmente Él dice, "...fue la tarde y fue la mañana del primer día;...fue la tarde y fue la mañana del segundo día," etc. Cada día tenía una tarde y cada día tenía una mañana. En Génesis 1:5, Dios dice, **"Dios llamó a la luz Día, y a las tinieblas llamó Noche. Y fue la tarde y fue la mañana del primer día."**

Observe que cada día era parte luz y parte oscuridad. ¡Esto elimina la evolución teísta y las teorías de día-era, debido a que cada día (¿un millardo de años?) sería mitad luz y mitad oscuridad! No se puede evolucionar ninguna cosa en 500 millones de años de oscuridad o, para el caso, en períodos de constante luz del sol de 500 millones de años cada uno.

Podríamos preguntar, "¿Cuantos años tenía Adán cuando murió?" Génesis 5:5 indica: **"Todos los años que vivió Adán fueron 930, y murió."** Si un solo día de Génesis 1 iguala un millardo de años como la evolución teísta exige, y Adán vivió por lo menos desde la mitad del día seis, todo el día siete y 930 años más, entonces, ¿qué edad tenía Adán cuando murió? ¿Tenía, digamos, un millardo 500 millones 930 años? ¿O murió cuando tenía 930 años? ¡No puede tener las dos! No puede tener largos períodos de tiempo (día-era, evolución teísta, creación progresiva) y la Biblia. ¡O Adán tenía 930 años cuando murió o usted puede tirar Génesis 1:1 al 5:5!

DÍAS, AÑOS Y ESTACIONES

Dios tenía palabras que Él podría haber usado si Él hubiera querido darnos a entender esos días de Génesis, Capítulo 1, como más largos que 24 horas. Una de estas palabras hebreas es "olam." Olam significa un período largo de tiempo y puede aun significar perpetuo. Dios puso todas las palabras necesarias en el texto hebreo para hacerlo inequívocamente claro para el lector—estos son días de 24 horas.

Vea Génesis 1:14:

Entonces dijo Dios: "Haya lumbreras en la bóveda del cielo para distinguir el día de la noche, para servir de señales, para las estaciones y para los días y los años."

Aquí Dios hace diferencia entre días, estaciones y años. ¿Cómo puede alguien hacer que un día de Génesis 1 se extienda a un millardo de años y después hacer que tenga algún sentido Génesis 1:14? ¿Si un día es un millardo de años entonces, cuanto tiempo dura una estación o un año? ¿Es un año bíblico 365 millardos de años? ¡Aún los evolucionistas más radicales dicen que el universo no tiene mucho más que veinte millardos de años! Dios pone estas palabras de tiempo una tras otra para nosotros en un versículo para comprobar que Él quiere decir días de 24 horas. Usted no puede hacer que Génesis 1: 14 tenga sentido alguno si insiste en las perspectivas de la evolución teísta o día-era o creación progresiva. (No lo olvide—no sujetamos la Biblia a la ciencia, sujetamos la ciencia a la Biblia.) Si la "ciencia" nos dice que hay que tener largas eras geológicas para explicar la existencia de todas las cosas, pero la Biblia dice que Dios lo hizo todo en seis días normales, entonces hay que creer la Biblia por fe y saber que la ciencia evolutiva tiene que hacer más investigaciones acerca de su sistema de fe para actualizarse con la Biblia.

Los Diez Mandamientos en la Biblia podrían ser una de las causas básicas de creer en el modelo evolutivo. Personas con grados académicos en ciencias examinan detalladamente la creación de Dios. Lo que ellos ven es la mano de Dios (Romanos 1 y Salmo 19), pero, aun así ellos escogen creer la mentira de la evolución porque no quieren reconocer su pecado, como está escrito en los Diez Mandamientos. El hecho de creer en Dios, quien escribió esos Diez Mandamientos con Su propio dedo, llega a ser algo inconcebible para ellos. Una creencia así pondría al hombre en una posición de sumisión y obediencia a Su Creador, lo que nunca sería su elección sin la penetrante gracia de Dios.

Además, esta posición de sumisión y obediencia exige responsabilidad delante de este Dios santo y finalmente, la certeza de juicio—realidades que a la gente no le gusta considerar. Sabemos que somos pecadores. No podemos alcanzar ni nuestras propias normas; mucho menos las justas normas de Dios. Es más fácil vivir en la tierra de la fantasía de la evolución que en la realidad cuando estamos separados de nuestro Creador por nuestra propia falta de santidad y orgullo. La vida parece ser menos compleja y más cómoda si creemos la mentira de la evolución. **"Dijo el necio en su corazón: "No hay Dios"** (Salmo 14:1).

Ninguna persona racional diría que los Diez Mandamientos de Dios son inválidos, equivocados o dañinos para la sociedad. Si todos los obedecieran, tendríamos un mundo casi perfecto, sin crimen y libre de polución.

¿Se ha dado cuenta que la semana de creación de siete días se encuentra en los Diez Mandamientos (Éxodo 20:11)? ¿No es fascinante? Mirando todas las cosas que el Creador pudiera haber mencionado para ser preservados por siempre, Él escogió, en medio de Sus diez Mandamientos, llamar la atención a la semana original de creación de siete días.

La traducción al español de los Diez Mandamientos es exacta. Lo que leemos es precisamente lo que Dios dijo. Él dijo, **"Porque en seis días Jehová hizo los cielos, la tierra y el mar, y todo lo que hay en ellos..."** (Éxodo 20:11). Eso significa exactamente lo que dice. En seis días literales, el Señor hizo todo lo que existe, ya sea que exista en los cielos, sobre la tierra o en los mares . <u>Lo hizo funcionalmente maduro</u>. Como dicen algunos, tuvo la <u>apariencia de edad</u>. Eso incluiría la totalidad del macrouniverso (espacio, tiempo, estrellas, planetas, sol, luna, cometas, asteroides, ángeles, etc.) y el microuniverso (las moléculas, los átomos y los cuarks, de los elefantes, escarabajos y tiburones.) Una creación de seis días no deja ningún lugar para evolución teísta y sus millardos de años, ni para una "brecha" entre Génesis 1:1 y 1:2. No había cielo, tierra o mar antes del primer día de la semana original de creación de siete días. ¡Solo el Dios Trinitario de la Biblia existía antes del primer día de la semana!

LA "BRECHA"

Algunos de los eruditos bíblicos del inicio del siglo veinte llegaron a creer en una "teoría de la brecha" debido a la influencia de la "ciencia" evolutiva. Estos hombres de Dios creían que la ciencia había establecido grandes eras geológicas y que el hombre "prehistórico" era un hecho comprobado. Ellos fueron a los primeros capítulos de Génesis e hicieron el intento de sujetar la Biblia a la ciencia por postular una "brecha" entre Génesis 1:1 y 1:2. Pero, el sol, las estrellas, calor, luz, atmósfera y el universo no habían sido creados aun. Ninguna vida existía ni podía existir en la supuesta "brecha" entre Génesis 1:1 y 1:2.

No hubo raza "pre-Adánica" de gente malvada viviendo en la "brecha." No solo no podía haber existido sin luz, sino que el pecado y la maldad no entró al universo hasta la caída de Adán.

Romanos 5:12 enseña:

> **Por esta razón, así como el pecado entró en el mundo por medio de un solo hombre [Adán] y la muerte por medio del pecado, así también la muerte pasó a todos los hombres, por cuanto todos pecaron [énfasis añadido].**

Antes de la Caída, toda la creación de Dios era muy buena. **"Dios vio todo lo que había hecho, y he aquí que era muy bueno. Y fue la tarde y fue la mañana del sexto día"** (Génesis 1:31). ¿Podría "muy bueno" desde la perspectiva santa de nuestro Dios incluir una historia de muerte, sufrimiento y descomposición en el supuesto registro fósil pre-adánico antes de que el pecado y la muerte entraran por medio del pecado de Adán? No lo creo. Y además, ¿qué podría estar diciendo Dios en Hechos 3:18-21 donde Él dice que Jesús volverá a la Tierra para restaurar todas las cosas para tiempos de refrigerio? Parece que la idea en Hechos es que la maldición será quitada dando lugar a una tierra "Edénica." Si siempre ha habido muerte, descomposición y sufrimiento en la Tierra, aun antes de la Caída de Adán, entonces ¿cómo podríamos ganar algún tipo de entendimiento de Hechos 3? ¿Jesús vuelve para restaurar la Tierra a su pre-Adámico estado original de muerte y descomposición? ¡No es muy probable!

Un resultado impactante del pecado de Adán fue la muerte, sin embargo antes del pecado de Adán no había muerte. Si no hubiera muerte antes de Adán (la declaración clara de la palabra de Dios), entonces sería imposible tener gente "pre-Adánica" muriendo.

En realidad, la creación entera fue afectada por el pecado de Adán y todavía "gime" con espinas, abrojos y entropía mientras espera su redención. Romanos 8:22-23 dice:

> **Porque sabemos que toda la creación gime a una, y a una sufre dolores de parto hasta ahora. Y no sólo la creación, sino también nosotros, que tenemos las primicias del Espíritu, gemimos dentro de nosotros mismos, aguardando la adopción como hijos, la redención de nuestro cuerpo.**

ESPINAS FOSILIZADAS EN CAPAS DE ROCA ANTIGUA

Como algo adicional, ¿sabía usted que espinas están en algunas de las capas de sedimento más antiguas? ¡Si usted cree en la evolución teísta o el modelo progresivo de creación (la tierra antigua) tendrá un problema! Si las espinas son el resultado de la Caída, y la Caída ocurrió aproximadamente hace 6,000 años, ¿cómo pueden las espinas estar en capas de rocas que los evolucionistas creen tienen millones de años más que cuando el hombre apareció en la Tierra? Son resultado del pecado de Adán, Dios dijo: "…sea maldita la tierra por tu causa. Con dolor comerás de ella todos los días de tu vida; espinas y cardos te producirá…" (Génesis 3:17b-18a). ¡Las espinas aparecieron después del pecado de Adán! Por tanto, ¿cuales lentes de cosmovisión tiene puestos usted? ¿Aparecieron las espinas hace aproximadamente 6,000 años como enseña la Biblia, o hace millones de años como enseña la evolución?

ALGUNOS PROBLEMAS DE LA "BRECHA"

Mantener la posición de la "brecha" (millones de años entre Génesis 1:1 y Génesis 1:2) no solo exige la muerte antes de la Caída, pero también requiere cambios en el texto bíblico. **Génesis 1:2 tiene que ser cambiado de "Y la tierra estaba sin orden y vacía"** a "y la tierra llegó a estar sin orden y vacía." Dios usa la misma palabra para "estaba" en Génesis 2:25 y 3:1. Génesis 2:25a dice: **"Estaban ambos desnudos…"** Adán y Eva no fueron creados con ropa y luego "llegaron a estar" desnudos.

El mismo comentario aplica a la serpiente en 3:1. No es que ella "llegó a ser" astuta luego de no ser astuta; ella era astuta desde el principio. La teoría de la brecha requiere cambios en otros textos bíblicos. Para una investigación comprensible de los problemas con la teoría de la brecha por favor lea el libro del Dr. John Whitcomb, *The Early Earth: Revised Edition* [La Tierra Primitiva: Edición Revisada] y el libro del Dr. Weston W. Field, *Unformed and Unfilled* [Sin Forma y Vacía].

No tenemos que adaptar la Escritura a lo que podríamos creer es ciencia verdadera—las eras geológicas—por imponer una brecha entre Génesis 1:1 y 1:2 o por ampliar los días de 24 horas de Génesis 1 a largas eras de tiempo geológico. Los hombres, que lo han hecho, muy probablemente con toda inocencia, violan una regla básica: **La Biblia jamás debe ser sujetada a la ciencia, pero la "ciencia" teórica siempre debe ser sujetada a la Biblia.**

Mi posición, con toda franqueza, es de uno que ha entregado su vida al Señor Jesucristo mas tarde en la vida que la mayoría (a los 27 años) y uno que soportó una lucha tremenda por cinco años con este asunto. Cuando llegué a poner mi fe en Jesucristo como mi Señor y Salvador, me convertí en un evolucionista teísta. Y después ví, como muchos hombres y mujeres han visto (cuando son expuestos a la verdad verdadera de la Biblia), la total "rectitud" y la realidad de la creación de Dios en seis días que ocurrió hace 6,000 mil años. La ciencia verdadera que yo estudié me mostró la complejidad increíble de cada planta, animal e insecto. Y sin embargo, no hubo ninguna respuesta adecuada para el "por qué" y el "cómo" de esta complejidad y diversidad—excepto en decir, "todo eso es el resultaldo de procesos impersonales y accidentales, totalmente aleatorios y casuales, sin intervención de inteligencia y sin propósito sumados al tiempo." Si fue mencionado algún factor causativo, siempre era que "la Madre Naturaleza" lo hizo, pero nunca el Dios Creador /Redentor personal de la Biblia.

Nuestro Dios, el Creador Todopoderoso, no necesita del tiempo. Él está sobre el tiempo. El Creador, el Señor Jesús, mostró Su habilidad sobrenatural para actuar sin las limitaciones de tiempo por medio de Sus milagros. Cuando creemos Génesis 1 tal como está escrito, nos postramos en adoración y en confianza sumisa de nuestro impresionante e infinito Creador. Como dijo Job:

Reconozco que tú todo lo puedes, y que no hay plan que te sea irrealizable...De oídas había oído de ti, pero ahora mis ojos te ven. Por tanto, me retracto, y me arrepiento en polvo y ceniza. (Job 42:2, 5, 6)

Anteriormente, mencionamos (Scott Huse, *The Collapse of Evolution* [El Colapso de la Evolución], y Walter Brown, *In the Beginning* [En el Principio]) la documentación mostrando que los detalles de la evolución y los específicos de Génesis 1 no encajan. Por ejemplo, la evolución dice que los reptiles se desarrollaron primero y luego las aves evolucionaron de los reptiles, pero la Biblia dice que las aves vinieron primero (Génesis 1:20-23) y luego los reptiles (Génesis 1:24-26). Si reflexionamos de nuevo acerca de los días de Génesis, entonces <u>ciertas cosas no son lógicas cuando nos aferramos a largos períodos de tiempo</u>. Por ejemplo, Dios hizo las plantas en el tercer día (Génesis 1:12,13), pero Él creó los insectos en el sexto día Muchas plantas requieren insectos para polinizarlas. ¿Cómo podrían sobrevivir más de dos millardos de años, mientras esperaban que los insectos "evolucionaran?"

La teoría evolutiva no tiene respuestas satisfactorias acerca de como llegamos aquí. La evolución nos obliga a eliminar las palabras claramente escritas y fácilmente entendibles de Génesis 1-11, debido a que las dos no son compatibles. ¿Creemos la Biblia o hemos puesto nuestra confianza en las especulaciones tontas de los hombres, basadas en el fundamento de las científicamente no probadas suposiciones de la así llamada ciencia (vea el inicio del Capítulo 2, Siete Suposiciones Básicas)?

Puesto que los orígenes no son científicamente verificables para evolución o creación, entonces estamos tratando con "fe." Ningún ser humano estuvo allí para verificar si el "Big Bang" ocurrió. Ninguna persona estuvo allí para presenciar a Dios creando de la nada.

EL NACIMIENTO VIRGINAL Y LA RESURRECCIÓN

Muchos de nosotros fácilmente profesamos creer en Jesucristo como el Hijo del único Dios verdadero nacido de una virgen y en Su resurrección de la muerte. Nosotros los cristianos creemos en el nacimiento virginal del Señor Jesús, ¿verdad que si? ¡Si no creemos en el nacimiento virginal del Señor Jesús no vamos al Cielo porque no habría un Salvador santo y sin pecado! ¿En dónde aprendemos del nacimiento virginal? Aprendemos de ello en la Palabra escrita de Dios.

...el nombre de la virgen era María...Entonces el ángel le dijo: "¡No temas, María! Porque has hallado gracia ante Dios. 31 He aquí concebirás en tu vientre y darás a luz un hijo, y llamarás su nombre Jesús." (Lucas 1:27b, 30-31)

¿Nos dice la ciencia moderna que podemos encerrar bajo llave a una virgen y ella emergerá embarazada y lista para dar a luz a un bebé después de nueve meses? ¡Definitivamente que no! Nosotros los cristianos creemos en el nacimiento virginal por fe porque la Biblia lo dice, aunque esta idea es totalmente contraria a la información científica.

Nosotros los cristianos también creemos en la resurrección de los muertos. ¿Algún texto de ciencia enseña que los humanos pueden estar totalmente muertos, y luego ser resucitados? ¿Conoce usted algunos científicos evolucionistas que permitirían que usted les matara porque sabían que ellos podían pedir que sus otros colegas académicos les resucitaran de la muerte después de tres días? ¡Por supuesto que no! Así que, ¿de dónde sacamos esta idea de la resurrección? La tomamos de la Palabra escrita de Dios, la Biblia. La Biblia dice categóricamente que sin el hecho de la resurrección y nuestra creencia en ella, no iremos al Cielo.

...que si confiesas con tu boca que Jesús es el Señor, y si crees en tu corazón que Dios le levantó de entre los muertos, serás salvo. (Romanos 10:9)

...que Cristo murió por nuestros pecados, conforme a las Escrituras; que fue sepultado y que resucitó al tercer día, conforme a las Escrituras; que apareció a Pedro y después a los doce. Luego apareció a más de quinientos hermanos a la vez... (1 Corintios 15:3b-6a).

El Infierno y el Lago de Fuego nos esperan si no creemos en el nacimiento virginal del Señor Jesús, y en Su (y finalmente nuestra) resurrección. La evidencia principal que tenemos para la resurrección y el nacimiento virginal es la Santa Biblia, la Palabra de Dios escrita, sin ninguna evidencia de apoyo por parte de la ciencia. De hecho, la ciencia moderna habla fuertemente en contra de las ideas del nacimiento virginal y la resurrección de la muerte entre los humanos. A pesar de la "ciencia evolutiva" creemos lo que la Biblia dice. Creemos por fe (2 Corintios 5:7).

Empero, llegamos a los primeros capítulos de Génesis, que también son la Palabra de Dios escrita, y creemos en los evolucionistas que enseñan la Tierra vieja y el diluvio local en lugar de la clara enseñanza de la Biblia. No es que la necesitemos en realidad pero, hay bastante ciencia verificable experimentalmente para apoyar la creencia de un diluvio global y una Tierra joven (vea Capítulo 9). ¿Por qué nosotros los cristianos aceptamos las ideas bíblicas de un nacimiento virginal y la resurrección, que van en contra de la "ciencia" conocida, pero no aceptamos la enseñanza bíblica acerca de la edad de la Tierra (alrededor de seis mil años, no 16 millardos), o el diluvio durante los días de Noé (global, no local), cuando mucha ciencia verdadera apoya a la Biblia? Tal vez amamos mas la aprobación de los hombres que la aprobación de Dios.

Porque amaron la gloria de los hombres más que la gloria de Dios. (Juan 12:43)

¿Cómo podéis vosotros creer? Pues recibiendo la gloria los unos de los otros, no buscáis la gloria que viene de parte del único Dios. (Juan 5:44)

¡No daré a otro mi gloria! (Isaías 48:11b)

Aceptamos la Verdad en cuanto al nacimiento virginal y la resurrección sin sobresaltos, pero limitamos a Dios a ser un ente de "prueba y error" no capaz de "traer la Creación a la existencia por Su Palabra hablada," sino mas bien dependiendo de millardos de años y un proceso evolutivo para <u>finalmente</u> dejarla "bien arreglada."

Es mi opinión que la razón principal para rechazar una perspectiva creacionista (especialmente a la luz de las declaraciones hechas por evolucionistas que dan crédito a la posición creacionista) es el orgullo fundamental de la humanidad y rebelión. <u>La evolución nos permite ser independientes de Dios para que no nos sintamos responsables de rendir cuentas a Dios. ¡La evolución quita cierta presión de nuestra conciencia! Nuestra existencia se explica sin la necesidad de Dios.</u>

La actual y penetrante enseñanza de la Nueva Era que "cada uno tenemos dentro de nosotros la conciencia de Dios y podemos lograr divinidad por nuestras propias fuerzas mientras aprendemos a buscar dentro de nosotros mismos y a desarrollar nuestro máximo potencial" atiza las llamas de autosuficiencia, egoísmo e independencia de cualquier poder más grande que nosotros mismos. Esta enseñanza de la Nueva Era promueve la evolución y es un engaño sumamente peligroso. Es la senda de la muerte. Guía a gente a rechazar al Señor Jesucristo como su Salvador personal. El pensamiento evolutivo de la Nueva Era también convence a la gente que ellos no pueden creer que los primeros once capítulos de Génesis son literalmente la Palabra de Dios. Ciertamente, **"Hay**

un camino que al hombre le parece derecho, pero que al final es camino de muerte" (Prov. 14:12).

LAS AGUAS DEL DILUVIO CUBRIERON LA TIERRA

Incluido al inicio del Génesis está el relato de Noé y el diluvio. ¡Si la evolución fuera verdad, entonces es imposible que hace unos 4,500 años ocurriera un diluvio global! La evolución exige millones de años, no solamente unos pocos miles, para que criaturas y ecosistemas evolucionaran. A veces escuchamos que se refieren a este evento histórico como el diluvio de <u>Noé</u>. No fue el diluvio de Noé. ¡Fue el diluvio de <u>Dios</u>! El diluvio fue el juicio de Dios para el pecado que se había extendido sobre toda la Tierra. Génesis 6:5-14a describe el quebrantamiento del corazón de Dios por el pecado de la humanidad y Su reconocimiento de Noé como el único hombre justo sobre la faz de la Tierra.

Jehová vio que la maldad del hombre era mucha en la tierra, y que toda tendencia de los pensamientos de su corazón era de continuo sólo al mal.

Entonces Jehová lamentó haber hecho al hombre en la tierra, y le dolió en su corazón. Y dijo Jehová: "Arrasaré de la faz de la tierra los seres que he creado, desde el hombre hasta el ganado, los reptiles y las aves del cielo; porque lamento haberlos hecho." Pero Noé halló gracia ante los ojos de Jehová.

Esta es la historia de Noé: Noé era un hombre justo y cabal en su generación; Noé caminaba con Dios.

Noé engendró tres hijos: Sem, Cam y Jafet.

La tierra estaba corrompida delante de Dios; estaba llena de violencia.

Dios miró la tierra, y he aquí que estaba corrompida, porque toda carne había corrompido su camino sobre la tierra.

Entonces Dios dijo a Noé: "He decidido el final de toda carne, porque la tierra está llena de violencia por culpa de ellos. He aquí que los destruiré junto con la tierra.

Hazte un arca de madera de árbol conífero...

LA DESTRUCCIÓN DE TODA CARNE TERRESTRE

¿Qué nos ha dicho Dios acerca de Su propósito al enviar un diluvio global? Génesis 6:5 relata que Dios vio la inmensa maldad e iniquidad de la humanidad. Génesis 6:17 señala el verdadero propósito del diluvio: "**...para destruir toda carne.**" Los géneros de vida a ser destruidos están descritos más específicamente en Génesis 7: 21-23:

> **Y murió todo ser que se desplaza sobre la tierra, tanto las aves como el ganado, las fieras, los animales que se desplazan sobre la tierra y todos los hombres.**
> **Murió todo cuanto tenía aliento de vida en sus narices, todo lo que había en la tierra seca.**
> **Así fue arrasado de la faz de la tierra todo ser viviente. Fueron arrasados de la tierra desde el hombre hasta el ganado, los reptiles y las aves del cielo. Sólo quedaron Noé y los que estaban con él en el arca.**

El propósito de este gran juicio por agua fue destruir toda la forma de vida de la tierra seca. ¡Esta forma de vida se extendía mucho mas allá de los valles del Tigris y el Eufrates! El Diluvio no fue diseñado para destruir la vida marina aunque muchas criaturas acuáticas fueron destruidas por el Diluvio según el registro fósil.

Pedro nos dice (2 Pedro 3:5-13) que hay tres sistemas de cielo y tierra en el plan eterno de Dios. El primer sistema fue totalmente destruido por el agua del Diluvio el cual fue el juicio de Dios en el día de Noé. ¡Recuerden que fue la violencia (Gen. 6:11) lo que movió a Dios al juicio! (¿Cuál es el contenido de las películas y caricaturas que usted y su familia están viendo? ¿Se ha dado cuenta del aumento geométrico en violencia?)

El segundo sistema de cielo y tierra (nuestro sistema actual, 2 Pedro 3:7) será destruido por fuego tan caliente como para destruir aún las moléculas fundamentales de la tierra y el cielo (2 Pedro 3:10). La raíz del pecado, iniquidad y violencia, finalmente será quemada en su totalidad. Así que, ¿cómo está usted invirtiendo sus recursos (tiempo, dinero, talentos)? Solamente tres cosas no serán quemadas—Dios; la Palabra de Dios; y gente. ¿Está usted invirtiendo eternamente en la Palabra de Dios y en gente?

El tercer sistema de cielo y tierra es llamado los Cielos Nuevos y la Tierra Nueva (2 Pedro 3:13). Este eterno y justo sistema de cielo y tierra también se menciona en Romanos 8:21, Apocalipsis 21:1 y tal vez Isaías 65:17. Durará por siempre. Solamente aquellos cuyos nombres están escritos en el *Libro de la Vida* del Cordero heredarán los Cielos Nuevos y la Tierra Nueva. ¿Ha llegado usted al Cordero sacrificial, el Creador Jesús, en fe, arrepintiéndose (voluntariamente volviéndose de) de su pecado y rebelión y creyendo que solamente Él tiene el poder y derecho para salvar su alma? ¿ Ha comprometido usted el resto de su vida a Él y a Su servicio? ¿Ha sido usted justificado?

Justificados, pues, por la fe, tenemos paz para con Dios por medio de nuestro Señor Jesucristo (Romanos 5:1).

LOS DÍAS DE NOÉ Y LA SEGUNDA VENIDA DE JESÚS

El Señor Jesús comparó los días de Noé y el juicio del diluvio con Su Segunda Venida:

Como pasó en los días de Noé, así también será en los días del Hijo del Hombre: Ellos comían y bebían; se casaban y se daban en casamiento, hasta el día en que Noé entró en el arca, y vino el diluvio y los destruyó a todos (Lucas 17:26, 27).

El Diluvio es tratado en la Biblia como un evento real. Noé no es algún personaje mítico. El Señor Jesús y los escritores de la Biblia creían y enseñaban acerca de un hombre literal llamado Noé y un verdadero diluvio global. En ningún lugar de la Biblia el Diluvio es caracterizado como el desborde de algún río local como algunos eruditos han postulado. Las palabras de Génesis 6-9 tienen significados concretos en los léxicos hebreos. Estas palabras no son símbolos de fenómeno representando un evento mítico escrito por algún escriba primitivo cuyo concepto del mundo estaba limitado a las orillas de los ríos Eufrates y Tigris. Este diluvio cubrió "...**las montañas más altas debajo de todos los cielos...**" (Génesis 7:19, énfasis añadido).

EL ARCA DE NOÉ

¿ Exigiría Dios a Noé construir una arca de 133 metros de largo, 22 metros de ancho y 13 metros de profundidad para el desborde de un río local? El arca era suficientemente grande para transportar, en una sola cubierta, todas las especies de animales terrestres requeridas para repoblar otra vez la tierra. Los científicos han calculado que Noé tendría que tomar alrededor de 35,000 animales del tamaño de una oveja dentro del arca para darnos todas las especies de criaturas que tenemos el día de hoy. [Un estudio amplio de todos los aspectos relacionados con el arca y el Diluvio es: *Noah's Ark: A Feasibility Study* (El Arca de Noé: Un Estudio de Viabilidad) por John Woodmorappe (Santee, CA: Institute for Creation Research), 1996.]

El arca era suficientemente grande para transportar al menos 125,000 animales del tamaño de una oveja. 35,000 criaturas (el número más grande que he visto para generar los animales que tenemos el día de hoy) podrían haber sido cuidados en uno de los tres pisos del arca. Debido a que Dios llevó los animales a Noé, Él probablemente trajo animales jóvenes, aun bebés dinosaurios. (Por favor no olvide que los huevos más grandes de dinosaurio encontrados hasta hoy no son más grandes que una pelota de fútbol. Así que los dinosaurios más grandes empezaron la vida siendo no más grandes que una pelota de fútbol.) Los dinosaurios jóvenes comerían menos y ocuparían menos espacio. Noé y su familia podrían haber vivido en la cubierta principal, y yo imaginaría, que él mantuvo los insectos en la cubierta de mas abajo. Por supuesto, tal vez no fue necesario que Noé llevara insectos en el arca, siendo que pudieran haber sobrevivido en los restos que estaba flotando sobre la superficie del mar.

¿ Necesitaría usted de una arca para salvar las aves durante el desborde de un río local? ¿Ha oído alguna vez del desborde de un río local que duró más de un año? El diluvio de Génesis lo hizo.[83] ¿Por qué Dios le daría a Noé 120 años para construir el arca (Génesis 6:3 parece implicar que Dios estaba dando 120 años para que la gente se arrepentiera, mientras Noé construía el arca.) cuando habría sido mas fácil trasladar a su familia y sus rebaños fuera del valle de Mesopotamia? ¡En 120 años Noé podría haberse ido muy lejos de un diluvio si hubiera sido solamente el desborde de un río local! El Dr. John Morris tiene un excelente video sobre este mismo tema llamado *The Deluge* (El Diluvio), filmado en el Monte Ararat en Turquía. Es producido por I.C.R. [Instituto para la Investigación de la Creación] , P.O. Box 2667 El Cajon, CA 92021, teléfono (619) 448-0900.

¿Podría haber cuidado Dios a Noé, su familia y esa arca llena de criaturas durante un año entero? Génesis 8:1 empieza diciendo: **"Dios se acordó de Noé y de todos los animales y todo el ganado que estaban con él en el arca..."** (énfasis añadido). Esa palabra "se acordó" (zakar) es una palabra especial. En el texto del idioma hebreo tiene la idea de cuidado íntimo y vigilancia. El concepto de conocer las necesidades y actuar

---

83 Para más información acerca del Diluvio-juicio de Dios lea: *The Genesis Flood* por Henry Morris y John Whitcomb (Philadelphia: The Presbyterian & Reformed Pub. Co., 1961).

sobre ese conocimiento se encuentra en esta palabra. No fue que Noé estuviera desamparado en el arca y que Dios hubiera estado ocupado haciendo otras cosas. De repente Dios vio hacia abajo y dijo, "¡Oh! Acabo de recordarme de Noé." Esta palabra lleva en si el concepto de llenar necesidades.

Algunos creacionistas han sugerido que el proceso de hibernación pudo haber iniciado durante el Diluvio. Quizá muchos animales dormían durante la mayor parte del viaje. Bajo ciertas condiciones del laboratorio numerosos animales que naturalmente no hibernan o veranean (dormir bajo climas calurosos) pueden ser forzados a hacerlo. La habilidad de hibernar es mostrada por animales tales como: murciélagos, zorrillos, marmotas, perros de las praderas, tejones, osos, ciertos ratones, picaflores, serpientes de coral, tortugas, ranas, arañas, escarabajos, libélulas, langostas, caracoles de jardín, etc., etc. No es imposible creer que algunos (si no muchos) animales durmieron una buena parte de ese año.

Muchos "burladores" de la Biblia se refieren a Noé y el Arca como otro mito o historia y no como un evento histórico y real. Esto podría ser, en parte, por la supuesta imposibilidad de tan poca gente cuidando tan gran número de animales. La hibernación y el veraneo de los animales e insectos definitivamente habría bajado las exigencias de tiempo para dar de comer (y limpiar) a los ocho pasajeros humanos del arca. También, muchos libritos de Escuela Dominical muestran dibujos del arca de Noé con las cabezas de jirafas saliendo fuera del techo y a otros animales dando la apariencia de que tuvieran que hacerlos entrar apretando. ¡Maestros y profesores anti-creacionistas saben que estos dibujos erróneos existen en la literatura cristiana y ellos usan esas imágenes que han sido sembradas en las mentes de los niños para convencer a nuestros niños de que no hay ninguna forma que Noé hubiera podido poner todos esos animales dentro de esa pequeña arca!

Nadie podría decir exactamente qué pasó dentro de la gigantesca y sellada arca, pero Dios sabía y se preocupaba para que el remanente de Sus criaturas sobreviviera.

El ALTAR, EL ARCO IRIS Y LA EMBRIAGUEZ

¿Recuerde que pasó cuando Noé salió del arca? Tres cosas principales vienen a la mente: el altar, el arco iris y la embriaguez. Después de su salida del arca, el primer evento en la vida de Noé fue su adoración. Él construyó un altar para el Señor y adoró a Su Salvador. Génesis 8:20-21 dice:

> **Entonces edificó Noé un altar a Jehová, y tomando de todo cuadrúpedo limpio y de toda ave limpia, ofreció holocaustos sobre el altar.**
> **Jehová percibió el grato olor, y dijo Jehová en su corazón: "No volveré jamás a maldecir la tierra por causa del hombre, porque el instinto del corazón del hombre es malo desde su juventud. Tampoco volveré a destruir todo ser viviente, como he hecho.**

Como resultado, Dios le dio a Noé la promesa de pacto del arco iris. ¿Era el arco iris la señal del pacto de Dios para con el hombre que Él nunca jamás enviaría el desborde de un río local? ¡Por supuesto que no! Si fue el desborde de un río local en el "mundo" conocido del autor de ese tiempo, entonces el arco iris como una señal de pacto no significa nada. Han ocurrido muchos desbordes de ríos locales en el Medio Oriente desde el día de Noé. Y otra cosa—si no existiera una cubierta de agua antes del Diluvio que se cayó durante el Diluvio, entonces debería haber lluvia y diluvios y arco iris antes del Diluvio. En tal caso, la lluvia y el arco iris no tendrían ningun significado especial para Noé. El arco iris fue una experiencia nueva para Noé. Significaba que Dios nunca jamás destruiría la vida sobre la Tierra por diluvio que cubriera todo.

El relato de la embriaguez de Noé también podría ser importante en el estudio de creacionismo. Tal vez hay varias razones para la inclusión de este episodio en la Palabra eterna de Dios. La embriaguez de Noé podría fácilmente servir como una indirecta de que el hombre ya no vive en el primer sistema de cielo y tierra ahora que se terminó el Diluvio. El primer sistema ambiental y ecológico existente antes del Diluvio fue destruido por éste. El actual sistema de cielo y tierra es diferente.

Leyendo ciertos pasajes de 2 Pedro 3 se presenta al lector el plan eterno de Dios, el cual incluye tres sistemas de cielo y tierra: El cielo y la tierra de Adán y Noé (el primer sistema); el actual sistema de cielo y tierra (el segundo sistema); y los Nuevos Cielos y la Tierra Nueva de la eternidad (el tercer sistema).

Primeramente, sabe que en los últimos días vendrán burladores con sus burlas, quienes procederán según sus bajas pasiones, Y dirán: "¿Dónde está la promesa de su venida? Porque desde el día en que nuestros padres durmieron todas las cosas siguen igual, así como desde el principio de la creación." Pues bien, por su propia voluntad pasan por alto esto: que por la palabra de Dios existían desde tiempos antiguos los cielos, y la tierra que surgió del agua y fue asentada en medio del agua. Por esto el mundo de entonces fue destruido, inundado en agua. Pero por la misma palabra, los cielos y la tierra que ahora existen están reservados para el fuego, guardados hasta el día del juicio y de la destrucción de los hombres impíos. Pero el día del Señor vendrá como ladrón. Entonces los cielos pasarán con grande estruendo; los elementos, ardiendo, serán deshechos, y la tierra y las obras que están en ella serán consumidas. Según las promesas de Dios esperamos cielos nuevos y tierra nueva en los cuales mora la justicia (2 Pedro 3:3-7, 10, 13).

Es probable que el primer sistema de cielo y tierra tuviera una atmósfera más densa que la de nuestro sistema actual (el segundo sistema). La presión atmosférica mas alta fue el resultado de Dios tomando agua de la superficie de la Tierra (vea Génesis 1:6-8) y poniéndola sobre el cielo atmosférico o, mas específicamente, la bóveda o firmamento donde vuelen las aves (Génesis 1:20). Estas "aguas superiores" se cayeron en el día de Noé y tal vez pusieron las condiciones que posiblemente causaron la embriaguez de Noé.

Debido a que el agua cayó como lluvia, la presión atmosférica se redujo a menos de la mitad. Las tasas de fermentación del alcohol se duplican cuando la presión está reducida a la mitad. Entonces, debido a que el alcohol se fermenta mas rápido y pasa mas rápidamente a la sangre y al cerebro en el segundo sistema que en el primer sistema, Noé parece haber sido sorprendido. Él era el hombre justo de Dios. No se le había olvidado hacer un altar y sacrificar en adoración a su Señor y Salvador. Noé probablemente hizo la misma cantidad de vino que había hecho antes del Diluvio. Pero, ahora, estando en el segundo sistema, debido a que las condiciones habían cambiado, tal vez Noé pudo haber sido tomado por sorpresa y por eso se embriagó. No tenemos registro de que Noé hubiera estado ebrio antes o después de este incidente. Quiza una razón por la que nuestro Creador nos da este triste relato es para que tengamos una idea de la diferencia entre el primer sistema y el segundo sistema.

Nuestro cielo y Tierra actual son bastante diferentes del cielo y la tierra del día de Noé antes del Diluvio. Esa es la razón porque no tenemos libélulas con una envergadura de 81 centímetros, o conchas de nautilo de mas de 2 metros de altura o dinosaurios de 45,000 kilos caminando sobre la Tierra el día de hoy. Pero, sabemos que existieron. Tenemos sus fósiles. De todos modos, la gente vivía en el primer sistema y todavía están prosperando en el segundo sistema. Solamente Dios pudo haber diseñado la vida para funcionar eficazmente en dos sistemas significativamente diferentes. ¡No hay otro como Él!

No hay nadie semejante a ti, oh Jehová. Tú eres grande;
grande es tu nombre en poder.
Él hizo la tierra con su poder; estableció el mundo con su sabiduría y extendió los cielos con su inteligencia.
¡Jehová de los Ejércitos es su nombre (Jeremías 10:6,12,16b)!

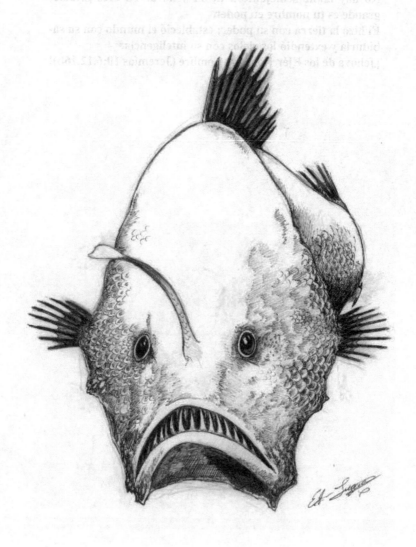

MARAVILLA DE LA CREACIÓN DE DIOS

#6

El Pez Pescador

Una de las creaciones asombrosas de Dios, es el pez pescador de la profundidad del mar. Este pez hace su hogar a más de kilómetro y medio de profundidad en aguas oceánicas. En su frente la hembra tiene una "caña de pescar" con un "gusano artificial" en el extremo. Ella cuelga esta "carnada" sobre su boca para atraer a su próxima comida. Ah, pero hay un problema—su próxima comida no puede ver la carnada, puesto que es demasiado oscuro a esa profundidad de mas de un kilómetro bajo el agua de mar. Ella empieza a morir de hambre mientras espera su primera cena de pez de las profundidades del mar. Por fin, considera "debo hacer algo acerca de este problema de la oscuridad." Pero, ¡ay, es demasiado tarde! Ella está muerta y los peces muertos no pueden evolucionar las adaptaciones necesarias para corregir problemas graves, aún cuando la evolución dice que con suficiente tiempo, procesos aleatorios y casuales, sin intervencion de inteligencia evolucionarán cualquiera cosa que su situación (o ambiente) le diga que sea necesaria para sobrevivir. Podría ser no muy lógico para algunos, pero a mi me parece que ella tendría mucha hambre esperando tal vez por cientos de años para su primera comida.

La única posibilidad es que Dios creó el pez pescador con todo el equipo totalmente funcional que necesitaba para sobrevivir

a grandes profundidades. Para resolver el problema de la oscuridad, Dios creó un tipo de luz especial sobre la carnada. Esta luz
muestra una tecnología avanzada—¡no produce ningún calor!
Un compuesto llamado Luciferina es oxidado con la ayuda de
una enzima que los científicos llamaron Luciferasa, y esta reacción produce luz sin calor. (Los investigadores científicos han
desglosado la Luciferasa en mas de 1,000 proteínas, pero todavía
no saben cómo se produce esta luz sin calor. Tal vez algún día
alguien descubra cómo Dios hizo esta luz sin calor. ¿Tengo que
decir que esa persona se unirá a los ricos y famosos?)

Pregunte a algún evolucionista ¿cómo un pez de la profundidad del mar podría evolucionar la habilidad para producir una
luz de alta tecnología sobre una carnada artificial colgada sobre
la boca del pez? Dios ha hecho su creación para mostrar Su gloria y poder. Nadie podría examinar el pez pescador y decir que
es el resultado de "lo impersonal más tiempo más casualidad,"
a menos que esa persona hubiera tomado de antemano la decisión de rechazar creer en el Dios de la Biblia (Romanos 1). Las
vanas especulaciones de la macroevolución se dirigen a refle-
xiones necias y conclusiones imposibles.

Naturalmente, el pez pescador necesita reproducirse y tiene un método especial para hacer esto. En la oscuridad de la
profundidad del mar es difícil que se encuentren el macho y
la hembra. Dios diseñó los huevos de la hembra para que su-
ban flotando a lo largo de un kilómetro y medio océano hasta
llegar a la superficie. Allí en la superficie del mar los huevos
se amontonan en una masa gelatinosa y se incuban. Los peces jóvenes, macho y hembra, crecen y maduran en las aguas
de la superficie. En un momento dado de su desarrollo, el
macho encuentra a una hembra, la muerde y sujeta por su abdomen. Pronto los tejidos de la hembra crecen y se adhieren
con los tejidos bucales del macho, y la hembra baja al fondo
del mar llevando consigo su macho como parásito y no se separan "hasta que la muerte los separe." Él la encontró en la

luz de las aguas de la superficie con el propósito de que no tuviera que buscar a ciegas una compañera en la oscuridad de la profundidad del mar. ¿Cómo podría evolucionar todo esto cuando es tan especializado y único? ¿Por qué la hembra no hace huir al macho cuando él muerde su abdomen? ¿Qué mecanismo evolutivo hace posible que el sistema circulatorio del macho se una con el de la hembra? ¿Y de qué criatura evolucionó este pez tan raro? La evolución no tiene respuestas.

Una gran diferencia entre el pez pescador y otros peces es la ausencia de la vejiga natatoria que es un saco con aire para proveer flotación y evitar que se hunda. Si hubiera evolucionado sin una vejiga de aire se habría hundido y muerto. Si tuvo una vejiga de aire y hubiera evolucionado la carnada y la luz en las aguas de la superficie, sería presa fácil para otros predadores y "la supervivencia del más apto" lo forzaría a la extinción.

Otro aspecto del pescador de aguas profundas es su cuerpo especial, el cual está diseñado para prevenir que sea aplastado. Una presión de mas de 140 kilos por centímetro cuadrado es ejercida sobre el cuerpo del pez a una profundidad de kilómetro y medio. Sobrevive a esta gran presión sin ningún problema. Por el otro lado, si los primeros Peces Pescadores fueron peces de aguas superficiales y perdieron sus vejigas de aire (digamos, por alguna mutación genética inexplicable) y luego se hundieron a la profundidad del mar, hubieran sido aplastados. Los animales muertos no evolucionan más.

Una vez alguien preguntó en cuanto a ¿qué propósito tendría una carnada alumbrada del pez pescador antes del pecado de Adán y la madición sobre la naturaleza? El Señor Jesús hizo formas de vida con la habilidad de existir en ambientes antes y después del Diluvio. Tal vez la "carnada" alumbrada era usada por la hembra para atraer al macho o para alumbrar las superficies de las rocas a fin de que ella pudiera ver su comida favorita vegeteriana. Ninguno de nosotros estuvo antes de la Caída o antes del Diluvio y esas condiciones no son reproduci-

bles. Pero, podemos confiar en el Dios de la Biblia y Su Palabra. Cuando el Señor Jesús dice que las cosas fueron diferentes después del Diluvio, le creemos a El, aún si no podemos entender algunos de los detalles.

El pez pescador tenía que haber sido creado con todo su
equipo especial totalmente funcional. Dios dice que mientras
estudiamos Su creación eso debe hacer que nuestros pensamientos se enfoquen en El como Creador y que le demos gracias y que le honremos como Dios (Romanos 1).[84]

---

[84] Para una perspectiva maravillosa acerca del Pez Pescador y otros animales
altamente especializados lea: *The Natural Limits to Biological Change*, por Lane P.
Lester y Raymond G. Bohlin (Zondervan, 1984).

7

LA CUBIERTA DE AGUA DE LA TIERRA ANTES DEL DILUVIO Y EL MISTERIO DEL DINOSAURIO

Yo puedo recordar una ocasión específica durante el período de almuerzo, sentado en mi oficina en la Facultad de Odontología de la Universidad de Baylor estudiando Génesis 1. Esos estudiantes de odontología me habían pedido que les explicara lo que Dios quería decir en los versículos 6-8a. ¿Cuan a menudo leemos la Biblia pero realmente no pensamos acerca de lo que esta dice? Mientras yo estudiaba estos versículos, me di cuenta que yo no sabía exactamente qué era lo que decían. Esto es lo que la Biblia dice:

> **Entonces dijo Dios: "Haya una bóveda en medio de las aguas, para que separe las aguas de las aguas.**
> **E hizo Dios la bóveda, y separó las aguas que están debajo de la bóveda, de las aguas que están sobre la bóveda. Y fue así.**
> **Dios llamó a la bóveda Cielos (Gen. 1:6-8a).**

Dice que Dios separó las aguas y puso agua sobre la bóveda (cielo 1:8a) y dejó algo de agua debajo de la bóveda. ¿Qué es esta bóveda? Génesis 1:20 relata:

177

> Entonces dijo Dios: "Produzcan las aguas innumerables seres vivientes, y haya aves que vuelen sobre la tierra, en la bóveda del cielo.

El firmamento o la bóveda de Génesis 1:7 podría ser los cielos abiertos de Génesis 1:20 donde las aves vuelan. Ahora bien, hay varios puntos de vista y diferentes interpretaciones de estos versículos del Génesis, pero el que me parece tener más sentido y el que yo creo es este: Dios separó las aguas que cubrieron la Tierra en el principio y dejó algo de agua sobre la Tierra y puso algo de agua arriba sobre el aire donde las aves vuelan.

EXPLICANDO LAS AGUAS ARRIBA

Antes que vayamos más adelante, clarifiquemos los usos de la palabra Hebrea que es traducida como bóveda, firmamento o cielo. Hay tres cielos diferentes mencionados en la Biblia: 1) el cielo atmosférico, 2) el cielo donde se encuentran las estrellas (cielo astral), y el tercer cielo donde vive Dios (el paraiso). Este tercer cielo se menciona en 2 Corintios.

> Conozco a un hombre en Cristo, que hace catorce años...que fue arrebatado al tercer cielo...que fue arrebatado al paraíso... (2 Corintios 12:2, 4a)

Salmo 19:1 nos llama la atención a ambos cielos, el atmosférico y el astral:

> Los <u>cielos</u> cuentan la gloria de Dios, y el <u>firmamento</u> anuncia la obra de sus manos. [énfasis mio].

LOS EFECTOS BENÉFICOS DE UNA CUBIERTA DE AGUA

¿Cuáles son algunos de los efectos benéficos de esta cubierta de agua sobre el cielo atmosférico? Si fuera una cubierta de vapor de agua, habría alguna protección de la radiación cósmica, etc. Pero, si fuera agua líquida, proveería máximun protección. Quizá esto ayude a explicar por qué la gente vivía 900 años antes del Diluvio. El agua filtra muchos de los rayos dañinos del sol, lo cual podría acelerar el proceso de envejecimiento. Por ejemplo, el agua bloquea la penetración de la radiación alfa y beta. El agua líquida en combinación con la capa de ozono bloquearía la mayor parte de las radiaciones ultravioletas solares. Combine esto con la filtración de la radiación alfa y beta y ¡la Tierra habría sido un lugar mucho más saludable donde vivir antes del Diluvio!

Muchos creacionistas (incluyéndome por muchos años) creían que esta cubierta de agua podría haber sido vapor de agua en vez de agua líquida. Al principio el vapor de agua parecía ser una forma más lógica de mantener suspendida agua sobre la atmósfera. Científicos creacionistas como los Drs. Larry Vardiman, Russell Humphrys, John Baumgardner, Michael Oard, y otros, han presentado problemas con el modelo de la cubierta de agua de <u>vapor</u> y quizá lo hayan eliminado como una posibilidad. El agua <u>líquida</u> resulta ser una mejor explicación.[85]

Otra ventaja de la cubierta de agua es el efecto hiperbárico (aumento de presión). El peso del agua arriba habría aumentado la presión atmosférica sobre la Tierra y quizá aun el contenido de oxígeno en el aire. (En cuanto al aumento del contenido de oxígeno, científicos han encontrado pequeñas burbujas de oxígeno en ámbar antiguo, y las burbujas de oxígeno tenían hasta 32% de oxígeno, mientras que el aire que respiramos el día de hoy en el segundo sistema de cielo y tierra tiene alrededor de 20% de oxígeno.) La cubierta de agua pudo haber causado un aumento de más del doble en la presión atmosférica. En este ambiente de mayor presión atmosférica y mayor densidad de

---

[85] Lea mas acerca de sus ideas en las páginas de internet: www.ICR.org y www.answersingenesis.org

oxígeno, la curación sería más eficiente. Muchos hospitales tienen cuartos presurizados llamados Cuartos Hiperbáricos. Dentro de estos cuartos se bombea bajo presión un alto contenido de oxígeno aumentado y milagrosamente la curación se acelera. La gente muy enferma y las que tienen quemaduras severas son tratadas en este ambiente de alta presión y rico en oxígeno.[86]

Dios podría haber hecho la cubierta con el grosor exacto y a una distancia pefecta de la Tierra para permitir que las plantas recibieran suficiente energía lumínica para su fotosíntesis mientras bloqueaba las radiación dañina y el calor excesivo. Si el agua de la cubierta estuviera en la forma de agua líquida (tal vez bajo la capa de ozono pero sobre donde vuelan las aves) habría hecho el primer sistema de cielo y tierra (antes del Diluvio) parecido a un terrarium gigante. ¡No habría lluvia! ¿Y qué dice la Biblia? Génesis 2:6: **"Pero subía de la tierra un vapor que regaba toda la superficie de la tierra."** Eso es el efecto esperado si la Tierra estaba rodeada por una cubierta de agua: una llovizna de mañana se formaría. Génesis 2:5b es más específico: **"...porque Jehová Dios no había hecho llover sobre la tierra, ni había hombre para cultivarla."** ¡No hay lluvia, entonces no hay arco iris! El primer sistema de cielo y tierra obviamente era diferente de nuestro sistema actual.

EL EFECTO INVERNADERO

Con una cubierta de agua, el efecto del invernadero sería lo esperado debido al calor generado por la cubierta calentada por el sol. ¿Existe alguna evidencia de que el calor del invernadero alguna vez rodeaba nuestro planeta? Fósiles de

---

[86] Para mas información sobre "Hyperbaric Therapy" vea: J.C. Davis, "Hyperbaric Oxygen Therapy," *Journal of Intensive Care Medicine,* 4 (1989), 55-57. También: *Textbook of Hyperbaric Medicine,* ed. K.K. Jain (Toronto: Hogrefe and Huber Pubs., 1990), p. 492. También: *Hyperbaric Oxygen Therapy: A Committee Report* (UHMS PUB 30 CRHOB), ed. J.T. Mader (Bethesda: Undersea and Hyperbaric Medical Society, Inc., 1989), p. 90.

palmeras han sido encontradas en Alaska y helechos arborescentes en el Ártico. ¿Cómo podría estar en Alaska un fósil de palmera? Algunos científicos han sugerido que viajaron allá por el movimiento del plato tectónico (la corteza terrestre) por millones de años. ¡Pero estos árboles no tienen millones de años de edad! Un creacionista diría, "No hay problema, las palmeras crecieron en Alaska en un mundo tropical antes del Diluvio." Estos árboles fueron enterrados durante el Diluvio del día de Noé resultando en su fosilización. (Recientemente se ha sugerido que estos fósiles viajaron a Alaska por medio del rápido movimiento del plato tectónico en lugar del movimiento lento. Yo aun pienso que crecieron allí.)

Los científicos han encontrado bosques tropicales y depósitos de carbón mineral en el Antártico. ¿Cómo llegaron allí si las plantas en la historia pasada no crecieron allí? Árboles frutales que fueron congelados rápidamente y de más de veintisiete metros de altura con hojas verdes han sido encontrados en las Islas de Nueva Siberia donde, el día de hoy, solamente crecen sauces de tres centímetros de altura.[87] En estas zonas frígidas muchos árboles (algunos fosilizados y algunos congelados rápidamente) han sido encontrados en sedimentos diluviales con anillos, significando esto crecimiento rápido por medio de temperaturas cálidas. El Evolucionista pregunta, "¿Cómo llegaron acá?" El creacionista pueda decir, "Crecieron allá antes del Diluvio cuando la Tierra estaba bajo el calor del efecto de invernadero de polo a polo."

UN EFECTO INVERNADERO FUERA DE CONTROL

Por supuesto, la idea de una cubierta de agua traerá objeciones de algunos científicos, aún científicos creacionistas.

---

[87] Charles Hapgood, "The Mystery of the Frozen Mammoths," de Bassett Digby, *The Mammoth and Mammoth Hunting Grounds in Northeast Siberia* (N.Y.: Appleton, 1926), pp. 150-151.

¿Habría un problema de sobrecalentamiento llevando al efecto invernadero fuera de control? Algunos científicos creen que una cubierta de agua de cualquier tipo generaría demasiado calor para la atmósfera y no permitiendo que suficiente calor escapara, resultando en sobrecalentamiento y la muerte de toda la vida terrestre. ¿Podría nuestro Creador haber diseñado el mundo de Adán con una cubierta de agua suspendida (líquida, no vapor) que no generara demasiado calor para que existiera la vida?

Si la cubierta de agua estuviera bajo la capa de ozono [si estuviera sobre la capa de ozono, esta crucial barrera protectora podría haber sido destruida cuando el agua cayó a travéz del ozono durante el Diluvio y, dependiendo de que tan lejos en el espacio la cubierta estuviera localizada, podría haber un vacío sobre ella que permitiría que el agua se evaporara rápidmente al espacio y la cubierta desaparecería] el agua líquida en la cubierta podría ser en realidad un escudo contra calor y radiación. Bloquearía físicamente un poco del calor. La energía calurosa durante la parte del día cuando hay luz podría ser absorbida mientras que el agua sobre la superfície externa de la cubierta se evaporaría. Entonces, el agua podría volver a condensarse durante lo fresco de la noche. Debido a la capa de ozono sobre la cubierta de agua, el agua evaporada no escaparía al espacio exterior.

Este modelo de cubierta realmente funcionaría como una gigantesca "bomba de calor" que es una unidad de aire condicionado y calentador a la vez. En el verano, el calor en la casa es atrapado por el refrigerante y llevado fuera. La casa se mantiene fresca. En el invierno, el calor del aire fuera de la casa es atrapado y llevado dentro. La casa se mantiene cálida. El agua atrapa lentamente el calor y lo suelta lentamente. Por eso la brisa del mar al mediodia de un día caluroso de verano aun está fresca mientras la brisa que viene de tierra adentro está terriblemente caliente y es al contrario durante la noche fresca. El lado iluminado de la Tierra estaría cálido y el lado oscuro estaría fresco. Las diferencias en temperatura entre los dos lados serviría para dar balance uno al otro.

Aún el día de hoy, el agua en el cielo (las nubes) regula la temperatura aquí en la tierra. En un día nublado de la primavera la cobertura de nubes puede regular la temperatura del aire dentro de un rango de 8 a 11 grados centígrados entre el día y la noche y hasta un cambio mínimo de 1 grado. Por ejemplo, Cleveland, Ohio, en abril de 1999, tuvo una temperatura máxima de 21.1 grados centígrados y el mismo día una temperatura mínima de 20 grados centígrados comparado con una máxima de 23.9 grados centígrados y una mínima de 12.8 grados centígrados durante un día y noche despejados. Había una diferencia de solo 1.1 grados durante un período de 24 horas debido a la cobertura de nubes. ¡El sol todavía estaba allí calentando el extremo mas alto de esas nubes, pero bajo las nubes la temperatura se mantenía bastante estable!

El agua puede absorber grandes cantidades de calor. En las fundiciones de acero se usa el agua para enfriar acero fundido. Un kilogramo de agua puede enfriar varios kilogramos de acero fundido a más de 500 grados de temperatura. En el laboratorio dental el agua se usa para enfriar y templar los metales fundidos debido a que es tan eficiente en absorber calor.

Nuestro Creador puso la Tierra y el sol en la relación justa uno con el otro (distancia y tamaño) y muy probablemente con una cubierta de agua sobre la parte de la atmósfera donde vuelen las aves, pero bajo la capa de ozono. Considerando todos los factores que acabamos de mencionar, podemos concluir que el aspecto de sobrecalentamiento no debe ser razón para que rechacemos la idea de una cubierta de agua. Este es un asunto de fe. No podemos replicarlo o hacer que ocurriera el día de hoy, pero podemos creer a Dios cuando Él dice que puso agua sobre donde las aves vuelan. El hecho de que la ciencia no puede explicar todas las ramificaciones de una cubierta de agua no es razón para nosotros decir que la cubierta nunca existió.

EL GRAN MISTERIO DEL DINOSAURIO

La evolución tiene un problema llamado el Gran Misterio del Dinosaurio. ¿De dónde vinieron los grandes dinosaurios? ¿Cómo crecieron tanto? ¿Si es "la sobrevivencia del más apto," por qué se extinguieron estas criaturas poderosas?

Un creacionista respondería, "no problema." Dios creó a los reptiles gigantes y posiblemente hizo referencia a uno o dos de ellos que existieron en el día de Job (vea Job 40:15-41:34). En la atmósfera de alta eficiencia antes del diluvio, los reptiles podrían haber crecido a tamaños inmensos, criaturas voladoras gigantes podrían haber volado mas fácilmente, y el gigantismo habría sido mucho más probable.[88]

Los reptiles no tienen un factor propio para inhibir el crecimiento como otros animales y el hombre. Los dinosaurios habrían continuado su crecimiento a lo largo de su vida. Mientras mas viejos se pusieron, mas grande crecieron. Dios creó los grandes reptiles. Los reptiles funcionan mejor (animales de sangre fría) en climas de temperaturas cálidas. Los reptiles seguían creciendo en una eficiente atmósfera de alta presión con bastante calor, con cantidades ilimitadas de vegetación suculenta para comer y con nada para comerlos a ellos. La Biblia dice,

> **Y a todo animal de la tierra, a toda ave del cielo, y a todo animal que se desplaza sobre la tierra, en que hay vida, toda planta les servirá de alimento (Génesis 1:30).**

---

[88] La mayor parte de mis comentarios sobre los efectos de la cubierta de agua vino del excelente discurso del Dr. Joseph Dillow sobre los efectos de la cubierta de vapor en *The Water's Above: Earth's Pre-Flood Water Vapor Canopy* (Moody Press, 1982).

Esto indica que todos los animales comían plantas, no carne, antes del Diluvio. Por supuesto, el Diluvio fue después de la Caída, y algunos animales podrían haber comido carne a causa del pecado o tal vez algunos eran carroñeros. Pero, Dios no dio su permiso para el consumo de carne hasta después del Diluvio (Génesis 9:1-5).

Las plantas mismas dan testimonio del ingenio creativo de Dios. Ellas empiezan como una semilla. ¡Toman tierra, agua, aire y la luz del sol y se convierten en rosas, hule y ruibarbo! Y estas fábricas increíbles no solo no contaminan el medio ambiente, sino que silenciosamente limpian el aire y lo surten generosamente con el oxígeno, apoyador de la vida. ¡Oh, las maravillas del Dios de la Creación!

COMIENDO CARNE DESPUÉS DEL DILUVIO

Fue únicamente después del Diluvio que Dios dio permiso para comer carne. **"Todo lo que se desplaza y vive os servirá de alimento. Del mismo modo que las plantas, os lo doy todo"** (Génesis 9:3). Nadie comía a los dinosaurios antes del Diluvio, y ellos tenían vegetación en abundancia para comer. Ellos, entonces, podían crecer a gran tamaño durante un largo período de vida de cientos de años. Aún el Tiranosaurio rex comía plantas, no otros dinosaurios, antes del Diluvio. Los dibujos en los textos de este dinosaurio grande comiendo otro reptil no están basados en el método científico y no están apoyados con información de hechos reales. El Tiranosaurio más probablemente era vegetariano (por lo menos antes del Diluvio, Génesis 1:29, 30) y usaba sus largos y afilados dientes para quitar las hojas de plantas. Después del Diluvio, con el cambio en la presión atmosférica, estos reptiles nunca podrían crecer tanto. La atmósfera más liviana (la cubierta pesada cayó como lluvia durante el Diluvio), temperatura fresca promedio y depredadores no permitirían una vida larga ni excesivo tamaño.

¿DINOSAURIOS DE SANGRE CALIENTE?

En años recientes, algunos evolucionistas han postulado que los dinosaurios eran de sangre caliente, no criaturas de sangre fría. Dinosaurios de sangre caliente han sido propuestos porque los científicos están empezando a darse cuenta que las criaturas de sangre fría de 45,000 kilos no existen y no podrían existir en nuestro ambiente. No hay suficiente presión de aire para permitir circular su sangre adecuadamente. De alguna forma un hecho real se les ha pasado por alto a estos evolucionistas (o "ignoran intencionalmente," 2 Pedro 3:5). El hecho es que estos reptiles inmensos no habrían tenido ningún problema prosperando en la atmósfera cálida y de alta presión del primer sistema. Los gigantes vinieron a extinción después del Gran Diluvio. No es políticamente correcto para un evolucionista creer que el Diluvio universal del día de Noé realmente ocurrió. La creencia en el Diluvio es suficiente para ser despedido de su empleo o la cancelación de sus fondos de investigación. Por ende, el evolucionista se queda a especular en cuanto a "El Gran Misterio del Dinosaurio," mientras que el creacionista tiene una posición válida y científicamente verificable— las diferencias ambientales entre el primer y segundo sistema.

Los evolucionistas podrían haber teorizado que los dinosaurios de sangre caliente resolverían su dilema, pero investigaciones recientes indican que los reptiles gigantes eran de sangre fría como lo son todos los reptiles el día de hoy. The *Dallas Morning News* (El Noticiero Matutino de Dallas) del 21 de marzo, 1994 (p. 9-D) reportó que tres paleontólogos de la Universidad de Pennsylvania han publicado sus puntos de vista (en la revista Nature) de que "…dinosaurios…probablemente eran de sangre fría…" ¡Este es un golpe al sueño de los evolucionistas de resolver al misterio de estas criaturas gigantescas! Por supuesto, si usted esperara unos días algunos otros científicos evolutivos refutarían la posición de sus colegas. Los evolucionistas continuan discutiendo esta idea de "sangre caliente" o "sangre fría" una y otra vez. *The*

Dallas Morning News (El Noticiero Matutino de Dallas) del 11 de julio, 1994 (pagina 7-D), publicó una reseña por el reportero de ciencia, Matt Crenson, de un artículo de la revista *Nature* de julio, 1994. La reseña es citada parcialmente aquí:

> Tiranosaurio rex tenía una temperatura corporal estable, un nuevo estudio muestra, sugiriendo que el carnívoro terrestre más grande era de sangre caliente.
>
> Reese E. Barrick y William J. Showers de la Universidad Estatal de Carolina del Norte en Raleigh estudiaron los huesos de Tiranosaurio descubiertos en las rocas de Hell Creek en el este de Montana...
>
> La consistencia increíble de los isótopos de oxígeno en los huesos de los dinosaurios demuestra que su temperatura corporal nunca variaba más de 13 grados Celsius, escribieron los investigadores de Carolina del Norte la semana pasada en Nature. Si las variaciones en las estaciones de Montana hace 70 millones de años, cuando el Tiranosaurio vivía, fueran ligeramente similares a las del día de hoy, aun así una criatura con una temperatura corporal tan estable tendría que haber sido de sangre caliente.

Un creacionista podría decir que una temperatura corporal estable en un reptil gigante de sangre fría es consistente con la perspectiva creacionista de que la temperatura de la Tierra era uniformemente cálida en el tropical y pre-diluviano primer sistema de cielo y Tierra. Los creacionistas esperarían encontrar "... consistencia increíble de los isótopos de oxígeno en los huesos de los dinosaurios..." Aparentemente estos investigadores evolutivos preferirían imaginar que los reptiles de sangre fría fueran realmente de sangre caliente en vez de tomar en consideración la condición cálida por el efecto invernadero que rodeaba la Tierra polo-a-polo antes del Diluvio (hace 6,000 años, no hace 70 millones de años) como es presentado por este modelo de creacionismo.

A propósito, sabía usted que nunca existió en verdad un dinosaurio llamado "Brontosaurio?" El Brontosaurio engañó a la comunidad científica por muchos, muchos años. Llegó a ser la cabeza de una criatura y el cuerpo de otra. La comunidad evolutiva estaba demasiado apenada para admitir este error por mas de cincuenta años. El Brontosaurio no aparece en la mayoría de los textos nuevos. (Vea *The Dallas Morning News*, 11 de octubre, 1979, p. 44a).

Los gigantescos reptiles voladores como los pterosaurios (pterodáctilos y pteranódones) no podrían volar en nuestra atmósfera actual. Ellos necesitaban una atmósfera más pesada para poder obtener suficiente aire para levantarse con su envergadura de 12 a 15 metros. El primer sistema de cielo y tierra habría provisto la presión atmosférica más pesada necesaria para el vuelo de estas criaturas gigantescas. Los evolucionistas dicen que no sabemos como estos reptiles gigantes pudieran haber volado en nuestra atmósfera. Para un creacionista, esto no es problema. El primer sistema de cielo y tierra, antes de que cayera la cubierta de agua al momento del Diluvio en el día de Noé, habría provisto la densidad de aire requerida para que volaran estas criaturas gigantescas.

Con el fin de proteger sus empleos los evolucionistas ni siquiera se atreven a sugerir el Diluvio global en el día de Noé como parte de la solución de sus problemas, sin embargo el Diluvio provee la explicación para lo que "vemos." Aún leemos en nuestros textos antiguos de historia acerca de muchas culturas antiguas que enseñaban de un diluvio global.

GIGANTISMO

El Gigantismo era común en la atmósfera pesada antes del diluvio. Los fósiles de libélulas con una envergadura de 81 centímetros han sido descubiertos y ¡sería un bicho horrible si chocara contra su parabrisas! ¡El rinoceronte sin cuerno creció hasta más o menos "…cinco metros de altura y casi nueve metros de largo!"[89] Maquerodos gigantes, mastodontes y mamuts lanosos recorrían la tierra con los grandes dinosaurios.

¿COEXISTEN EL HOMBRE Y EL DINOSAURIO?

El hombre vivía durante la era de los dinosaurios. En capas cretáceas de piedra del Río Paluxy cerca de Glen Rose, Texas, las huellas de humanos y dinosaurios han sido encontradas entrecruzándose unas a otras. Se ha dicho mucho acerca de estas huellas porque, si son auténticas, demuestran en roca sólida que el hombre y el dinosaurio vivían a la vez. Si son aceptadas como genuinas, ellas dan el tiro de gracia a la evolución. ¡Son pruebas que la evolución es una especulación falsa del hombre! La mayoría de los textos declaran que los dinosaurios se extinguieron hace unos 60 o 70 millones de años antes de que el hombre apareció en la escena y entró a sus huellas. ¡Las huellas de los humanos y los dinosaurios entrecruzándose unas a otras en la misma capa de piedra destruye la creencia evolutiva que durante un período de millones de años el hombre evolucionó de sus antiguos antepasados reptiles!

Dos científicos tejanos han seccionado (cortar en rodajas de piedra) una de estas huellas humanas. Carl Baugh y Don Patton descubrieron que la roca debajo de las huellas demuestra estructuras de presión (llamadas laminaciones). ¡Estas estructuras de presión son exactamente lo que un científico esperaría encontrar alrededor de una huella humana! Las huellas humanas (y son muchas) no están "talladas" en la piedra del río y tampoco las huellas de dinosaurios.[90]

En el verano de 1993, los Drs. Patton y Baugh descubrieron huellas humanas 35 centímetros de largo (la gente tiene pies de ese tamaño el día de hoy) pisando una tras otra—izquierda, derecha, izquierda, derecha—dentro de gigantescas huellas de un dinosaurio de tres dedos. ¡Alguien estaba caminando en el lodo suave de

---

[89] Petersen, *Unlocking the Mysteries of Creation*, pp. 28, 29.

[90] Para más información acerca de Glen Rose y las huellas humanas, haga contacto con: Dr. Don R. Patton en el Metroplex Institute of Origin Science, Inc. (MIOS), P.O. Box 550953, Dallas, TX 75355-0953 y Dr. Carl E,. Baugh en Creation Evidences Museum and Archaeological Excavations, P.O. Box 309, Glen Rose, TX 76043 (817)897-3200.

las huellas frescas de un dinosaurio! Uno de los rastros muestra en la roca la huella humana al lado de la huella del dinosaurio. Aparentemente la persona "se desvió" y perdió una de las huellas del dinosaurio, pero logró ponerse "en curso" para su siguiente paso. Estas huellas son evidencia conclusiva, concreta y observable que el hombre y los dinosaurios caminaban sobre la tierra simultáneamente. Por un tiempo, la revista, The Humanist [El Humanista], había desacreditado estas huellas del Río Paluxy hasta el extremo que los creacionistas retiraron sus artículos y videos (una buena película documentando las huellas se titula, Las Huellas en Piedra). ¡Las investigaciones en el verano de 1993, por los Drs. Baugh y Patton deberían cambiar las cosas! Comuníquese con el Dr. Don Patton[90] para conocer la historia increíble de cómo varias de las huellas (pero no todas) fueron destruidas por un evolucionista que se sintió bastante amenazado y quiso "...suprimir la verdad..."

Proverbios 14:12 nos dice que **"Hay un camino que al hombre le parece derecho, pero que al final es camino de muerte."** Los evolucionistas viajan a Glen Rose, Texas, y examinan las huellas de humanos y las de dinosaurios lado a lado o una sobre la otra en roca cretácea. Entonces ellos preparan necias especulaciones en lugar de doblar sus rodillas y cabezas delante de su Creador quien nos dijo a todos nosotros que los dinosaurios y los humanos existían juntos en el sexto día de la semana de la creación. La Biblia enseña que el hombre y el dinosaurio compartían la misma Tierra a la vez (Génesis 1). ¡Esto no presenta ninguna dificultad debido a que esas criaturas gigantes comían solamente plantas antes del Diluvio! En los primeros días de Su creación, Dios no permitió que los animales se comieran uno a otro ni el hombre, debido a que se propuso llenar la tierra con Sus criaturas.

Otra evidencia para apoyar el hecho real que la gente y los dinosaurios vivían al mismo tiempo en la historia son los dibujos de dinosaurios en las cuevas. ¿Cómo podría un hombre o una mujer "pre-histórico" pintar un dibujo de un dinosaurio si él o ella nunca habían visto uno? El Instituto para La Investigacion de la Creación (www.ICR.org) y Las Respuestas en Génesis (www.answersingenesis.org) hacen circular excelentes videos sobre los dibujos de dinosaurios en las cuevas.

LA LONGEVIDAD

Otro resultado del agua estando sobre el firmamento donde las aves vuelen sería el efecto de escudo dando protección contra la radiación cósmica. Los científicos han estudiado la cantidad de radiación solar que es filtrada por el agua. El Dr. Joseph Dillow reporta sus conclusiones en su libro, *The Waters Above: Earth's Pre-Flood Water Vapor Canopy* (Las Aguas Arriba: La Cubierta de Agua de Vapor de la Tierra Antes del Diluvio). En el primer sistema de cielo y tierra, la gente podría llegar a vivir hasta ser muy vieja. Algunos científicos creen que uno de los factores primarios del envejecimiento es la radiación solar. A través de filtrar la radiación dañina (como lo haría una cubierta de agua), los seres humanos podrían ser capaces de vivir cerca de 1,000 años.

La Biblia relata que Adán murió a los 930 años de edad y Matusalén vivió casi 1,000 años. Después del Diluvio, las edades de la gente se redujeron dramáticamente a un promedio de 70 a 80 años. Muchas personas piensan que no se puede creer la Biblia cuando dice que la gente vivió a una edad de 800 a 900 años—que tenía que ser otro tipo de año o que el escritor no sabía con exactitud de qué estaba hablando. Isaac Asimov, por mencionar algo, dijo que Adán no vivió personalmente 930 años, sino que fue su tribu la que vivió tanto.

Estas edades viejas son de años de 360 días justo como la Biblia dice (compare Génesis 7:11 y 8:3,4).[91] Usted puede

---

[91] En Génesis 7:11, el diluvio empezó el décimo séptimo día del segundo mes y en del décimo séptimo día del séptimo mes (cinco meses después) como se registra en Génesis 8:4, el arca se descansó sobre Ararat. Segun Génesis 8:3, estos cinco meses incluían 150 días— 150 días dividido por cinco meses = 30 días al mes; 30 días por 12 meses = 360 días en un año del Antiguo Testamento.

creer la Biblia tal como está escrita. Algunos investigadores del presente, quienes estudian la longevidad de la vida creen que los seres humanos podrían volver a vivir tantos años si fuéramos protegidos de los efectos dañinos del sol y del aire que ahora está contaminado (mas la eliminación de la mayoría de nuestras mutaciones y desórdenes).

La protección solar por la cubierta de agua sobre la atmósfera donde vuelan las aves también afectaría las técnicas de datación. Cantidades muy pequeñas (o nada) de carbono 14 (C14) se habrían formado antes del Diluvio.[92]

Esta cubierta de agua antes del Diluvio podría explicar también una de las fuentes de agua para el Diluvio. El agua que Dios separó del agua sobre la superficie de la Tierra cuando Él dijo, "haya una bóveda en medio de las aguas" en el día dos de la semana de creación, cayó como lluvia y proveyó una parte de las aguas del Diluvio (Génesis 1:6-8).

EL COLAPSO DE LA CUBIERTA DE AGUA

Y hubo lluvia sobre la tierra durante cuarenta días y cuarenta noches (**Génesis 7:12**).

Ya sea durante o un poco después del colapso de la cubierta (y el Diluvio), ocurriría una súbita y permanente caída de la temperatura en la Tierra. El clima cambiaría de ser una condición cálida por el efecto invernadero que rodeaba la Tierra polo a polo antes del Diluvio (el primer sistema de cielo y tierra) a tener capas congeladas de hielo y temperaturas moderadas (el segundo sistema de cielo y tierra). ¿Pero qué podría haber causado que la cubierta de agua cayera como lluvia? Varias

---

[92] El Instituto para la Investigación de la Creación es de mucha ayuda y tiene varias publicaciones diferentes las cuales tratan con las técnicas de datación. Cada familia debería inscribirse para recibir el boletín mensual de ICR, *Acts and Facts*, El Instituto para la Investigación de la Creacion, P.O. Box 2667, El Cajon, CA 92021 (619) 448-0900.

teorías existen, sin embargo, por supuesto, Dios no necesita una causa naturalista. Él podría mandar soberanamente que las lluvias del diluvio cayeran por Su poder omnipotente. Es posible que hubiera un mecanismo físico que causó a esta cubierta de agua líquida deshacerse y caer como lluvia. Por ejemplo, un número cataclísmico de erupciones volcánicas simultáneas causadas por la fractura de la corteza terrestre podría ser una de tales fuerzas. Una idea propuesta para la precipitación de la lluvia es que un meteorito golpeó contra la Tierra, enviando grandes nubes de polvo hacia arriba dentro del agua. Las partículas de polvo proveerían el núcleo de condensación para las gotas de lluvia y causarían el colapso de la cubierta. Junto a esta idea viene la sugerencia que la Tierra se giró 23.5 grados del centro muerto por el impacto del meteorito, produciendo capas congeladas de hielo y las cuatro estaciones.

Otra teoría sostiene que una cantidad grande de volcanes erupcionaron simultáneamente alrededor de la Tierra, y el polvo volcánico proveyó las partículas para la condensación del vapor a lluvia. Tal vez todos estos eventos cataclísmicos ocurrían al mismo tiempo—el meteorito chocó a la Tierra, rompiendo la corteza terrestre, lo cual a su turno dio a luz múltiples volcanes.

Si hubiera actividad volcánica en el tiempo del Diluvio, entonces se esperaría encontrar cenizas volcánicas en el hielo profundo y antiguo y también en cieno congelado. En el antártico[93] y en el ártico, el hielo y cieno más antiguos están llenos de cenizas volcánicas. La posición creacionista se mantiene firme. En 1893, un solo volcán, el Krakatoa,[94] bajó la temperatura promedio global casi tres grados durante un año. El polvo del Krakatoa fue lanzado 48 kilómetros de altura en la atmósfera y

---

[93] Vea Anthony Gow, "Glaciologial Investigations in Antarctica," *Antarctic Journal of U.S.*, Vol. 7 No. 4 (1972), 100-101.

[94] Cheryl Simon, "Krakatau 1893: The Shock Felt 'Round the World'," *Science News*, 124 (mayo, 1983), 138.

una serie de olas de marea corrieron por los océanos con la ola más grande de 37 metros de altura. Esta ola increíble avanzó varias millas de tierra adentro en Java y Sumatra.

Si el polvo de un volcán (Krakatoa) pudo bajar la temperatura de la Tierra por un año entero, ¿cómo podría ser el caos y cataclismo de cientos de volcanes en erupción simultánea? ¿Podría ser que la Biblia está describiendo actividad volcánica cuando nos relata que en el día decimoséptimo del mes segundo: "**...en este día fueron rotas todas las fuentes del gran océano...**" (Génesis 7:11)? Este fue el primer día de una súbita y permanente caída de temperatura cuyos efectos son evidentes el día de hoy.

Science News (Noticias de Ciencia) (6 de julio, 1991, Vol.140, #1, p.7) tituló:

VOLCAN PODRÍA ENFRIAR EL CLIMA Y REDUCIR EL OZONO

El artículo reporta: "La erupción del Mt. Pinatubo podría enfriar un poco la Tierra por algunos próximos años y adelantar la destrucción de la capa ozono sobre grandes áreas del mundo, dicen científicos" (p. 7). La literatura científica cita el "Anillo de Fuego." Hace varios miles de años volcanes erupcionaron simultáneamente alrededor del mundo. ¿Qué causó este cataclísmico anillo de fuego? ¿Podría haber ocurrido "el décimoséptimo día del mes segundo?"

ANIMALES CONGELADOS RÁPIDAMENTE

La ciencia evolutiva no tiene respuesta para la existencia de muchos animales congelados rápidamente encontrados en varios lugares alrededor del mundo. Entre estos animales congelados están rinocerontes, hienas, bueyes, tigres dientes de sable, hipopótamos, bisontes, burros, leopardos, íbices y mamuts lanudos gigantes. ¿Qué está haciendo en Siberia un rinoceronte congelado rápidamente? ¿Es que él estaba tomando una pequeña vacación de verano y antes de que pudiera regresar a África, fue atrapado en una ventisca congelante? No, ¡había animales tropicales viviendo en Siberia antes del Diluvio del día de Noé! La Tierra estaba cálida como invernadero de polo a polo bajo la cubierta de agua. Esto presenta un problema gigantesco para los evolucionistas. [Con excepción de los que pretenden que los cadáveres congelados viajaron allá por medio del rápido movimiento de los platos tectónicos desde climas más tropicales. Esto podría transportarlos allá, pero ¿cómo fueron rápidamente congelados en los trópicos?]

¿Qué pasó en aquel entonces para congelar rápidamente plantas y animales tropicales en Siberia? Ninguno de estos animales "fósil" congelados son animales de forma transitoria. Todos estos animales muy antiguos son entes discretos. Ellos son clasificados fácil e instantáneamente como bisontes o mamuts. "Bueno", dicen los evolucionistas, "Lo que alcanzó estos animales tuvo que haber sido una era de hielo que avanzaba lentamente."

Los restos de animales congelados no representan una era de hielo avanzando despacio. Ellos fueron alcanzados y congelados permanentemente (hasta el día de hoy están congelados) con una velocidad tan increíble que plantas sin digerir quedaron en sus bocas y en los jugos digestivos de su estómago. ¡Gigantescos mamuts lanudos han sido descubiertos con ranúnculo (una especie vegetal, N. del T.) sin digerir en sus bocas y en sus estómagos y todavía el género y especie de la planta son identificables (vea Dillow, nota #88 al pie de la página)!

¿Que se requeriría para congelar rápidamente un feliz y saludable mamut que estaba comiendo ranúnculo (y algunos cientos de otras plantas identificables, las cuales ya no se encuentran en el clima frígido donde han sido descubiertos los mamuts congelados)? Algunos científicos fueron a una empresa grande que se dedica a congelar comida e hicieron esta pregunta. La respuesta no encaja con las realidades conocidas del segundo sistema de cielo y Tierra (nuestro sistema actual).

Para lograr congelar rápidamente un gigantesco animal de sangre caliente (comiendo ranúnculo) se requeriría una temperatura de -115° C (la temperatura más fría jamás registrada en la Tierra es cerca de -88° C) y un factor de frío-viento de 125-250 kph durante un período de tiempo de más o menos cuatro horas (con ocho horas de límite máximo). El problema es que no hay nada en la Tierra que se aproxime a estas condiciones necesarias para congelar los animales—y de todos modos los animales están congelados. Para preservar la carne y plantas sin digerir, condiciones drásticas no conocidas en nuestra Tierra actual habrían sido necesarias para la congelación rápida.

La congelación de estas plantas y animales antiguos no fue causada por una era de hielo avanzando lentamente. Muchos textos mostrarán un dibujo imaginario hecho por un dibujante de un mamut parado en una ventisca con un glaciar avanzando lentamente por detrás. Esto es imaginación, no realidad. Los mamuts eran animales de temperaturas cálidas, comiendo plantas de temperatura cálida, en un clima de temperatura cálida que súbitamente, en un asunto de horas, se congelaron permanentemente.

M. L. Ryder relata otro interesante hecho real acerca de los mamuts:

La escasez del pelo en el elefante moderno está relacionada con una corrugación de la epidermis, y con una falta de glándulas de la piel. Aunque el mamut, también, …no tenía glándulas, el aumento del pelo estaba asociado con una pérdida de la corrugación epidérmica…
Secciones cortadas paralelamente a la superficie de la piel revelaron pelos dispersos y redondos sin médula y sin glándulas o músculos erectores.[95]

---

[95] M. L. Ryder, "Hair of the Mammoth," *Nature,* 249 (May 10, 1974), 190, 191.

La piel del mamut ha sido disecada y para la sorpresa de los evolucionistas, no contiene glándulas sebáceas (aceite). ¿Por qué debe ser esto una sorpresa? Porque los animales de temperaturas frías tienen una buena cantidad de glándulas de aceite para aplicar aceite a su pelo y piel. Los lobos, osos polares y las focas tienen piel tan aceitosa que el agua frígida del norte simplemente corre sobre ella y no la penetra.

Los animales de temperaturas bajas requieren bastante aceite para protegerse del frío húmedo. Un mamut no podía sobrevivir mucho tiempo en un clima frígido sin aceite en su pelo. Fue un animal de temperatura cálida, comiendo plantas de temperatura cálida que fue agarrado de repente y congelado rápidamente y permanentemente en el pasado lejano. ¡La evolución no provee respuestas para esto! Una era de hielo avanzando lentamente no es suficiente explicación para los animales congelados rápidamente —pero un cataclismo, tal como habría ocurrido con el colapso de la cubierta de agua y la liberación cataclísmica de las fuentes del abismo (lo mas profundo del mar) durante el Diluvio del día de Noé, provee la respuesta y la evidencia.

Un animal sin glándulas sebáceas en su piel no puede sobrevivir en un clima frígido. Pero, un animal con glándulas sebáceas puede sobrevivir en climas frígidos o tropicales. Los leopardos tienen glándulas sebáceas y pueden sobrevivir en climas tropicales. Sin embargo, sus pieles han sido usadas para hacer abrigos de pieles los cuales son muy cálidos en el invierno. Los osos polares sobreviven en zoológicos durante el intenso calor de verano en los estados del sur de los Estados Unidos de América.

Estos mamuts (y muchos otros animales) fueron congelados tan rápidamente que se puede comer todavía su carne.

En muchos casos, como es bien conocido, cadáveres enteros de mamut han sido encontrados con el pelo, piel y carne tan fresca como la carne congelada de oveja de Nueva Zelanda en la bodega de un barco

de vapor. Y tanto los perros de trineo como los Yakuts mismos frecuentemente han tenido una comida saludable con la carne de mamut
que tiene miles de años de edad.[96]

Este cambio súbito y permanente de una temperatura cálida,
por el efecto invernadero que prevalecería en la Tierra de polo-
a-polo, a la actual condición de perma-escarcha (suelo helado de
modo permanente en las regiones polares) o de hielo permanente, en y alrededor de los polos, podría haber ocurrido durante el
colapso de la cubierta de agua en el momento del Diluvio-Juicio de Dios en los días de Noé. Cuando la corteza terrestre se
fracturó, masiva actividad volcánica habría ocurrido, acompa-
ñada con fuentes intensas de vapor (Vea los escritos del Dr. John
Baumgardner por medio de las publicaciones de ICR [Instituto
para la Investigación de la Creación] y AIG [Las Respuestas en
Génesis]). Las fuentes de vapor habrían sido lanzadas hasta
dentro de la cubierta y la habrían roto en algunas áreas.

Las primeras penetraciones de la cubierta de agua, ya sea por
vapor o actividad volcánica, habrían generado un efecto similar al
pinchazo de la línea de freón de un aparato de aire acondicionado.
¡Congelación inmediata! El rompimiento de la cubierta podría haber permitido al calor escapar rápidamente de nuestra atmósfera.
Esto produjo los polos congelados que han preservado para nosotros vida animal y vegetal (ahora extinta) que existía en el primer
sistema de cielo y Tierra. La evolución no tiene una buena respuesta para la muerte repentina de animales congelados. La Biblia me
guiaría a creer que estas cosas ocurrieron cerca el tiempo de la destrucción del primer cielo y Tierra por el Diluvio (Vea: 2 Pedro 3).

¡Bendice, alma mía, a Jehová!
Jehová, Dios mío, ¡qué grande eres!
Te has vestido de gloria y de esplendor.
El fundó la tierra sobre sus cimientos;
No será jamás removida.

---

[96] G. Richard Lydekker, "Mammoth Ivory," *Smithsonian Reports* (1899), p. 363,
como reportado por el Dr. Joseph Dillow, *The Waters Above*, p. 132. (vea nota al pie #88.)

Con el océano como con vestido la cubriste;
Sobre las montañas estaban las aguas.
A tu reprensión huyeron;
Se apresuraron al sonido de tu trueno.
Subieron las montañas;
Descendieron los valles al lugar que tú estableciste para ellos.
Les pusiste un límite, el cual no traspasarán,
Ni volverán a cubrir la tierra.
    (Salmo 104:1, 5-9).

Michael Oard cree que los animales y plantas congelados fueron sepultados en los años después del Diluvio. Los mares habrían estado más cálidos después del rompimiento de la corteza terrestre durante el Diluvio. La evaporación de los mares mas cálidos habría producido grandes diferencias de temperatura en los polos. Por consiguiente, esto traería poderosas ventiscas y la era de hielo.[97]

¿A DÓNDE FUE TODA EL AGUA?

Esto naturalmente causa que surja otra pregunta: ¿A dónde fue toda el agua de la cubierta después del Diluvio? La respuesta está en Salmo 104: 8, 9 como fue citado arriba. Después del Diluvio, el agua de la cubierta fue almacenada en los valles profundos del mar que se hundieron y en los acuíferos subterráneos que quedan al día de hoy. ¿Quiere decir que había menos agua y más mares pocos profundos sobre la superficie de la Tierra antes del Diluvio? Sí, esto parece ser lo indicado.

OBJECIONES A UNA CUBIERTA DE AGUA

Algunos creacionistas objetan la idea de una cubierta de agua alrededor del planeta Tierra antes del Gran Diluvio.

---

97 Para más información detallada lea: Michael J. Oard, *An Ice Age Caused by the Genesis Flook* (El Cajon, California: Instituto para la Investigación de la Creación), 1990.

Ellos miran el fenómeno presente y las leyes actuales de la física y no pueden imaginar cómo una cubierta de agua podría permanecer suspendida sobre la atmósfera. ¡Hay muchas cosas en la creación de Dios que o no han sido descubiertas o no pueden explicarse por las leyes científicas conocidas!

Existe el 'Principio de Colosenses 1:17.' Este versículo dice, **"El antecede a todas las cosas, y en él todas las cosas subsisten"** (literalmente "se conservan," La Biblia de Las Américas). Los científicos hoy día citan el Principio de Colosenses para explicar algún fenómeno en ciencia. Uno de tales fenómenos es la carga positiva de los protones que no se repelen uno al otro dentro del muy denso núcleo del átomo, y luego el hecho que los electrones cargados negativamente no chocan con el núcleo que tiene una carga positiva. Quiza ha oído a algunos científicos explicar el mismo fenómeno diciendo que hay 'gluones' que mantienen juntos los protones para que no vuelen por todos lados. Aunque hay gluones para mantener juntos los protones (la idea de gluones es hipotética) todavía nos quedamos con el problema de los electrones con su carga negativa que no chocan con el núcleo con su carga positiva. Así que, si la cubierta de agua líquida estuviera en su lugar hoy día, todos nosotros la observaríamos y los científicos encontrarían una forma para explicarla exactamente como lo hacen con el problema protón/electrón. Ellos podrían llamarlo el principio de Colosenses 1:17 o tal vez inventarían un nuevo término como el 'principio de la cubierta' o el 'principio del firmamento' o el 'principio de la raquía' en su intento de ayudarnos a entender que es lo que mantiene el agua allí arriba en su lugar (raquía es la palabra hebrea para firmamento o expansión).[98]

---

[98] Para más información concerniente a objeciones a la cubierta de agua, busque los escritos de Larry Vardiman en las paginas de web: www.ICR.org o www.answersin-genesis.org . Vardiman comenta sobre el problema del calor y el problema potencial del invernadero fuera de control relacionado con la cubierta de vapor de agua.

Hay varias explicaciones geológicas y físicas para la causa del Diluvio basadas en el punto de vista de un creacionista. Cualquier punto de vista o partes de todos los puntos de vista podrían ser verdad_ellos igualan lo que observamos (la ciencia está basada en la observación), pero mi favorito se encuentra en la Biblia: **"Porque he aquí, yo voy a traer un diluvio de aguas sobre la tierra..."** (Génesis 6:17a). ¡Dios lo hizo! Verdaderamente Él es el gran **"...YO SOY ÉL QUE SOY..."** (Exodo 3:14).

EL ARCO IRIS: SEÑAL DEL PACTO

El arco iris fue el objeto perfecto que Dios usó como la señal de su promesa pactal de no más diluvios globales. Recuerde, mientras la cubierta todavía estaba en su lugar, y las aves estaban volando en la expansión bajo esta agua, no había arco iris y uno tendría que poder ver a través del agua (por ende, no había nubes perpetuas). El sol, la luna y muchas estrellas estaban visibles para Adán y para Noé, debido a que Génesis 1:14 relata que servirían como señales. Después del colapso, Dios declara algo nuevo.

> Yo establezco mi pacto con vosotros: Ninguna carne volverá a ser exterminada jamás por las aguas del diluvio, ni habrá otra vez diluvio para destruir la tierra.
>
> Y dijo Dios: "Esta será la señal del pacto que establezco entre yo y vosotros, y todo ser viviente que está con vosotros, por generaciones, para siempre:
>
> Yo pongo mi arco en las nubes como señal del pacto que hago entre yo y la tierra.
>
> Y sucederá que cuando yo haga aparecer nubes sobre la tierra, entonces el arco se dejará ver en las nubes.
>
> Me acordaré de mi pacto que existe entre yo y vosotros, y todo ser viviente de toda clase, y las aguas no serán más un diluvio para destruir toda carne.

> Cuando el arco aparezca en las nubes, yo lo veré para acordarme del pacto perpetuo entre Dios y todo ser viviente de toda clase que está sobre la tierra."
> Entonces Dios dijo a Noé: "Esta será la señal del pacto que establezco entre yo y toda carne que está sobre la tierra (Génesis 9:11-17).

Noé nunca había visto un arco iris en las nubes antes del Diluvio, porque nunca había llovido. Si no hubiera una cubierta antes del Diluvio, Noé habría experimentado el mismo patrón de clima que tenemos hoy día. Él ya habría visto los arco iris; por ende, el arco iris en las nubes no habría sido ni especial ni nuevo para Noé. Después del diluvio, cuando la cubierta había colapsado durante los cuarenta días y noches de lluvia, Noé estaba en el segundo sistema de cielo y tierra, y estaba, entonces experimentando nuestro clima, lluvia y arco iris. También él experimentaría la diferencia entre la presión atmosférica pesada del primer sistema (pre-diluvio) y la presión atmosférica más liviana del segundo sistema (post-diluvio)—este último causaría la fermentación del alcohol mas rápida y muy probablemente la razón de la embriaguez de Noé.

!ALERTA ROJA¡

La Biblia nos da una advertencia en Colosenses 2:8:

> Mirad que nadie os lleve cautivos por medio de filosofías y vanas sutilezas, conforme a la tradición de hombres, conforme a los principios elementales del mundo, y no conforme a Cristo.

Nosotros debemos preguntarnos constantemente, "¿Qué dice la Biblia?" (una de las preguntas favoritas de Ken Ham). La macro-evolución es un sistema filosófico y un engaño vacío.[99]   Los cristianos no deben ser puestos en cautiverio por la filosofía especulativa de la macro-evolución—no hay ciencia basada en hechos reales (ciencia no basada en suposiciones) para apoyar el modelo de orígenes moléculas-a-hombre (vea las suposiciones del Dr. Kerkut en el Capítulo 2). Sí, los evolucionistas presentan sus teorías como hechos reales. Ellos llenan nuestros libros de texto con sus interpretaciones de la historia del universo (que deja fuera a Dios). Pero al estudiar los orígenes (de donde venimos), tenemos que mantener en mente que tanto la evolución como el creacionismo son sistemas de fe.

Debemos dejar de pensar en la evolución (moléculas-a-hombre, ed.) como una ciencia. Es una cosmovisión filosófica sobre el pasado, llena de implicaciones religiosas, la cual existe históricamente y actualmente como un intento desesperado para explicar...que estamos aquí sin un Creador/Dios. Resulta en mala ciencia, una negación de la historia verdadera, y mucha miseria para gente y naciones que la han adoptado.[100]

¿Hemos permitido que nos laven el cerebro para creer que hechos reales científicos comprueban que la evolución de moléculas-a-hombre es la verdad? Nadie sino Dios estaba allí cuando

---

99 Cuando salimos de la simplicidad y pureza de devoción a Cristo (2 Cor. 11:3), aceptamos engaños vacíos. Muchos cristianos han salido de la Verdad Bíblica a creer en el evolucionismo darwinista o el equilibrio puntuado (la evolución no ocurrió en una forma demasiada lenta para ver sino en una muy rápida.) Stephen Jay Gould y Niles Eldredge promueven "Equilibrio Puntuado" como el modo de evolución [vea: "Equilibrio Puntuado: el Tiempo y el Modo de la Evolución Reconsiderada," *Paleobiology*, 3 (Primavera 1977)]. El modelo de equilibrio puntuado (la evolución es demasiada rápida para verse) ha existido por mucho tiempo, aunque parece que Gould acepta elogios como el "padre" de ello. El equilibrio puntuado es fundamental para el Marxismo-Leninismo y fue visto por Marx y Lenin como esencial para mover a la gente fuera de la Verdad Bíblica a la vana filosofía y al engaño vacío del Marxismo-Leninismo. Para documentación excelente de esto y las raíces de Gould como marxista, lea: *The Long War Against God* por el Dr. Henry Morris (Baker Book House, 1989), y *Understanding the Times* por el Dr. David Noebel (Summit Ministries, Box 207, Manitou Springs, Colorado 80829, 1991).

100 John Morris, Ph.D. (en geología), *The Young Earth* (Master Books, P.O. Box 26060, Colorado Springs, CO. 80917, page 25.

se aparecieron el universo y la vida. ¡Que no seamos desviados de la simplicidad y pureza de devoción a Cristo (2 Cor. 11:3)!

> ¡Aleluya! ¡Alabad a Jehová desde los cielos!
> ¡Alabadle en las alturas!
> ¡Alabadle, vosotros todos sus ángeles!
> ¡Alabadle, vosotros todos sus ejércitos!
> ¡Alabadle, sol y luna!
> ¡Alabadle, vosotras todas las estrellas relucientes!
> ¡Alabadle, cielos de los cielos,
> Y las aguas que están sobre los cielos!
> Alaben el nombre de Jehová,
> Porque él mandó, y fueron creados.
>   (Salmo 148:1-5)

**Tú fundaste la tierra en la antigüedad;
los cielos son obra de tus manos.
(Salmo 102:25)**

**Porque he aquí, el que forma las montañas
y
crea el viento
y
revela al hombre su pensamiento,
el que hace a la aurora tinieblas
y
pisa sobre las alturas de la tierra,
¡Jehová Dios de los Ejércitos es su nombre!
(Amós 4:13)**

**Jehová estableció en los cielos su trono,
y
su reino domina sobre todo.
(Salmo 103:19)**

MARAVILLA DE LA CREACIÓN DE DIOS

#7

El Castor

El castor es otra creación diseñada en una manera única. Lo siguiente es tomado palabra por palabra de Creation Ex Nihilo, Vol. 15, No. 2, marzo- mayo 1993, páginas 38-41. Espero que vea el valor de subscribirse a esta revista creacionista (vea la página web: www.respuestasengenesis.org) mientras lee las palabras del autor y científico, Denis Dreves:

LOS CASTORES: ARQUITECTOS ACUÁTICOS

La habilidad de los castores para construir una presa es bien conocida, pero los castores poseen otras características increíbles que Dios ha incluido en su anatomía. Los castores son mamíferos que respiran aire y pasan una gran parte de su tiempo en el agua. Por esta razón ellos necesitan equipo especial.

Primero, el castor tiene válvulas especiales en sus oídos y nariz. Cuando el castor se sumerge debajo del agua estas válvulas automáticamente se cierran para que el agua no pueda entrar. Cuando el animal sale a la superficie nuevamente, las válvulas se vuelven a abrir y él respira de nuevo.

Tal vez la parte mas interesante de su equipo son sus párpados. Si usted ha hecho algo de buceo normal o buceo con solo un tubo de respiración (esnórquel) usted sabrá que el agua y los materiales que esta contiene pueden irritar sus ojos y lavar los lubricantes naturales. No solo eso, sino sus ojos no ven muy bien bajo el agua. Por eso las personas que practican el buceo usan gafas para agua.

¿Fuimos muy originales al pensar en esta idea de usar gafas para agua?

Realmente no. Dios diseñó a los castores con gafas ya "incluidas". Sus párpados son transparentes, con el propósito que puedan cerrar sus ojos bajo el agua y aun ver extremadamente bien. Sus párpados transparentes dan protección a sus ojos de los irritantes contenidos en el agua.

Durante el invierno, los castores tienen que comer de la corteza de árboles que ellos han cortado y guardado durante el otoño, usando sus especialmente diseñados incisivos anteriores que se auto-afilan (tal vez uno de los más conocidos artículos del equipo del castor).

Los castores coleccionan los árboles tiernos- usualmente de dos a cinco centímetros (una a dos pulgadas) de diámetro- para comida, los cortan en medidas adecuadas y luego los transportan, sujetándolos con sus dientes, hasta su nido bajo agua, empujando las ramas en el lodo al fondo de el estanque.

Diseño Asombroso

Esto nos lleva a otro asombroso aspecto de diseño. Para traer la comida guardada durante los meses del invierno cuando el hielo cubre el estanque, el castor puede encontrarse con la necesidad de masticar las ramas bajo el agua. Ellos pueden hacerlo sin que el agua entre a sus bocas porque ellos tienen colgajos bucales entre sus incisivos anteriores y sus molares posteriores los cuales están colocados considerablemente mas atrás. Estos dos colgajos de piel, uno a cada lado de la boca, se juntan atrás de los incisivos y sellan el resto de la boca contra el agua.

La cola del castor es grande y parece un remo, está cubierta de piel con apariencia de escamas, y es usada como timón cuando nada. Esto es especialmente importante cuando el animal está nadando con una rama en su boca. La cola tiene que compensar cualquier resistencia irregular de la rama, así que a menudo la cola es mantenida en cierto ángulo para navegar con precisión.

Las patas traseras del castor son grandes y palmípedas como un pato para darle al animal buena habilidad natatoria. Las dos garras internas de cada pata tienen uñas hendidas que el castor usa como peine para acicalarse y aceitar sobre su pelo.

Los castores usan sus más pequeñas y no palmípedas patas delanteras para llevar lodo y otros materiales y para excavar canales los cuales usan como medio para transportar madera y también para escapar rápidamente de sus predadores.

El pelo del castor tiene que ser lubricado con aceite para prevenir que el agua llegue a la parte interior de la piel del animal. El aceite proviene de dos glándulas grandes. Están llenas de un líquido aceitoso, espeso, de excelente calidad y de color amarillo, que el castor se unta a su pelo para dejarlo a prueba de agua. Esto, junto a sus dos capas de pelo, es tan eficaz que el agua raras veces alcanza la piel. Una capa de grasa bajo la piel da protección adicional contra el frío.

Un castor puede nadar sumergido por tal vez 800 metros (media milla) o más. La mayoría de las criaturas que respiran aire serían afectados negativamente por la falta de oxígeno al cerebro. El castor tiene equipo especial para compensar esta necesidad. Hígado y pulmones grandes permiten el almacenaje de mas aire y sangre oxigenada. Además, el corazón del castor late más despacio cuando se mete bajo agua para conservar oxígeno y la sangre está restringida en las extremidades del animal mientras que el suministro vital al cerebro permanece normal.

Habilidades de Ingeniería

Los castores construyen represas que pueden tener cientos de metros de longitud. La construcción de la represa se hace cortando y derribando árboles y plantas, arrastrando cada pieza al sitio de la represa, y poniendo todo en el agua en sentido paralelo a la corriente. Casi todo lo que encuentra el castor va para la represa—árboles vivos, árboles muertos, lodo, hierba y piedras. Cuando el estanque del castor se inunde, la presión creciente sobre la represa puede causar su rompimiento. Para prevenir esto, si hay tiempo, el castor hace un bocacaz [abertura o boca que hay en una presa para que por ella salga cierta porción de agua destinanda al reigo o a otra fin, N. del T.] para aliviar la presión y luego la repara después de que baje el nivel del agua.

Las madrigueras de los castores también son el trabajo de un maestro constructor. Se construyen con palitos, y son selladas contra el frío con lodo. El centro del techo no está sellado, lo que permite cierta ventilación. El acceso se logra únicamente bajo agua, con más de una entrada en caso de la necesidad de escapar. Los castores pueden lograr acceso directo bajo el agua al escondite de palitos que ellos guardaron, cuando el hielo cubre el estanque durante el invierno y esto es su única comida disponible.

Verdaderamente el castor es aún otro ejemplo de la provisión maravillosa y la preparación sabia de un cuidadoso Dios Creador. Tal variedad de equipo indispensable no podría haber evolucionado a lo largo del tiempo por casualidad y selección. **Todo el equipo del castor tiene que estar presente y totalmente funcional en el animal desde el principio para que sobreviva en su estilo de vida semi-acuática** [énfasis añadido—ed.].

8

¿PRODUCEN LAS MUTACIONES NUEVAS FORMAS DE VIDA?

Cuando empecé a sentir la presión producida por no tener hechos reales que se puedan comprobar experimentalmente para sustentar mi posición como un evolucionista teísta, me dirigí a algo que yo pensaba era mi "as": la genética. ¿No sabía todo el mundo que la ciencia de la genética había mostrado irrevocablemente la evolución en progreso? Sin las mutaciones (cambios en los genes y cromosomas), no hay cambios evolutivos. La pregunta que me hicieron mis estudiantes fue, "¿Producen las mutaciones nuevas formas de vida o producen mejoría en las formas actuales de vida?" Naturalmente, asumí que producen nuevas formas y pensé que yo podía comprobarlo por medio de la literatura científica. ¡Me esperaba otro desagradable despertar!

Muchos creacionistas[101] y evolucionistas estudian el fenómeno de la mutación genética. La postura predominante de los evolucionistas fue expresada por el Dr. Ernst Mayr de Harvard: "Últimamente, toda variación se debe, por supuesto, a mutación."[102] El Dr. Mayr nos instruye que toda variación (diferentes

---

[101] El Dr. Walter Brown escribió un artículo hace algunos años sobre las evidencias para la creación. En sus notas al pie de las páginas estaban varias citas de literatura en favor de la evolución que trataba con genética. Para conseguir esta valiosa información, por favor, comuníquese con el Dr. Walter Brown, El Centro para la Creación Científica, 5612 North 20th Place, Phoenix, AZ 85016.

[102] Ernst Mayr, *Mathematical Challenges to the Neo-Darwinian Interpretation of Evolution* (Philadelphia: Wister Institute Press, 1967), p. 50.

tipos de plantas y animales) observable en la vida se debe a los cambios en los genes y cromosomas. Estas mutaciones ocurren en la formación del ADN (ácido desoxirribonucleico, N. del T.).

ADN: EL LENGUAJE DE LA CÉLULA

El ADN, el sistema básico de información de la célula, contiene los planos requeridos para fabricar 2,000 o más proteínas diferentes. Cada una de estas proteínas es fabricada en pequeñas "fabricas- células" bajo la dirección del ADN y es esencial para el mantenimiento de la vida. ¿Entonces, cual de estos apareció primero? Si el ADN es esencial en el proceso de fabricación de proteínas, y el proceso de fabricación produce las proteínas esenciales para el ADN, entonces usted no puede tener uno sin el otro. Esto significa que los dos debían haber sido creados totalmente funcionales y exactamente en el mismo momento de tiempo. En otras palabras, Dios tiene que haber creado el sistema de información de todas las células en un momento de tiempo y totalmente funcional. ¡Las proteínas son necesarias para producir el ADN, pero el ADN es requerido para hacer las proteínas! El ADN provee las instrucciones a las fábricas de químicos dentro de las células para poder seguir creándose a si mismo.

Los científicos llaman al ADN el "lenguaje de la célula." Todos los científicos están de acuerdo que cualquier idioma requiere inteligencia. Note que el lenguaje es información y la información es inmaterial. ¿Podría existir aquí una implicación que el ADN, el "lenguaje de la célula" requirió inteligencia inmaterial para crearlo? ¿Podría ser que el ADN fue creado totalmente funcional en todas las distintas formas de vida por un Dios diseñador e inteligente, quien insertó ingenuamente miles y miles de páginas de información técnica de una complejidad increíble dentro de filamentos microscópicos de proteína llamada

ADN? ¡El Dios de la Biblia, Quien es infinito en Su sabiduría, no tendría problema aquí!

La evolución no ofrece respuestas para este problema de peso de los volúmenes de información transportados por el ADN. La información requiere inteligencia. La teoría evolutiva pretende que no hay actividad de inteligencia en la evolución de formas de vida. Sin embargo, el Dios de la Creación proclama a través de Sus Santas Escrituras, "¡Yo creé, creé, creé!"

¿Cómo responde un profesor universitario quien cree en la evolución al siguiente silogismo?

> El lenguaje es el resultado de la inteligencia.
> El ADN es el lenguaje de la celula.
> Entonces el ADN tuvo un origen inteligente.

¡Los profesores responden con silencio!

La información genética del ADN no puede ser mejorada en ningún organismo normal y saludable. La selección natural o la "sobrevivencia del más apto" no produce genes nuevos; meramente escoge la vida animal o vegetal más adecuada para un nicho o ambiente específico. Esto es adaptación a un ambiente específico y no mutación. Pero, la mutación es el único mecanismo que los científicos han propuesto para generar la "nueva" información genética requerida para cambio evolutivo en el modelo de moléculas-a-hombre. Esto presenta un problema enorme para el modelo evolutivo, especialmente cuando aprendemos que la mutación en un gen es un evento raro.[103]

¿Cómo podría haber evolucionado la vida a sus millones de formas si el mecanismo en sí que le causa evolucionar (la mutación) es un evento raro? La mayoría de los científicos

---

[103] "Aunque la mutación es la última fuente de toda variación genética, es un evento relativamente raro...", (Francisco Ayala, "The Mechanics of Evolution," *Scientific American*, September 1978, p. 63).

estaría de acuerdo que cuando las mutaciones ocurren en la naturaleza, o son dañinas al organismo o son inocuas (mutaciones silenciosas), pero nunca ha habido una mutación benéfica observada que haya añadido <u>nueva</u> información genética.

> El proceso de mutación es la única fuente de materia prima de la variabilidad genética, y por lo tanto, de la evolución...Los mutantes que surgen son, con raras excepciones, dañinos para sus portadores, por lo menos en el ambiente donde normalmente se encuentra la especie (Theodosius Dobzhansky).104

Dobzhansky pasó su vida profesional criando y produciendo mutaciones en moscas de las frutas. Al final, tenía moscas fruteras algo raras, sin embargo eran moscas fruteras nada mas. Algunas de esas moscas ni siquiera podían reproducirse porque habían resultado estériles. Dobzhansky escribe que las mutaciones son la única fuente de la evolución, pero que casi siempre son dañinas (lo que significa que la mutación hace que la forma de vida que la reciba en sus genes es menos capaz para sobrevivir en el lugar donde se encuentra viviendo). Yo podría, otra vez, decir aquí que **las mutaciones son innocuas o neutrales en el mejor de los casos, letales en el peor de los casos y nunca se ha comprobado que sean benéficas en la naturaleza.** ¿Entonces, por qué los evolucionistas continúan confiando tanto en las mutaciones como el mecanismo principal para su existencia evolutiva? Parece obvio que ellos no quieren "permitir que un Pie Divino se meta en la puerta."105

Si la "sobrevivencia del más apto" es la verdad, entonces las mutaciones dañinas deben contribuir a las extinciones, no a las nuevas y mejores formas de vida. Por supuesto lo que observamos en la naturaleza son extinciones de plantas y animales en

---

104 Theodosius Dobzhansky, "On Methods of Evolutionary Biology and Anthropology," *American Scientist*, Winter, December 1957, p. 385.
105 Vea: Lewontin, p. 34.

lugar de nuevas y emergentes formas de vida. Hay millones de formas vivientes, de plantas y animales a insectos, pero escuchamos casi semanalmente de más extinciones. ¿De cuántas criaturas nuevamente evolucionadas ha escuchado usted en el curso de su vida? Con todos los millones de cosas vivientes en el mundo, seguramente las mutaciones están ocurriendo y algo está evolucionado o ha evolucionado a otra cosa en algún lugar. Los evolucionistas están buscando desesperadamente la más pequeña evidencia de que algo producirá nueva información genética, preparándolo para evolucionar a una nueva entidad biológica y así probar que su teoría es verdad.

¿ESTAN EVOLUCIONANDO LOS PERROS?

Quizá algunos de ustedes hayan escuchado el argumento que los experimentos en la crianza de perros han comprobado que la evolución es verdad. En realidad, eso comprueba justo lo contrario. Empezando con el perro mongol de piel café, usted puede selectivamente criar los poodles (perro de lanas), san bernardos, dálmatas, retriever dorados, terrier escocés, sabuesos, collies (pastor escocés), chihuahuas o cualquiera de 250 diferentes razas de perros. Pero, usted consigue esas razas por la pérdida de información genética, no por lograr ninguna información genética nueva. Nunca recuperará el material genético perdido. Un poodle no volverá a hacerse otra raza de perro porque la información genética se ha perdido permanentemente—¡a menos que existiera un super perro dotado con toda esa información perdida que saltaría sobre la cerca trasera para proveer algún material genético extra!

¿LOS GUPPIES (LEBISTES) ESTAN EVOLUCIONANDO?

Hace unos años la comunidad evolutiva presentó al público uno de sus mejores ejemplos de evolución en progreso.

Fue una familia de lebistes que habían sido separados de sus viejos amigos por varios años. Cuando los lebistes fueron reunidos, ellos no se aparearían. Los evolucionistas consideran que una forma de vida es una nueva especie cuando no se aparean mas con sus viejos amigos. Quizás el lebiste no olía bien cuando regresó de su ámbiente provisional. O tal vez sus viejos amigos no lo reconocieron, o quizás los investigadores no esperaron suficiente tiempo para ver si sería aceptado de nuevo. La realidad es que las dos poblaciones de lebistes todavía eran inequívocamente identificables para los científicos y laicos como lebistes. ¿Donde está la evidencia para la evolución de una criatura a otra cuando, después de once años criando lebistes todavía son lebistes?

Aunque estos peces rehúsan aparearse unos con otros y por eso son clasificados como una nueva especie de lebistes, ¿comprueba ésto la evolución de una clase de criatura a otra? La gente ha hecho sus definiciones y límites para especies, pero Dios hace referencia a "géneros" en el relato de Génesis. Bíblicamente, hay ciertos límites que ninguna forma viviente puede cruzar. Un "género" específico de criatura nunca evolucionará a otro "género" de criatura. Los lebistes son peces. Dentro de los animales tipo pez hay bastante lugar para cambio, aun cambio "evolutivo", pero el pez siempre será pez—grandes, pequeños, de agua dulce y salada, pero todavía pez.

¿Hay integridad y honestidad intelectual cuando los científicos nos cuentan en la escuela y la universidad que la mutación en los genes es el mecanismo principal en nuestro proceso evolutivo, siempre llevándonos más y más hacia arriba; aunque en la literatura científica nos dicen que las mutaciones son dañinas o mortales o neutrales?

"Las mutaciones son más que sólo cambios repentinos en herencia; ellas también afectan la viabilidad y, según nuestro leal saber y entender, invariablemente lo afectan adversamente" (el evolucionista, C.P. Martin). [106, 107, 108]

Por ende, aprendemos que las mutaciones en una forma de vida saludable invariablemente causan cambios dañinos o muerte (letales) para el organismo. ¿Cómo ocurre la evolución de moléculas-a-hombre si el mero proceso que supuestamente es su causa, en verdad, daña o mata al organismo? Para poner esto de otra forma, ¿por qué los científicos evolutivos evacuaron el área cuando se escapó radiación del reactor nuclear de Three Mile Island en Pennsylvania y del de Chernobyl en Rusia? ¿Por qué estos científicos no movieron a sus familias a esa área para ser irradiados con el fin de que las mutaciones se desarrollaran y ellos pudieran evolucionar a la próxima más alta forma de vida? Los científicos sabían que sus hijos heredarían características no saludables a causa de la radiación. ¡Ellos huyeron lo más rápido que pudieron de esa radiación que estaba causando mutaciones!

El profesor de genética en la Universidad de Wisconsin, James Crow, escribe:

> …las mutaciones normalmente serían dañinas. Porque una mutación es un cambio aleatorio en un cuerpo viviente que es altamente organizado y que normalmente funciona con fluidez. Un cambio aleatorio en el altamente integrado sistema de procesos químicos que constituyen la vida, casi seguramente impedirá su funcionamiento justamente como no es muy probable que un intercambio aleatorio de conexiones en un televisor mejore la imagen en la pantalla.[109]

---

[106] C.P. Martin, "A Non-Geneticist Looks at Evolution," *American Scientist*, Enero, 1953, p.162.

[107] "Si decimos que es solamente por casualidad que (mutaciones) son útiles, todavía estamos dandolas mas importancia que merecen. En general, son inútiles, dañinas o letales." [W.R. Thompson, *Introduction to the Origen of Species*, por Charles Darwin (New York: E.P. Dutton, 1956), p. 10].

[108] "Las mutaciones letales excede en número los visibles (albinismo, enanismo, hemofília) por más o menos 20 a 1. Las mutaciones que tienen efectos dañinos son aun más frecuentes que las letales." [A.M. Winchester, *Genetics*, quinto ed. (Boston: Houghton Muffin Co., 1977), p. 356].

[109] James Crow, "Genetic Effects of Radiation," *Bulletin of Atomic Sciences*, 14 (1958), 19-20.

La analogía del Dr. Crow es precisa. Todos nosotros sabemos que mezclando y descuidadamente reconectando los cables en la parte de atrás de un televisor no mejorará la imagen. De la misma manera, cambios aleatorios en los genes no mejoran nuestra habilidad para vivir y funcionar. De hecho, ningún científico ha observado aun una mutación aleatoria produciendo una nueva hormona, enzima u órgano sencillo.[110] No obstante, ellos nos enseñan a nosotros y a nuestros hijos la mentira que estamos aquí porque nuestros ancestros primitivos sufrieron mutaciones en sus genes lo que causó que ellos evolucionaran más y más hasta que, aquí estamos. ¡Magia! Escuchen las palabras del famoso evolucionista de la Universidad de Pennsylvania, el Dr. Loren Eiseley:

> Con el fracaso de muchos de estos intentos [para comprobar que la evolución es verdad], la ciencia se quedó en la algo penosa posición de tener que proponer teorías de orígenes vivientes que no pudo demostrar. Después de haber regañado al teólogo por su confianza en el mito y el milagro, la ciencia se encontró en la posición poco envidiable de tener que crear una mitología propia: es decir, la suposición que, después de un largo esfuerzo, lo que no pudo ser comprobado como haber ocurrido hoy día, en realidad, había ocurrido en el pasado primitivo [Énfasis añadido).[111]

LA EVOLUCIÓN DE LAS PLANTAS

Uno de los expertos mundiales en la evolución de las plantas y fósiles de plantas, el Dr. E.J.H. Corner de la Universidad

---

[110] "Entonces, ¿ jamás vemos mutaciones ocupándose de la tarea de producir nuevas estructuras para que la selección natural tenga con que trabajar? Ningún órgano naciente jamás ha sido observado emergiendo, aúnque su origen en forma pre-funcional es básico para la teoría evolutiva. Alguno ha de ser visible el día de hoy, ocurriendo en organismos en varias etapas hasta la integración de un nuevo sistema funcional, pero no los vemos: no hay señal alguna de este tipo de novedad radical. Ninguna observación ni experimento controlado ha demostrado selección natural manipulando mutaciones con el propósito producir un nuevo gen, hormona, enzima, sistema u órgano." [Michael Pitman, *Adam and Evolution* (London: Rider Press, 1981), pp. 67, 68].

[111] Dr. Loren Eiseley, *The Immense Journey* (New York: Random House, 1957), p. 199.

de Cambridge declara dogmáticamente:

> La teoría de evolución no es meramente la teoría del origen de las especies, sino la única explicación del hecho real que organismos pueden ser clasificados en esta jerarquía de afinidad natural. Mucha evidencia puede ser aducida en favor de la teoría de evolución—de biología, bio-geografía y paleontología, pero todavía yo pienso que aquellos que no tienen prejuicios, **el récord fósil de plantas está en favor de la creación especial** [énfasis añadido].[112]

Según el experto Corner, no hay evidencia para la evolución de las plantas. De hecho, ¡cuando se investigan de cerca las plantas parecen ser una creación especial!

Un buen ejemplo de una "creación muy especial" en el reino de las plantas es la orquídea Ophrys stylidium. Cierto día ingresé la palabra "flor" a mi motor de búsqueda de Internet y eso me llevó a las orquídeas Ophrys. ¡Muy probablemente usted nunca habrá leído acerca de la orquídea O. stylidium en los textos de su escuela pública o de universidad porque es imposible describirla en términos evolutivos! Esta pequeña flor asombrosa está diseñada para traer gloria y honra a su Creador, el Señor Jesucristo.

La orquídea tiene sus pétalos y en el extremo de uno de los estambres (las pequeñas partes que emergen en el centro de una flor) es una configuración que se parece a la hembra de cierta especie de avispa. ¿Cómo explica la evolución una flor que imita cierto insecto? El aroma que la orquídea produce es el mismo aroma que la avispa hembra produce cuando está buscando al Sr. Avispa. Por tanto, el Sr. Avispa está volando alrededor buscando a la Sra. Avispa y él huele el aroma. Él mira hacia abajo y ve a la Sra. Avispa, pero es la flor imitando a la avispa hembra. El Sr. Avispa baja repentinamente y aterriza sobre la

---

112 E.J.H. Corner, '*Evolution' in Contemporary Botanical Thought*, eds. Anna M. Macleod y L.S. Cobley, Oliver y Boyd, por la Sociedad Botánica de Edinburg, 1961, p. 97. Como citado (parcialmente) de *The Quote Book*, p. 11.

flor. Bueno, ¡él se lleva una gran sorpresa! La parte de la flor que parece y huele como la Sra. Avispa está ubicada en una junta con acción de bisagra y carga de resorte. Cuando el macho aterriza sobre esta parte de la flor, la articulación de carga de resorte lo lanza dentro de la flor y los sacos de polen se adhieren a su cabeza.

Mientras escala para salir de la flor el asombrado avispa macho debía estar pensando, "Creo que encontraré a una diferente Sra. Avispa." Es engañado otra vez y es "tirado de repente" dentro de otra orquídea. Esta vez los sacos de polen pegados a su cabeza son cambiados por algunos nuevos y acaba por polinizar la orquídea. Por dos semanas, el macho va de flor de flor, "tirado de repente," en flor, "tirado de repente," en flor.

Dos semanas después de que maduran los machos, maduran las hembras. Al aparecer en escena la genuina Sra. Avispa, el macho nunca jamás regresa a la orquídea. Aquí hay otro problema para el evolucionista: El tiempo tiene que ser perfecto o la orquídea no será polinizada y se extinguirá en una generación. Hay una ventana de tiempo de dos semanas cuando la flor está madura y lista para ser polinizada, que tiene que ser la misma ventana de dos semanas cuando el macho avispa está maduro y está buscando a la hembra avispa, ¡pero tienen que ser las mismas dos semanas cuando ella todavía no está presente en la escena!

¡El hecho aun mas asombroso es que hay muchas variedades de estas orquídeas y cada una imita una avispa, abeja o mosca diferente! Es una lástima que hay tantas cosas en verdad maravillosas que nuestro querido Señor ha hecho para nosotros para disfrutar, estudiar y darle a Él gloria y alabanza, y no nos ha sido enseñado nada acerca de ellas. En el año 2002, todavía no están en los libros de texto de nuestros hijos.

El campo de la botánica (plantas) no comprueba la evolución. Sin embargo, los evolucionistas como el Dr. Corner todavía cree en un mitológico sistema evolutivo. Él está confiando que sus compatriotas en los campos de "biología, bio-geografía y paleontología" comprueben que la evolución es verdad. En el área de especialización de Corner (plantas), la creación especial parece ser la mejor opción. ¡Y, JUNTANDO TODA LA EVIDENCIA, LA CREACIÓN ESPECIAL ES LA MEJOR OPCIÓN!

Si no hay evidencia para la evolución de gente o de plantas, entonces ¿habrá alguna evidencia para la evolución de los peces?

LA EVOLUCIÓN DE LOS PECES

El récord geológico hasta este momento no ha provisto ninguna evidencia en cuanto al origen de los peces...[J.R. Norman (Museo de Historia Natural de Gran Bretaña)].[113]

Según estos expertos, no hay evidencia para la evolución de las plantas, y no hay evidencia para la evolución de los peces. ¿Qué acerca de los anfibios?

LA EVOLUCIÓN DE LOS ANFIBIOS

...ninguno de los peces conocidos se cree ser ancestro directo de los vertebrados terrestres más antiguos. La mayoría de ellos vivieron después de que los primeros anfibios aparecieron, y esos que estuvieron antes no demuestran ninguna evidencia del desarrollo de extremidades y costillas rígidas las que caracterizaron a los primitivos tetrápodos ...

Puesto que el material fósil provee ninguna evidencia de otros aspectos de la transformación de pez a tetrápodo, los paleontólogos han tenido que especular sobre cómo las piernas y la respiración aérea evolucionaron [Barbara J. Stahl (Énfasis añadido)].[114]

---

[113] J.R. Norman, "Classification and Pedigrees: Fossils," en *A History of Fishes*, 3rd ed., ed. Dr. P.H. Greenwood, Museo de Historia Natural de Gran Bretaña, London, 1975, p. 343. Como citado (parcialmente) de *The Quote Book*, p.11.

[114] Barbara J. Stahl, *Vertebrate History: Problems in Evolution* (New York: McGraw-Hill, 1974), pp. 148, 195. Como citado en *The Quote Book*, p. 11.

No existe ninguna evidencia para la evolución de las plantas ni para la de los peces. Mas aun, la única evidencia para la de los anfibios son las "especulaciones" de los expertos en fósiles. Especulación es solamente una palabra grande para "adivinar." ¡Una especulación no comprueba que las piernas y la respiración aérea evolucionaron! La evidencia, entonces, para la evolución de criaturas, en cuanto al supuesto desarrollo de la habilidad de salir del agua y vivir como animales terrestres, está en la imaginación de los evolucionistas. No existen fósiles ni hechos reales para apoyar la creencia en la evolución de los anfibios a partir de los peces. ¿Y qué de las aves?

LA EVOLUCIÓN DE LAS AVES

El origen [evolutivo] de las aves es mayormente un asunto de deducción. No hay evidencia fósil en cuanto a las etapas por medio de los cuales el cambio increíble de reptil a ave fue logrado (El evolucionista, W.E. Swinton).[115]

La evolución de las aves es "un asunto de deducción." "Deducción" en este caso es un sinónimo cortés para imaginación. Los evolucionistas están adivinando otra vez. No hay un solo fósil incontrovertible que demuestra las transiciones evolutivas de reptiles de sangre fría a aves de sangre caliente.

LA AVEFRÍA DORADA DEL PACÍFICO

La Avefría Dorada del Pacífico es un buen ejemplo de un ave que no puede ser descrita en términos evolutivos. Alaska es su área de crianza durante el verano y Hawai su hogar de invierno. Las hembras de las Avefrías Doradas crían sus polluelos cada

---

115 W.E. Swinton, "The Origen of Birds," Chapter 1 en *Biology and Comparative Physiology of Birds*, A.J. Marshall, ed., Vol. I (New York: Academic Press, 1960), p. 1. Como citado en *The Quote Book*, p. 11.

verano en Alaska. Tan pronto como las crías puedan defenderse por sí mismas los adultos salen hacia Hawai, dejando las crías atrás. Las crías deben aumentar su fuerza y peso para estar listas para su largo vuelo a fin de pasar el invierno con sus padres.

El peso promedio de la Avefría Dorada del Pacífico antes de salir de Alaska para volar a Hawai son 200 gramos. Es un ave pequeña, mas o menos el tamaño de una paloma. ¡Además, es un ave que no sabe nadar! Los investigadores han concluido que 70 gramos de sus 200 gramos es energía combustible. El ritmo al que el ave quema combustible cuando está volando es mas o menos un gramo por hora. Eso significa que prácticamente 70 horas de vuelo son posibles. Ahora tenemos una situación potencialmente desastrosa. ¡El vuelo a Hawai toma 88 horas contínuas sin parar! El ave pequeña tiene que volar por tres días y cuatro noches sin comida o descanso o sin detenerse para nada. ¡Imposible! ¿Cómo lo hace?

Las aves vuelan en una formación que rompe el viento, requiriendo menos energía para volar. Nuevos líderes están constantemente rotando cambiando de lugar. El vuelo en formación ahorra energía y cuando las aves llegan a Hawai, ellas tienen hasta 6 gramos de combustible sobrante. Dios debió haber hecho la reserva para abastecimiento de combustible dentro de la Avefría Dorada en caso de encontrarse en el camino con un fuerte viento en contra.

Los científicos no están seguros en cuanto a cómo las avefrías navegan de Alaska a Hawai ida y vuelta, debido a que no hay tierra bajo su línea de vuelo. La utilización del campo magnético terrestre parece ser la mejor solución en este momento. Algunos han sugerido que las aves usan el sol y las estrellas. ¿Y cómo encuentran las aves jóvenes su ruta a Hawai sin un adulto guía experimentado, semanas después de que los padres ya han volado de regreso a Hawai? ¡Un error de tan sólo un grado en navegación durante el vuelo de más de 4,000 kilómetros y las aves perderán completamente su

meta de llegar a Hawai! ¡Sin embargo, nunca fallan! <u>El Dios
de la Biblia es la fuerza guiadora detrás de la perseverancia y
habilidades de navegación increíbles de la pequeña Avefría
Dorada. ¡Nada es demasiado difícil para nuestro Creador!</u>

> **¡Oh Señor Jehová! He aquí que tú has hecho el cielo y la tie-
> rra con tu gran poder y con tu brazo extendido. Nada hay
> que sea difícil para ti (Jeremías 32:17).**
> **He aquí que yo soy Jehová, Dios de todo mortal. ¿Habrá al-
> guna cosa difícil para mí (Jeremías 32:27)?**

Un problema mayor para la evolución es la migración de
la Avefría Dorada sobre agua oceánica sin ningún lugar para
descansar entre Alaska y Hawai. Los evolucionistas normalmente enseñan que los animales migratorios aprenden sus rutas migratorias a través del tiempo y con experiencia. Imagi-
nemos un ave recién evolucionada que evolucionará en un
ave migratoria. Nuestra ave de sangre caliente aparece en Texas luego de una larga evolución aleatoria-casualística, accidental, sin intervención de inteligencia y sin propósito proveniente de un reptil de sangre fría que no puede volar. [¿Cómo
da a luz un reptil de sangre fría a un ave de sangre caliente?
¡Esto es un gran paso de fe para un evolucionista!]

Nuestra ave que está evolucionando descubre que en Texas hace demasiado frío en el invierno, así que vuelve a México para el invierno. Cada año, mas o menos, vuela mas al
norte para el verano y mas al sur para el invierno. Finalmente, encuentra el clima justo para el invierno y el verano y mi-
gra entre los dos lugares desde aquel entonces. ¡Yo creo que
el Dios de la Biblia hizo a la pequeña Avefría Dorada para desacreditar totalmente este tipo de enseñanza evolutiva! Tuvo
que hacer su vuelo migratorio completo desde la primera vez
(y cada vez después de esa) o caería al océano y se ahogaría.

¡Según los expertos citados con anterioridad, la evolución
carece tremendamente de evidencia concreta! Aunque se nos

dice que las mutaciones son buenas porque generan nueva vida y producen evolución, no vemos esto "bueno" ocurriendo en la realidad. Las mutaciones genéticas no pueden ser la fuerza detrás de la evolución. Tampoco los evolucionistas proveen evidencia para comprobar la evolución de ninguna criatura.

EL TIEMPO GENERA MILAGROS

¿Y si la historia de la Tierra fuera contada en millardos de años? Siempre aparece en este momento el viejo argumento de que cualquier cosa puede pasar en un sistema sin intervención de inteligencia, sin propósito, totalmente aleatorio-casual y accidental, si se da suficiente tiempo. El milagro de la vida puede salir de los químicos muertos y sin información, si se da suficiente tiempo. Discutiremos el argumento de los "millardos de años" en el Capítulo 9.

¡PARA SU INFORMACION!

Un pequeño comentario sobre "información" podría ser de ayuda en este momento. El Dr. Werner Gitt es un especialista en la transmisión de información y tecnología. En su libro informativo, *In the Beginning was Information* [En el Principio existía Información], él relata varios teoremas de imposibilidad que tienen que ver con información.

Es imposible preparar, almacenar o transmitir información sin usar un código.
Es imposible que exista un código fuera de un acuerdo libre y deliberado.
Es imposible que información pueda existir sin haber existido una fuente mental.
Es imposible para la información existir sin haber sido establecida voluntariamente por una voluntad libre.

Es imposible que exista información sin todos los cinco niveles jerárquicos: estadística, sintaxis, semántica, pragmática y apobética.
Es imposible que la información pueda originarse por medio de procesos estadísticos.[116]

El Dr. Gitt continúa diciendo:

La información es inmaterial, pero requiere un medio material para el almacenaje y la transmisión.
La información no es vida, pero la información en las células es esencial para todos los seres vivos. La información es un pre-requisito para la vida.
La vida es inmaterial, y no es información, pero los dos entes, la materia y la información, son esenciales para la vida.[117]

Según el Dr. Gitt, la información no es vida, pero es necesaria para la vida (como sabemos). Debido a que la información requiere un código, y un código requiere una fuente mental, ¡la evolución de nueva información genética, sin intervención de inteligencia, es técnicamente imposible!

Antes de salir del Capítulo 8, no olvidemos que los cambios en el contenido informativo de los genes (mutaciones aleatorias) no mejoran las formas de vida actuales. Además, no existe ninguna evidencia sólida de hechos reales de que los cambios genéticos aleatorios y sin intervención de inteligencia generan nueva información para plantas o animales. ¡La evacuación de Three Mile Island y de Chernobyl para escapar de las fugas de radiación dijo mucho! (Si, en verdad las mutaciones son buenas y la información puede ser añadida a los genes, entonces ¡debemos estar gustosa y voluntariamente dispuestos a exponernos a los cambios genéticos causados por la radiación para "mejorar" nuestras oportunidades evolutivas y evolucionar a la próxima forma de vida mas alta!)

---

[116] Vea: Werner, Gitt, *In the Beginning was Information* (Bielefeld, Germany: Christliche Literatur-Verbreitung e.V.), 1997, p.80.

[117] Ibid., p.81.

Cuando contemplo tus cielos, obra de tus dedos, la luna y las estrellas que tú has formado, digo:

¿Qué es el hombre, para que de él te acuerdes; y el hijo de hombre, para que lo visites?

Lo has hecho un poco menor que los ángeles y le has coronado de gloria y de honra.

Le has hecho señorear sobre las obras de tus manos; todo lo has puesto debajo de sus pies: ovejas y vacas, todo ello, y también los animales del campo, las aves de los cielos y los peces del mar: todo cuanto pasa por los senderos del mar.

¡Oh Jehová, Señor nuestro, ¡cuán grande es tu nombre en toda la tierra (Salmo 8:3-9)!

MARAVILLA DE LA CREACIÓN DE DIOS

#8

El Huevo de Gallina

Un huevo fertilizado de gallina es una creación muy especial. Antes de siquiera pensar sobre un polluelo desarrollándose dentro de un huevo, es interesante meditar sobre cómo la gallina logra poner un cascarón alrededor de ese resbaladizo y crudo huevo fertilizado. Es muy raro ver un huevo crudo untado sobre el exterior del cascarón. ¿Alguna vez ha intentado volver a poner un huevo dentro de su cáscara después de que se cayó del mostrador?

El cascarón en si mismo es altamente especializado. Cada cascarón de huevo tiene alrededor de 10,000 pequeños agujeros o poros. ¿Cómo ésa gallina forma un cascarón alrededor de un suave y desordenado huevo y diseña el cascarón con porosidad? Ponga un huevo crudo en agua cálida y pronto verá pequeñas burbujas saliendo hacia arriba. Estas burbujas están escapando por los poros en el cascarón. El polluelo en desarrollo necesita estos poros para respirar. Básicamente, la evolución dice que cuando una necesidad surge en un organismo, los procesos aleatorio-casualísticos y sin intervención de inteligencia proveen exacta, precisa y específicamente lo que el organismo necesita para alterarlo y mejorarlo a fin de que sobreviva. ¿Cómo sabe una gallina que necesita hacer un cascarón con porosidad, y cómo fabricaría tal cascarón la evolución sin intervención de inteligencia? El polluelo no sabe que necesita los agujeros en el cascarón para respirar hasta que muera por falta de aire. Por supuesto, los polluelos muertos no pueden evolucionar.

Dentro de los primeros días después de que se pone el huevo, vasos sanguíneos empiezan a crecer y a derivarse del polluelo que está desarrollándose. Dos de estos vasos se pegan a la membrana bajo el cascarón y dos se pegan a la yema. Para el quinto día, el pequeño corazón está bombeando sangre por medio de los vasos. ¿Qué hace que esos vasos se deriven del polluelo y cómo saben a dónde tienen que irse y a qué pegarse? El polluelo se alimenta de la yema con los vasos de la yema y respira por los vasos de la membrana. Si cualquiera de estos vasos no salen del polluelo o no pegan en el lugar correcto, el polluelo muere.

El polluelo produce dióxido de carbono y vapor de agua mientras metaboliza la yema. Si no logra eliminar el dióxido de carbono y vapor de agua, morirá envenenado por los gases o se ahogará en sus propios desperdicios. Estos productos de desperdicio son llevados por los vasos sanguíneos y salen por los poros del cascarón. ¿Qué evento casual de evolución proveyó todos estos adelantos cruciales?

Para el decimonoveno día, el polluelo está demasiado grande para recibir suficiente oxígeno por los poros del cascarón. Tiene que hacer algo o morirse. ¿Cómo sabe lo que hacer ahora? Para este momento, un diente pequeño que se llama "diente de huevo" ha crecido en su pico. Usa este pequeño diente para hacer un hoyito en el saco de aire que se encuentra en la punta plana del huevo. Cuando usted quita la cáscara de un huevo duro cocido se da cuenta de la membrana delgada bajo el cascarón y la punta aplanada del huevo. Esta punta aplanada, la cual parece como que la gallina no logró llenar completamente su cascarón, es el saco de aire. El saco de aire provee únicamente seis horas de aire para que el polluelo respire. En lugar de relajarse y respirar profundamente, con esta nueva fuente de aire, el polluelo sigue picoteando hasta que rompa un pequeño agujero en el cascarón para lograr acceso a cantidades adecuadas del aire exterior.

En el vigésimo primer día, el polluelo sale del cascarón. Si falta un paso en el desarrollo del polluelo o si uno de esos pasos está fuera de orden, el pollito muere.[118] ¡El tiempo es absolutamente crucial!

Cada paso en el desarrollo del pollito desafía la lógica evolutiva. El proceso tiene que ser orquestado por Dios, nuestro Creador. Lo impersonal sumado a tiempo y a casualidad no es una explicación adecuada para las complejidades increíbles de la vida como la observamos. Había tenido que ser un Diseñador y Su nombre es el Señor Jesucristo (Juan 1; Colosenses 1; Hebreos 1).

---

[118] Bob Devine, *God In Creation* (Chicago: Moody Press, 1982), pp. 9-13. Este folleto presenta diez de las creaciones de Dios y muestra cómo éstas no podrían haber evolucionado. Existe una serie de estos folletos.

9

LA TIERRA: ¿JOVEN O VIEJA? DENME HECHOS, NO SUPOSICIONES

Cuando son confrontados con la falta de evidencia para defender su sistema de fe, la evolución de moléculas-hombre, el evolucionista siempre se apoyará en el argumento del "tiempo." "Dennos suficiente tiempo," ellos dicen, "y la evolución ocurrirá." Y entonces los evolucionistas publican fechas de millardos de años para la edad del universo. Estos "millardos y millardos de años" son enfatizados desde nuestra niñez. Como niños pequeños, escuchamos gente famosa y escritores científicos "acreditados" vestidos con batas blancas de laboratorio que hacen referencia vez tras vez a estos largos períodos de tiempo. Los locutores de noticias y los programas de televisión sobre la naturaleza hacen referencia a millardos de años como si fuera un hecho. **La repetición es esencial para el lavado cerebral; y el lavado cerebral es esencial para creer en la evolución basada en químicos inanimados a una sola célula hasta el hombre, puesto que no hay ciencia basada en hechos reales (ciencia no basada en suposiciones) para comprobarla.** La macroevolución no puede ser comprobada como verdad debido a que nadie estaba allá sino el Creador para presenciar El Principio. Por ende, tanto la evolución como la creación son sistemas de fe.

232

La mayoría de los creacionistas dirían que el universo tiene más o menos 6,000 a 10,000 años de edad (La Biblia demuestra que el universo tiene unos 6,000 años según las tablas bíblicas de genealogía). Un universo joven no es un problema para creacionistas porque nuestro Dios, el Dios-Creador de la Biblia, también es Creador del tiempo. El no necesita largos períodos de tiempo. Él puede crear a gente, plantas y animales completamente desarrollados y efectivamente lo hizo, pero solo tenían algunos segundos de edad.

¿Qué pasaría si alguien pudiera tomar un pedazo del hueso de Adán en el sexto día de la semana de la creación (el día que Adán fue creado) y lo enviara a un laboratorio que hace datación con C^{14}? [Carbono 14, o radiocarbón, es un isótopo radioactivo que proviene de nitrógeno ordinario (N^{14}) y es usado para la datación de objetos que alguna vez estuvieron vivos (N. del T.)] ¿Cuantos años diría el laboratorio que tiene el hueso de Adán? Probablemente diría que tiene miles de años de edad, aun cuando tenía solo un día, porque ellos no encontrarían nada de C^{14} en el hueso. Por supuesto, en el sexto día de la semana de la creación, Adán no habría tenido tiempo para comer plantas conteniendo C^{14} y C^{14} no habría sido transportado a sus huesos. Por eso, un dato muy antiguo, pero muy falso sería obtenido para la edad de Adán. (De todos modos, con la cubierta de agua en su lugar antes del Diluvio, prácticamente ningún C^{14} se habría formado en aquella atmósfera. Así que en el día de la muerte de Adán, 930 años después, el laboratorio de C^{14} muy probablemente seguiría publicando que los huesos de Adán tienen miles de años de edad ya que una vez mas ellos encontrarían poco o nada de C^{14}, aun al final de su vida.

Esto trae otro problema con el C^{14}. El Dr. Willard Libby, el descubridor e inventor del método de C^{14} para la datación del material orgánico, se dió cuenta de un problema. Si la Tierra tuviera más de 30,000 años, el C^{14} y el C^{12} estarían en estado constante de equilibrio uno con el otro. ¡El problema es que ellos no están aun en aquel estado de equilibrio! De hecho, hay más de 25% de discrepancia entre C^{14} y C^{12}. Esto puede significar una sola cosa. ¡LA TIERRA Y SU ATMÓSFERA TIENEN MENOS DE 30,000 AÑOS DE EDAD!

Usando C^{14} para la datación de cualquier cosa que tiene más de 4,500 años de edad (El Diluvio del día de Noé sucedió alrededor de 4,500 años cuando la cubierta protectora de agua colapsó) muy bien puede producir una determinación totalmente falsa de la edad. Hay informes publicados de cantidades detectables de C^{14} en depósitos de carbón mineral. ¡Este carbón mineral debía tener entonces solo unos miles de años de edad y no 10 a 20 millones de años! [Vea las páginas web: www.icr.org y www.respuestasengenesis.org]

Debido a que la obtención precisa de edades muy antiguas utilizando C^{14} es bíblicamente imposible, entonces, ¿qué podemos decir acerca de las técnicas de datación comúnmente utilizadas para datar rocas que se han determinado tienen millones y aun millardos de años de edad?

Los evolucionistas hacen grandes suposiciones durante el proceso de determinar una fecha de varios millones o millardos de años para la edad de un pedazo de roca. Si cualquiera de sus suposiciones son inválidas, entonces es imposible usar esa técnica para encontrar una edad correcta para la roca.

Esta es la forma en que funcionan estas técnicas para determinar edades: Digamos que encontramos una roca y entonces queremos determinar cuantos años tiene. Decidimos analizar la roca en busca de ciertos elementos o compuestos los cuales se deshacen con el tiempo y se convierten a otros elementos o compuestos que se deshacen a través del tiempo en otros ciertos elementos o compuestos. Podríamos buscar por un isótopo especial de uranio y al elemento en que eventualmente se convierte (degrada), el cual es el plomo. En nuestro espécimen de roca, encontramos algo de este uranio especial y algo del plomo a que se convierte (el elemento "hijo").

El plomo es llamado el elemento hijo porque viene como resultado de la degradación de su elemento madre, el uranio. Podemos medir la cantidad del plomo en la roca, y debido a que creemos que sabemos que tan rápido (o lento) el uranio se degradaría al plomo, la cantidad de plomo en la roca debe decirnos cuantos años tiene la roca. En otras palabras, la cantidad del plomo presente en la roca habría sido el resultado de cierta cantidad de uranio degradándose al plomo a través de cierto número de años. Para que todo esto produjera un rango específico de tiempo en millones y millardos de años, se hacen ciertas suposiciones.

SUPOSICIÓN UNO: NO HAY COMPONENTE HIJO

Primero, se asume por el experto en datación de rocas que desde el principio el sistema no debía haber tenido ningún componente hijo. Para poder calcular con precisión la edad de la roca espécimen, la roca original no puede contener plomo (hijo). Requiere 4.5 millardos de años para que la mitad del uranio se degrade a cierta cantidad de plomo. Nosotros analizamos una roca y descubrimos que contiene esa cantidad de plomo. El artículo que publicamos afirmaría, con toda convicción, "Esta roca tenía 4.5 millardos de años, lo cual fue comprobado por la datación científica usando procedimientos de alta tecnología por el Dr. Credentiales quien tiene doble doctorado en la datación de rocas." ¿Quién dudará en cuanto a la edad de la roca? Casi nadie. Pero, espere un minuto. Suponga que Dios creó esa roca con algo del plomo (hijo) dentro de ella. ¿Cómo puede el experto diferenciar entre el plomo que Dios puso allí desde el principio y el plomo que vino de la degradación del uranio?

La ciencia nos dice que no hay absolutamente ninguna diferencia en las propiedades físicas y las químicas entre el plomo en el espécimen que ha sido plomo desde el principio y el plomo que vino por medio del proceso de degradación. Así que, nadie puede saber cuanto plomo estaba allí en el inicio.

Como consecuencia, para lograr "precisión" en el laboratorio, el evolucionista tiene que decidir arbitrariamente, "No había plomo (elemento hijo) allí desde el principio; no lo puedo comprobar, pero asumiré (imagino) que esto es verdad."

Es matemáticamente imposible tener dos variables en una ecuación y poder resolver la ecuación. Una variable desconocida en cada ecuación de datación de rocas es la cantidad inicial del elemento hijo y la segunda variable desconocida es la edad del espécimen. Aún así, constantamente se hacen declaraciones de que uno puede determinar la edad de la roca a pesar de las dos variables desconocidas.

Un ejemplo de esto podría ser una vela quemándose. Si usted entra a una habitación y encuentra una vela quemándose, usted puede medir la velocidad a la que está quemándose la vela. Asumiendo que la vela ha estado quemándose a esa velocidad constante durante todo el tiempo, ¿puede usted determinar 1) que altura tenía la vela cuando fue encendida? 2) por cuanto tiempo ha estado quemándose? ¡La respuesta para esto es un no enfático! Hay dos variables desconocidas en una sola ecuación.

Cada vez que le dicen a usted que una roca tiene varios millones o millardos o aún decenas de miles de años de edad, el científico que está haciendo la datación ha asumido que no existió ningún elemento hijo desde el inicio. Esto significa que él adivina cada vez. **¿Tomamos las adivinanzas de los científicos como hechos reales y entonces procedemos a la creencia que la Biblia tiene que estar equivocada cuando habla de los días de la creación de 24 horas hace cerca de 6,000 años? ¡Por supuesto que no!**

SUPOSICIÓN DOS: NO HAY CONTAMINACIÓN

La segunda suposición del científico que está haciendo la datación de la roca es que su espécimen de roca nunca había sido contaminado. Nada podría haber entrado o salido de la roca que pudiera alterar el análisis de datación para dar un resultado erróneo. Esto requeriría un "Sistema Aislado" para el ambiente de la roca. Como dice el Dr. Henry Morris en *Scientific Creationism* [Creacionismo Científico],[119] no hay tal cosa en la naturaleza como un sistema aislado. El sistema aislado es un concepto ideal que es conveniente para análisis, pero no existe en el mundo real. Morris menciona que la idea de un sistema quedándose aislado por millones de años se vuelve absurda.

Una reacción que altera aun mas seriamente la información de datación es el gas radioactivo radón que es uno de los intermedios del proceso de trece pasos de la degradación de uranio al plomo. El gas radón es un elemento inerte que no reacciona químicamente con ningún otro elemento y entonces se mantiene en estado de gas. Un elemento radioactivo que es un gas y que tiene una vida media de varios años habría burbujeado del espécimen de roca que está siendo analizado. Las temperaturas extremadamente altas y las presiones variables, las cuales están predichos en el modelo de la Tierra vieja, también afectarían en cierta manera la salida de gas por el burbujeo. El resultado de esta ganancia y/o pérdida de elementos hijo e intermedios (como el gas radón saliendo por burbujeo) afectaría seriamente la habilidad para datar la roca con precisión.

Algunos evolucionistas pretenden que cada molécula en el universo ha formado parte de por lo menos cuatro diferentes substancias desde el Big Bang. Pero los evolucionistas no pueden tener las cosas; ellos no pueden tener moléculas brincando de una substancia a otra y a la vez moléculas estables e inmóviles, como tendrían que ser en el sistema cerrado para que funcionen sus técnicas de datación.

Por ende, la segunda suposición requerida para poder fijar viejas edades a las rocas no tiene validez. Las rocas sí se contaminan

---

[119] Dr. Henry Morris, *Scientific Creationism* (San Diego: Creation-Life Pubs., 1974), Capítulo VI.

cuando que cosas se filtran dentro de ellas, y las rocas cambian sus componentes cuando cosas salen por lixiviación y burbujean hacia afuera. Un sistema cerrado suena bien y debe asumirse que es preciso en la datación de rocas, pero no ocurre en la naturaleza.

SUPOSICIÓN TRES:
HAY UNA TASA DE DEGRADACIÓN CONSTANTE

La tercera suposición citada por el Dr. Henry Morris (*Scientific Creationism*, p. 138) es que "La tasa de proceso debía ser siempre la misma." ¿Recuerda nuestra analogía de la suposición #1? ¿Qué pasaría si hubiera una complicación adicional? ¿Qué pasaría si la vela no se estuviera quemando a velocidad constante? ¿Qué pasaría si una brisa hubiera soplado sobre la vela durante algunos minutos inmediatamente después que fue encendida, lo que hizo que se quemara mas rápido? Eso haría que la ecuación tuviera tres variables desconocidas. ¡Si es imposible resolver una ecuación con dos variables desconocidas, no ayudará mucho añadir una tercera!

Si la tasa de proceso (la velocidad a que el elemento madre se convierte al elemento hijo) ha cambiado alguna vez desde que fue formada la roca, entonces el cambio de tasa de degradación tendría que ser conocida para que el cálculo de edad fuera preciso. Los científicos ahora saben que las tasa de proceso pueden ser alteradas por varios factores. Las tasas de degradación pueden ser aceleradas o retrasadas en ciertas sustancias cuando son expuestas a varios tipos de radiación, calor y presión. Como el Dr. Morris menciona, cada proceso en la naturaleza opera a una tasa que está influenciada por varios de factores diferentes (p. 139).

Veamos esto desde el otro lado: si no hubiera cambios en la tasa de degradación, entonces la tercera de las tres suposiciones de datación dadas con anterioridad podría ser correcta aunque las otras dos destruirían por si mismas la precisión de la técnica de datación.

LAS "ADIVINAZAS INTELECTUALES" PARA LA DATACIÓN DE LAS ROCAS

El Dr. Morris dice que las adivinaciones intelectuales son hechas para determinar edades aparentes. Pero la edad aparente puede no estar relacionada para nada en nada con la verdadera edad de la roca. ¡Conjeturas tienen que ser hechas cuando las rocas son datadas en millones de años si han pasado solo 6,000 años desde que cada roca en el universo fue creada! Si 6,000 años es la edad más antigua posible de cualquier roca en el universo, entonces ¿cómo sacan los expertos millones o millardos de años en la datación de rocas? El Dr. Richard Mauger, con doctorado en geología, lo dice así:

> En general, las fechas "algo así" se asumen correctas y son publicadas, pero quienes están en desacuerdo y tienen otros datos, a menudo son poco publicados y las discrepancias ni siquiera son explicadas completamente.[120]

"Las suposiciones determinan las conclusiones," así que si las suposiciones no son válidas, entonces las conclusiones (como las edades de las rocas) serán equivocadas. Si la suposición primaria es que el universo tiene millardos de años, entonces las técnicas de datación serán calibradas para dar edades inmensas cuando las rocas son datadas. El "algo así" serán millardos de años, aun cuando las rocas no pueden tener mas que 6,000 años.

LAS TRES SUPOSICIONES

Estas tres suposiciones: (1) no hay elemento original "hijo," (2) un sistema cerrado (3) la misma taza de degradación

---

[120] Mauger, Richard Ph.D., "K-AR Ages of Biotites from Tuffs in Eocene Rocks of the Green River, Washakie and Uinta Basins of Utah, Wyoming and Colorado," *Contributions to Geology*, vol. 15(1), 1977, p. 37, la Universidad Wyoming.

a través de todo el tiempo—siempre están involucradas cuando un científico data una roca. <u>Ninguna de estas suposiciones es válida, y ninguna se puede sujetar al método científico de observación y experimentación reproducible.</u> No hay forma de datar con precisión la edad de alguna cosa más allá de varios miles de años. ¡Eso significa que la Tierra podría estar bastante joven y ningún científico puede comprobar absolutamente lo contrario!

> ...ciertamente no hay evidencia real que la vasta escala evolutiva de tiempo tiene validez alguna.
>
> Siendo eso la verdad, no hay razón apremiante por la que no debemos otra vez considerar seriamente las posibilidades, en la relativamente corta escala de tiempo del modelo del creacionismo.
>
> De hecho, el modelo del creacionismo no *requiere*, en su forma básica, una escala corta de tiempo. Meramente asume un período de creación especial alguna vez en el pasado, sin necesariamente declarar cuando ocurrió. Por el otro lado, el modelo evolutivo si *requiere* una escala de *largo* tiempo. El modelo del creacionismo entonces es libre para considerar la evidencia basada en sus propios méritos, puesto que el modelo evolutivo está forzado a rechazar toda evidencia que favorece una escala de tiempo corto.
>
> Aunque el modelo del creacionismo no necesariamente está vinculado a una escala de tiempo corto, como el modelo evolutivo sí lo está a una escala larga, es verdad que cabe más naturalmente en una cronología corta. Asumiendo que el Creador tenía un propósito en Su creación, y que ese propósito se centró primordialmente en el hombre, parece mas apropiado que Él no desperdiciara grandes cantidades de tiempo en cuidados esencialmente sin sentido, de una o más etapas incompletas de Su intencionada obra creativa.[121]

La verdad es que nos han enseñando una mentira desde nuestros días más tempranos en la escuela.[122] Nos enseñan a creer que la Tierra es muy vieja aun cuando no hay ciencia de

---

[121] Dr. Henry Morris, *Scientific Creationism*, p. 136.

[122] Un estudio profundo de las mentiras y las consecuencias de la evolución es el libro de Ken Ham, *The Lie: Evolution* (El Cajon, CA: Master Books, 1987).

hechos reales (vea el Capítulo 2 "suposiciones") para apoyar grandes cantidades de tiempo. Pero no nos enseñan las abundantes evidencias que guiaron a la conclusión que muy posiblemente la Tierra tiene solo unos cuantos miles de años de edad. Los escritores de textos retienen y no escriben acerca de las evidencias para un universo joven porque ellos suprimen la verdad en injusticia (Romanos 1:18).

¿Cuántas evidencias para una Tierra joven puede usted dar ahora mismo? ¿Intentó pensar en algunas? ¿Puede usted escribir siquiera una prueba sólida de que la Tierra es joven? La mayoría de la gente (incluyendo cristianos) no pueden pensar ni siquiera en una prueba para una edad joven para la Tierra. ¡Lo vé! Se nos ha llevado a una de las mentiras del sistema mundial de Satanás—que el universo es muy antiguo.[123]

Si un grupo de cristianos fuera preguntado, "¿Creen ustedes que Dios creó los cielos y la Tierra?" Cada mano subiría dando fe de su creencia segura, "Sí, Dios creó los cielos y la Tierra." Si una segunda pregunta fuera hecha, "Cree usted que Dios usó millardos de años de eras geológicas y el proceso de evolución para crear?" algunas pausas y vacilaciones ocurrirían, y si todo el mundo estaba siendo honesto, muchas manos subirían. Ahora, una tercera pregunta es indicada. " ¿Cree usted que Dios creó los cielos y la tierra, el mar y todo lo que hay en ellos en una semana literal de seis días de 24 horas cada uno hace cerca de 6,000 años?" En una iglesia evangélica de Dallas, Texas, solo cinco manos subieron en una clase de cincuenta personas. Usted dice, "De seguro, ellos no entendieron la pregunta." No, ellos entendieron, pero solo cinco creyeron lo que la Biblia dice en Génesis 1-11, Exodo 20, Juan 1, Colosenses 1, Hebreos 1, Apocalipsis 4:11, etc. Ellos

---

[123] Para la información más al día acerca de la edad de la Tierra de la perspectiva de un creacionista, lea *Radioisotopes and the Age of the Earth*, editado por Larry Vardiman, Andrew A. Snelling and Eugene F. Chaffin (El Cajon, CA: El Instituto para la Investigación de la Creación), 2000.

habían sufrido un lavado de cerebro por el sistema mundial de Satanás para pensar que hay mucha evidencia científica para comprobar un universo bastante, bastante antiguo.

Aun en nuestras iglesias evangélicas conservadoras hay poca o ninguna enseñanza acerca del asunto de la creación. Hay que aceptarlo, hemos sido influenciados mas por la cultura mundana de nuestro alrededor que lo que hemos penetrado la cultura con la Verdad bíblica. Nos hemos "conformado a este mundo" en lugar de ser "transformados por la renovación" de nuestras mentes (Romanos 12:2).

El Dr. John C. Whitcomb nos ha hecho a todos nosotros un gran servicio por medio de su libro, *The Early Earth: Revised Edition*, [La Tierra Temprana: Edición Revisada]. El Dr. Whitcomb hace una lista y explica muchas de las evidencias para creer que la Biblia es verdad tal como está escrita. Él contrasta la fe en Dios y Su palabra con la fe en evolución y en una Tierra antigua:

...el científico no cristiano tiene que reconocer que *él también* llega al observable fenómeno de hechos reales con un juego de suposiciones y presuposiciones básicas que reflejan un profundo "compromiso de fe." ¡Ningún científico en el mundo hoy en día estuvo presente cuando la Tierra vino a la existencia, tampoco ninguno de nosotros tenemos el privilegio de ver mundos siendo creados el día de hoy! Entonces, el testimonio de un evolucionista honesto podría ser expresado en términos de...Hebreos 11:3..., que dice: "Por fe, yo, un evolucionista, entiendo que los mundos *no* fueron enmarcados por la palabra de ningún dios, así que lo que se ve ha sido hecho en verdad de previamente existentes y menos complejas cosas visibles, por procesos puramente naturales, a través de millardos de años." ¡Por ende no es un asunto de los *hechos reales* de la ciencia en contra de la *fe* de los cristianos! El punto fundamental, en cuanto al asunto de los orígenes, es si uno pone su confianza en la Palabra escrita del Dios personal y viviente quien *estaba* allí cuando todo pasó, o por otro lado, pone su confianza en la habilidad del intelecto humano, sin ayuda de la revelación divina para extrapolar procesos de la naturaleza observados actualmente en el pasado eterno (y futuro). *¿Cuál fe es la más razonable, fructífera y satisfactoria?* En mi propio caso, mientras estudiaba geología histórica y paleontología en la Universidad Princeton, yo estaba totalmente comprometido a las perspectivas evolutivas. Desde aquel entonces, no obstante, he descubierto que el concepto bíblico de los orígenes es bastante más satisfactorio en todos los aspectos.

Los cristianos, que verdaderamente quieren honrar a Dios con su forma de pensar, no deben llegar al primer capitulo de Génesis con ideas preconcebidas de lo que pudo o no pudo haber ocurrido (en términos de conceptos actuales y cambiantes de ciencia uniformitaria). *Nosotros no somos los consejeros de Dios; ¡Él es el nuestro! ¿Quién entendió la mente del Señor? ¿O quién llegó a ser Su consejero?'* (Romanos 11:34) '...Porque mis pensamientos no son vuestros pensamientos, ni vuestros caminos son mis caminos, dice Jehová. Como son más altos los cielos que la tierra, así mis caminos son más altos que vuestros caminos, y mis pensamientos más altos que vuestros pensamientos.' (Isaías 55:8-9)[124]

¿Sabemos lo que creemos como cristianos? ¿Estamos listos para dar una respuesta a todo hombre quien nos pida razón de la esperanza que hay en nosotros (1 Pedro 3:15)? Mientras mi esposa y yo viajamos por los Estados Unidos de América nos ponemos cada vez mas preocupados por la acelerada tasa de dejar de creer en una Tierra joven y en el Diluvio global entre el liderazgo de la iglesia. A menudo, los líderes de la iglesia aparentan no darse cuenta de la importancia de Génesis 1-11 y los eventos de la creación como el fundamento de nuestra doctrina neotestamentaria. La evolución teísta y el creacionismo progresivo han penetrado la iglesia y casi nadie en el liderazgo ha sonado la alarma. ¿Cómo puede usted tener a Cristo el Señor como el último Adán si nunca existió el primer Adán quien empezó la vida en un estado sin pecado y luego cayó (1 Corintios 15:45)? ¿Cómo puede haber

[124] Dr. John C. Whitcomb, *The Early Earth: Revised Edition* (Grand Rapids: Baker Book House, 1986), p. 52.

una doctrina del pecado con la muerte como pena si había todo tipo de criatura muriendo mientras eventualmente evolucionaban a Adán? ¿Por qué usamos ropa (Génesis 3:21)? ¿De dónde sacamos la idea de que un hombre y una mujer como esposo y esposa de por vida (Génesis 9:1-7)? Vea, el resultado final de no creer en un Génesis literal es homocidio, divorcio, desnudez, anarquía, etc., etc. ¿Por qué vemos crímenes tan horribles hoy en día? Como dijo Alexander Solzenitzen, "Nos hemos olvidado de Dios." ¿Cómo se olvida un país de Dios? Se empieza por apartarse de la creencia literal en los primeros capítulos fundamentales de Génesis (Jeremías 2:32, 3:21; Ezequiel 23:35; Oseas 13:6, 4:6b)!

Como un líder cristiano, es una buena idea de vez en cuando repasar Escrituras tales como Isaías 9:16; Jeremías 23:1, 50:6; Miqueas 3:5. El Evangelio empieza con el Creador. El Creador se revela a si mismo a Su Creación en todo poder en los inicios de Génesis. ¡Mas tarde, este mismo Creador literal de Génesis, el Señor Jesucristo (Juan 1; Colosenses 1; Hebreos 1), entró a Su creación para morir y ser resucitado para la salvación de la raza caída del primer Adán! El espacio de tiempo del capítulo 1 desde Génesis hasta Jesús fue de alrededor de 4,000 años. Añada 2,000 años más para traernos al presente y el curso de la vida del planeta Tierra son casí 6,000 años. ¡¡¡No hay absolutamente ninguna forma de extraer millones de años de (o de dentro) del contexto bíblico!!!

¿TIENE LA TIERRA 6 MIL O 4.5 MILLARDOS DE AÑOS?

¿Qué tan divergentes son estas dos perspectivas (creación y una Tierra joven en versus evolución y una Tierra vieja)? Muchos evolucionistas (y algunos creacionistas, como Hugh

Ross)[125] ponen el principio de la Tierra alrededor de hace 4.5 billones de años. La Biblia pone el principio alrededor de hace 6,000 años. Dennis Peterson intenta ayudarnos a entender el grado de diferencia entre estas dos elecciones de fe:

> Una forma de visualizar los extremos de nuestras elecciones es igualar un año a la delgadez de una página de una Biblia común y corriente. Si fuera a hacinar varias Biblias hasta una altura equivalente al nivel de su rodilla, tendría delante de usted alrededor de 6,000 páginas.
>
> ¿Ahora cuántas Biblias tendría que hacinar para lograr cuatro y medio millardos de páginas?
>
> El rimero llegaría a por lo menos ciento ochenta y dos kilómetros dentro de la estratosfera.
>
> Así que, usted está parado allí entre sus dos rimeros, y usted tiene que escoger en cuál de los dos creer. ¿Por qué le hace a uno sentirse avergonzado en admitir que usted se inclina hacia la hacina Bíblica que representa aproximadamente 6,000 años? ¿O por qué empieza usted a poner arrogantemente en ridículo a cualquiera que se atreva a no estar de acuerdo con sus orgullosos millardos?[126]

---

[125] Hugh Ross escribió un libro en 1994 titulado, *Creation and Time: A Biblical and Scientific Perspective on the Creation-Date Controversy*. Este libro fue publicado por el editorial de los Navigators, NavPress, y apoya a la perspectiva de un universo de millardos de años de edad. Ross cree que la gente que enseña desde la perspectiva de una Tierra joven están dificultando que los científicos estudiosos lleguen a una fe en Cristo Jesús como su Salvador. Con esta posición, Ross niega la soberanía del Dios Omnipotente quien no perderá ninguno de sus escogidos. Peculiarmente, *The Presbyterian Layman* (Sept./Oct., 1994) está de acuerdo con Ross y declara en las palabras de Alexander Metherell, M.D., Ph.D. (anciano en la Iglesia St. Andrew's Presbyterian, Newport Beach, CA), "Lamentablemente, los creacionistas en favor de una Tierra joven están resistiendo…con toda su fuerza, temerosos que la perspectiva de una Tierra vieja abra la puerta a la evolución. En el proceso, ellos están poniendo en el camino de estudiosos no cristianos una piedra de tropiezo que no deja a algunos aceptar a Cristo Jesús como su Señor y Salvador." Para una crítica excelente del libro de Hugh Ross que claramente presenta tergiversaciones de la teoría científica y sus errores en la exégesis del texto hebreo, lea, por favor: *Creation and Time: A Report on the Progressive Creationist Book of Hugh Ross*, escrito por Mark Van Bebber y Paul Taylor [Eden Productions, 2628 West Birchwood Circle, Mesa, AZ 85202. Teléfono en Estados Unidos de América: (800)332-2261 o (602)894-1300. Correo electrónico: 71742.2074@compuserve.com].

[126] Petersen, *Unlocking the Mysteries of Creation*, Vol. I, p. 34.

Petersen da 35 o 40 evidencias para una Tierra joven. Estas son razones científicas para creer que el universo es bastante joven—alrededor de varios miles en lugar de varios millardos de años. Petersen dice:

> Los científicos dan cuenta de más que 70 métodos que nos dan ideas acerca de la edad de la Tierra. Podríamos llamar estos "RE-LOJES GEOLÓGICOS." Todos ellos están basados en la obvia realidad que los procesos naturales constantemente ocurriendo durante el tiempo producen resultados acumulativos y a veces medibles. La mayoría de los "relojes" dan una edad relativamente joven para la Tierra. Solamente unos pocos de ellos da una conclusión de millardos de años. Esos pocos son promocionados fuertemente para apoyar la teoría popular de gradualismo.[127]

EL EFECTO POYNTING-ROBERTSON

Los campos de gravedad del sol y de las estrellas halan polvo cósmico de varios tipos hacia ellos (y ciertas partículas son echadas para fuera, también). Esto es conocido como el efecto Poynting-Robertson. Se calcula que nuestro sol hala alrededor de 100,000 toneladas de polvo cósmico a diario. Un sol viejo debía haber "halado" y destruido un significante número de partículas en nuestro sistema solar. ¡Sin embargo, nuestro sistema solar está lleno de estas partículas! Parecería que el efecto Poynting-Robertson sugiriera un sol y sistema solar de menos de 10,000 años de edad.[128] Petersen dice:

> Todas las estrellas tienen un campo de gravedad y halan partícu-las como gas, polvo y meteoros dentro de su alcance. Las estre-llas irradiando energía 100,000 veces más rápido que nuestro sol tienen un efecto de espiral, halando cosas cada vez más rápido.

---

127 Ibid, Petersen, p.35.

128 Para más información acerca del fenómeno de Poynting-Robertson, vea: R.L. Wysong, *The Creation-Evolution Controversy* (Midland, Mich: Inquiry Press, 1981), p. 454ff. Also: Scott Huse, *The Collapse of Evolution* (Baker Books, 1983), p. 29.

La cosa extraña es que se observan que las estrellas O y B tienen nubes inmensas de polvo alrededor de ellas. Si ellas fueran en modo alguno muy antiguas, cada partícula dentro de su corto alcance habría sido halado al día de hoy.[129]

Dos tipos de estrellas, O y B, tienen inmensas nubes de polvo y, por eso, tienen que ser bastante jóvenes. Nadie ha visto jamás el nacimiento de una estrella nueva, aunque algunos científicos han calculado por simulaciones computarizadas y la matemática teorética que tanto como tres nuevas estrellas deberían formarse cada año. Ningún científico jamás ha visto ni verá una estrella formarse porque el Creador creó todas Sus estrellas en el cuarto día de la semana de la creación (Génesis 1:14-19).

En la primavera de 1992, algunos científicos anunciaron que estaban viendo una estrella formarse allá en los cielos estelares. Ellos usaron varias ecuaciones matemáticas para llegar a su conclusión. Sin embargo, si su conclusión contradice directamente lo que la Biblia dice, entonces su conclusión está incorrecta. De nuevo, en 1995, se anunció que el Telescopio Espacial Hubble había encontrado una inmensa y gaseosa nube de 9.6 trillones de kilómetros de largo que era una incubadora de estrellas. La NASA mostró proyecciones con apariencia de dedos con estrellas delante, atrás y dentro de la nube. ¿La presencia de estrellas dentro y alrededor de una nube lejos en el espacio exterior comprueba que la nube está produciendo las estrellas? No lo creo.

Así que, nos sentamos y esperamos unos meses o años y finalmente algunos científicos admitirán con pena, "Lo sentimos ustedes, toda la evidencia producida tan meticulosamente por computadoras nos guió a creer que una nueva estrella estaba formándose, pero ahora nos damos cuenta que cometimos un error. Seguiremos buscando una nueva estrella en formación y les informamos tan pronto como la encontremos." ¡Dios creó Su última estrella de la nada en el cuarto día de la semana de la creación!

---

[129] Ibid, Petersen, p. 44.

Alcen los ojos y miren a los cielos: ¿Quién ha creado todo esto? El que ordena la multitud de estrellas una por una, y llama a cada uno por su nombre. ¡Es tan grande su poder, y tan poderosa su fuerza, que no falta ninguna de ellas (Isaías 40:26)! [La Nueva Versión Internacional]

De acuerdo a Isaías, Dios creó todas las estrellas y tiene un nombre para cada una. Los astrónomos pueden ver morir las estrellas desde que el pecado entró al universo, pero el nacimiento de nuevas estrellas es imposible; Dios completó Su creación del universo y descansó en el séptimo día.

LA LUZ DE LAS ESTRELLAS MÁS LEJANAS

Quizá usted podría estar pensando, "Está bien, ¿pero qué de la velocidad de la luz y los millones de años necesarios para traer luz de las estrellas más lejanas a nuestro sistema solar?" (Esto es una de las cosas sobre las que yo pensaba mientras que estaba "evolucionando" a un creacionista durante los principios de los años setenta.) Bueno, en primer lugar, ¿cómo sabemos que lleva millones de años para que la luz viaje a la Tierra desde las estrellas más lejanas? Algunos profesores de evolución nos lo dijeron, o algún escritor no dijo, o alguien como Walter Cronkite o Dan Rather o Carl Sagan nos lo dijo. Parece que hay un problema aquí, ¿verdad que sí?

Muchos científicos, evolucionistas y creacionistas están estudiando las ideas de Russell Humphrey en su libro, *Starlight and Time* [La Luz Estelar y el Tiempo].[130] Para actualizarse con los acontecimientos más recientes acerca del tiempo que le lleva a la luz estelar llegar al planeta Tierra desde las estrellas más lejanas, el libro de Humphrey no puede faltar. Tal vez fuera el "tiempo" el que podría variar. Humphrey habla de los efectos de la gravedad sobre el tiem-

---

130 Vea los escritos del Dr. Russell Humphreys en la página web: www.ICR.org.

po. Aun aquí sobre la Tierra el reloj atómico en Greenwich mantiene el tiempo a una tasa diferente que el reloj atómico en las elevaciones más altas de Boulder, Colorado. En el espacio exterior donde los efectos de la gravedad son más débiles que aquí en la Tierra, la velocidad de la luz puede mantenerse constante, pero el tiempo sería estirado. !Con este efecto, quizá un día en la Tierra sería lo mismo que un millardo de años en el espacio! Estas ideas quedan fuera de mi área de pericia, así que tengo que aceptar las recomendaciones de otros creacionistas cristianos acerca del trabajo de Humphry.

¿Qué tal si usted descubriera que la luz de la estrella más lejana podría llegar a la tierra instantáneamente? Dios creó al mismo tiempo las estrellas y los rayos de luz desde las estrellas a la Tierra. No podemos eliminar esta posibilidad. Nuestro Dios podría hacer esto si lo quisiera. ¡Él creó un rayo de luz y ni siquiera tenía una fuente material de luz (el sol) detrás de éste durante los primeros tres días de Su semana de creación!

Mire lo que el hombre finito ha hecho por la gracia de Dios: grandes archivos son transferidos de computadora a computadora o de computadora a otros aparatos (impresoras, computadoras portátiles de mano, etc.) por la comunicación infrarroja (sin cables), en un tiempo increíblemente corto. Si el hombre finito puede hacer esto, no debe ser difícil imaginar lo que nuestro infinito Dios puede hacer. Él creó el vasto universo estelar y la luz brillando entre todas las cosas que contiene, instantáneamente.

Habiendo dicho lo anterior, aun hoy en día, la distancia a estas estrellas remotas no ha sido calculada. Los métodos usados para medir las grandes distancias en el espacio son examinados muy de cerca junto a las suposiciones básicas de trigonometría. Las distancias actuales en el espacio puedan o no ser tan grandes como nos han dicho. El tamaño de nuestro universo ciertamente parece ser vasto, pero nosotros estamos cuestionando la validez de las técnicas de medición.

Las medidas en el espacio son tomadas por medio de tres técnicas comúnmente aceptadas. La manera más confiable para determinar qué tan lejos está un objeto en el espacio es entrar en su nave espacial y volar hacia éste, midiendo la distancia mientras viaja.

Una segunda manera sería disparar un rayo láser y rebotarlo en la superficie del objeto (un planeta, una luna o un asteroide). El tiempo requerido para que la luz vaya al objeto y regrese le indica a usted la distancia. La mayoría de las estrellas están demasiado lejanas para este método.

El tercer método es llamado "triangulación." En este método, los puntos extremos de la órbita terrestre pueden ser usados para triangular. La mayoría de las estrellas están tan lejos que se hace imposible tomar medidas útiles de los ángulos para determinar el ápice del triángulo: los dos lados del triángulo están casi paralelos el uno con el otro. Y el triángulo llega a ser demasiado "delgado" mientras que el ápice termina en el profundo espacio exterior. No podemos entrar a una nave espacial y viajar a las estrellas para medir la distancia, la técnica del rayo láser tiene sus límites y el método de la triangulación es bueno únicamente para una distancia de unos pocos años de luz.

Cualquier cosa mas allá de estos tres métodos (y otros métodos, si los hay) es teórica y una postulación. Uno de tales postulados es el cambio Doppler. Este no ha sido confiable porque el cambio rojo y el cambio azul de algunas estrellas no ha sido la indicación absoluta de sus distancias o direcciones de movimiento. Algunos astrónomos dicen ahora que el cambio rojo no se debe para nada al efecto Doppler. La expansión supuesta del universo ahora se cree ser una expansión del tiempo y del espacio. Se dice que el espacio entre las galaxias está aumentando.

Otra consideración es que la luz podría haber tomado un "atajo" en el espacio. Diferentes tipos de matemática y diferentes suposiciones y postulados dan conceptos de espacio y distancias en el espacio totalmente diferentes. Lo que sabemos acerca del espacio es bastante limitado. La forma en que se calculan distancias en el espacio depende del sistema matemático de la persona que hace los cálculos y el conjunto básico de postulados (suposiciones) de ésta.

El espacio exterior puede ser recto o curvo. Si quiere pensar en el espacio exterior como una línea recta, usted usará la geometría euclidiana y sus debidas suposiciones. La geometría euclidiana es usada para encontrar grandes distancias en el espacio. Sus cálculos son mayormente cálculos de líneas rectas. Pero, ¿qué si el espacio exterior no puede medirse con ese tipo de matemática de línea recta? Eso podría significar que todas las estrellas más lejanas podrían estar más cerca de lo que los textos enseñan.

LA GEOMETRÍA NO EUCLIDIANA

Aun existe otra alternativa. Otra forma legítima para medir las distancias en el espacio exterior es por la matemática de Riemann. La matemática de Riemann es clasificada como geometría no euclidiana. Asume que el espacio es curvado. Por eso la geometría no euclidiana produce distancias mucho más pequeñas a las estrellas más lejanas. Niessen (*ICR Impact* #121 [Instituto para la Investigación de la Creación, Impacto #121]) revisó artículos de Harold Slusher ("Age of the Cosmos," ["La Edad de los Cosmos"] I.C.R. 1980) y de Wayne Zage ("The Geometry of Binocular Visual Space," ["La Geometría del EspacioVisual Binocular"] *Mathematics Magazine* [Revista Matemática] 53, noviembre, 1980, pp. 289-293). Veintisiete sistemas binarios de estrellas fueron observados, y parece que la luz viaja en trayectorias curvas en el espacio profundo. Si usted convierte la matemática euclidiana de línea recta a la matemática curva de Riemann, ¡la luz podría viajar de las estrellas más lejanas a la Tierra en 15.71 años, como fue anunciado por Niessen! Esto es mucho menos que millones de años, ¿no es cierto?

¿Es válida la geometría de Riemann si demuestra distancias más cortas a las estrellas? H.S.M. Coxeter publicó un libro en 1942 (y que por cierto durante mucho tiempo fue pasado por alto), titulado *Non-Euclidean Geometry* [La Geometría No Euclidiana]. Coxeter dijo, "…todavía no podemos decidirnos si el mundo real es aproximadamente euclidiano o aproximadamente no euclidiano."[131] ¡Los científicos no saben cual es la manera válida para medir el espacio tal como realmente es! Ellos no están exactamente seguros de lo que realmente se parece el espacio exterior. Ellos no han estado allá y no saben que forma tiene. Todo lo suficientemente cerca a nuestro sistema solar como para obtener medidas (aunque todos estos contienen suposiciones) parece tener una cur-

---

[131] "El reconocimiento pleno que la geometría esférica es en si mismo un tipo de geometría no euclidiana, sin paralelos, se debe a Riemann (1826-1866). Él se dió cuenta que la hipótesis de Saccheri del ángulo obtuso se hace válido tan pronto como los postulados I, II y V son modificados para leer:

I. *Cualesquiera dos puntos determinan por los menos una línea.*
II. *Una linea es ilimitada.*
V. *Cualesquiera dos líneas en un plano se encontrarán.*

Para que una línea sea ilimitada y todavía de longitud finita, simplemente tiene que volver a introducirse, como un círculo. Los grandes círculos sobre una esfera proveen un modelo para las líneas finitas en un plano finito, y, cuando son interpretados así, satisfacen los postulados modificados. Pero si una línea y un plano pueden ser cada uno finito y aún ilimitado, ¿por qué no también un tubo múltiple de *n*-dimensional, y en particular el espacio tridimensional del mundo real? En palabras de Riemann en 1854: "Lo ilimitado del espacio posee una certidumbre empírica mayor que cualquier experiencia externa. Pero su extensión infinita de ningún modo sale de esto; por otra parte, si asumimos independencia de cuerpos en posición, y por ende atribuimos al espacio una curvatura constante, tiene que ser finita con tal de que esta curvatura tenga un ligero valor positivo."

Según la Teoría General de Relatividad, el espacio astronómico tiene curvatura positiva local (dondequiera que exista materia), pero no podemos discernir si la curvatura del espacio "vacío" es exactamente cero o tiene un muy pequeño valor positivo o negativo. En otras palabras, todavía no podemos decidir si el mundo real es aproximadamente euclidiano o aproximadamente no euclidiano." H.S. M. Coxeter, *Non-Euclidean Geometry*, 5th ed. (Canada: University of Toronto Press, 1965), pp. 11,12.

vatura positiva. Eso significa que el método de Riemann para calcular distancias en el espacio muy probablemente es más correcto que los métodos euclidianos. Niessen, entonces, tiene una probabilidad de estar correcto cuando él postula que a la luz le lleva 15.71 años llegar a la Tierra desde la estrella más lejana. Y si la velocidad de la luz no ha sido constante desde el Principio, esto también podría hacer la llegada de la luz a la Tierra mucho más rápida. Recientemente, los científicos aumentaron la velocidad de la luz a 300 veces su velocidad normal por pasarla a través de una cámara de cesio.

No olvidemos que Jeremías, el profeta de Dios, dijo:

El hizo la tierra con su poder; estableció el mundo con su sabiduría y extendió los cielos con su inteligencia (Jeremías 10:12).

Tal vez Dios hizo las estrellas cerca de la Tierra con la luz de éstas habiéndola alcanzado y luego Él movió las estrellas hacia afuera por medio de "extender" los cielos. Por ende, en vez de ser hecha la estrella después del Big Bang lejos en el espacio, y nosotros teniendo que esperar millones de años para que su luz llegue hasta aquí, Dios la puso más cerca de la Tierra con su luz ya aquí y después movió la estrella hacia afuera a su lugar en el espacio. Creo que Humphreys declara que el "extender" de los cielos podría haber ocurrido en el cuarto día.

Si el físico mundialmente reconocido Paul Davies, tiene la razón en su artículo en Nature [Naturaleza] (Davies, P.C.W., y Lineweaver, C.H., "Black Holes Constrain Varying Constants," [Los Agujeros Negros Impiden Constantes Variables] Nature 418 (6896): 602-603, 8 de agosto, 2002) que afirma que la velocidad de la luz muy probablemente ha estado disminuyendo, entonces, si la velocidaad de la luz no ha sido constante, ¡el universo podría ser bastante joven! Millones de años de edad para las estrellas, y la idea que estas estrellas están a millones de años de aquí es calculada bajo la suposición de que la velocidad de la luz siempre ha sido la misma. ¡Las investigaciones más recientes indican que el tiempo y la velocidad de la luz NO SON CONSTANTES!

¿A que conclusiones podemos llegar basados en todo lo anterior? Usted no tiene que creer cuando algún texto o científico vestido de blanco le dice a usted que las estrellas están a millones de años luz y tal vez billones de kilómetros de aquí. No hay evidencia sólida, irrefutable aquí para un universo de 9 a 20 millardos de años de edad. Esas estrellas podrían muy bien estar a millardos de años luz de aquí. Nuestro Señor nos ha mostrado por la creación de Adán, Eva, árboles, animales, etc., totalmente completos que Él puede crear una estrella con un rayo de luz totalmente desarrollado que llega a la Tierra no importando qué tan lejos esté. ¡Quizá el tiempo para llegar aquí es acelerado en el espacio exterior, y la velocidad de la luz es más rápida que en los días pasados!

¿De dónde vienen los 9 a 20 millardos de años? Hubble encontró la fórmula matemática y teorética para medir el tiempo de regreso hasta el "Big Bang" inicial. Sus cálculos originalmente estimaron la edad del universo cercano a los 18 a 20 millardos de años. Entonces, hace unos años, algunos otros científicos decidieron que Hubble había cometido un grave error y que sus cálculos estaban equivocados en un 50%. En consecuencia, la edad del universo fue cortada en la mitad (de 18 a 20 millardos de años a 9 a 10 millardos de años) de un plumazo. Algunos científicos aún se aferran a la figura de 20 millardos de años. Ellos se dan cuenta que aun 20 millardos de años no es estadísticamente suficiente para poder evolucionar el universo y toda la diversidad que contiene.

LA ENERGÍA DE COMBUSTIÓN DE LAS ESTRELLAS

Ahora, regresemos a algunas evidencias adicionales para un universo joven. Los astrónomos calculan que ciertos tipos de estrellas podrían tener temperaturas en la superficie de 50,000°C. Esto es "…más de 100,000 veces la energía proveniente de nuestro sol. Quemándose a esa tasa y viendo el tiempo de forma regresiva, el universo entero se habría llenado con la masa de estas estrellas hace solamente unos miles de años."[132]

Algunos evolucionistas harán objeciones, "Pero usted no puede tomar procesos actuales y extrapolar hacia atrás en esa manera." ¿Pues, qué hacen los evolucionistas para encontrar y publicar sus muy viejas fechas? ¡La misma cosa! Ellos evalúan, por ejemplo, procesos actuales como tasas de degradación (media vida), la velocidad de la luz, etc. y extrapolan hacia atrás asumiendo que todo era lo mismo desde el principio (2 Pedro, capítulo 3, nos explica que todo NO es lo mismo desde el Principio—que había un tipo de sistema de cielo y Tierra antes del Diluvio y otro tipo de sistema de cielo y Tierra después del Diluvio).

LOS ÁRBOLES DE PINO BRISTLECONE

Si el Diluvio bíblico ocurrió hace alrededor de 4,500 años y destruyó toda la vida de plantas de la tierra seca, entonces no esperaríamos encontrar plantas que podrían ser datadas con precisión en una antigüedad mayor a los 4,500 años. El árbol del pino bristlecone (Pinus longaeva) es semejante planta. Ha sido llamado el organismo viviente más antiguo en la Tierra y se le ha puesto una edad alrededor de los 5,000 años. Peterson dice, "Es casi como todos si estos árboles fueron plantados en una Tierra vírgen apenas hace 5,000 años."[133]

Solo porque un árbol tiene 5,000 anillos no necesariamente quiere decir que el árbol tenga 5,000 años de edad. Por los

[132] Petersen, p. 44.
[133] Ibid, p. 38.

últimos tres años en nuestro hogar en Texas, nuestros árboles han añadido dos anillos cada año. Tuvimos una primavera lluviosa y después no llovió por dos meses y medio. Al inicio los árboles pasaron a un estado latente inactivos, después con las lluvias de otoño, los frutales de pera Bradford salieron de su inactividad y empezaron a florecer otra vez. Esto les dio dos juegos de anillos en un año. ¡Los árboles de pino de conos son muy antiguos, pero tienen menos de 5,000 años de edad!

LOS RIOS SON JÓVENES

Cada año el río Mississippi acarrea toneladas y toneladas de tierra erosionada hacia el Golfo de México. Los científicos han estado midiendo el crecimiento del delta del Mississippi por muchos años.

> A la tasa actual, el delta entero del río Mississippi se habría acumulado en solamente 5,000 años. Pero, la ciencia admite que el río ha estado aun más grande en el pasado.
>
> ¿Cómo podría ser esto? A menos que por supuesto el continente Norte Americano, y todos los otros continentes, sencillamente no han estado en sus posiciones actuales por más tiempo que eso.[134]

Otro río que los científicos vigilan cuidadosamente es el Niágara. También nos lleva a creer en una Tierra joven.

> Debido a que el borde de las cataratas se está gastando a una tasa conocida cada año, los geólogos admiten que solo ha llevado más o menos unos 5,000 años para erosionarse de su precipicio original.[135]

Algunas medidas han indicado 25,000 años de erosión a tasas pre-hidroeléctricas, mientras que otras personas mencionan

---

[134] Ibid, p. 38.
[135] Ibid, p. 39.

un cañón sosterrado que requeriría otros 10,000 años. Todos estos cálculos asumen una cantidad de agua constante y una tasa estable de erosión. Sin embargo, después de observar la catástrofe del Monte St. Helens, sabemos que después del Diluvio, las primeras aguas que empezaron a correr sobre la superfície de la Tierra pudieron cavar un cañón profundo en unas cuantas horas o días debido a los materiales que llevaban (tierra, rocas, etc.). A menudo grandes pedazos de tierra y rocas bajo las cataratas, como las del Niágara, se desprenden, produciendo aun edades más jóvenes. Suponga que dentro de 200 años usted decidió calcular la edad de las cataratas de Niágara, pero no sabía que en el 2002 una sección inmensa de roca se había desprendido del borde de las cataratas. Usted asumiría que se llevó miles de años para gastar toda la roca del borde de las cataratas, pero ocurrió en un instante. Usted dataría las cataratas mucho más viejas que lo que en realidad eran. Este tipo de error es bastante común cuando los científicos hacen el intento de datar cosas.

LA LUNA RETROCEDIENDO

Añadiendo a la evidencia para una Tierra joven es nuestra luna que está retrocediendo. Los científicos saben qué tan rápido la luna se está alejando de la Tierra (aproximadamente cinco centímetros por año).

Louis B. Slichter, profesor de geofísica en M.I.T. [Instituto de Tecnología de Massachusetts], escribe:

La escala de tiempo del sistema Tierra-luna todavía presenta un gran problema.[136]

Dennis Petersen sigue:

---

[136] Louis B. Slichter, "Secular Effects of Tidal Friction upon the Earth's Rotation," *Journal of Geophyisical Research*, Vol. 8 No. 14 (1964), 4281-4288.

...haciendo un cálculo retrospectivo, éste indicaría que la luna y la tierra estarían tocándose solo hace dos millardos de años. Por supuesto, eso es ridículo. Viéndolo de otro lado: A la tasa actual y partiendo de una realista distancia de separación entre las dos, si la Tierra tuviera cinco millardos de años, ¡la luna debería estar fuera de la vista ahora![137]

Constantemente se presentan nuevas ideas acerca de los orígenes de nuestra luna, tal como que nuestra luna apareció a causa de una colisión entre el planeta Tierra y un planetesimal. Como creacionista, necesitamos darnos cuenta de las ideas nuevas, pero siempre sujetándolas a la Biblia. La Biblia dice:

E hizo Dios las dos grandes lumbreras: la lumbrera mayor para dominar en el día, y la lumbrera menor para dominar en la noche. Hizo también las estrellas (Génesis 1:16).

Dios dice que hizo la luna el mismo día que Él hizo el sol, el cuarto día de la semana de creación. Él no nos dice que hizo la luna por medio de alguna colisión con un planetesimal como las últimas teorías afirman.

LAS ROCAS DE LA LUNA

Cuando las rocas de la luna fueron datadas en los principios de los 1970, la NASA [Administración Nacional de Aeronaútica y Espacio] publicó la edad de las rocas en 4 a 4.5 millardos de años. Varios años y muchas rocas después, ellos publicaron un rango de cifras para las rocas de nuestra luna en 3 a 4.5 millardos de años. Este autor llamó a uno de los geólogos quien dató las rocas y la conversación fue más o menos así:

"Vi en un reportaje reciente que la datación de las rocas de

---

137 Petersen, p. 43.

la luna han sido ajustada a un rango de 1.5 millardos de años. ¡Eso es una diferencia de cifras bastante grande! ¿El rango fue aun más grande que eso?"

"Oh sí, el rango fue de varios miles a más de 20 millardos de años."

"Entonces, ¿por qué la NASA solo publicó el rango de 1.5 millardos de años, en vez del rango completo de más 20 de millardos de años?

"No queríamos confundir al público. Nosotros sabemos que la luna tiene más o menos 3 a 4.5 millardos de años, así que llamamos las cifras fuera de ese rango, cifras discordantes y las eliminamos."

"Las suposiciones determinan las conclusiones" y algunos científicos debían haber decidido de antemano (asumir) que la luna tiene más o menos 3 a 4.5 millardos de años, y esto antes de que fuera traída cualquier roca de la luna. ¿Y qué si las cifras de varios miles de años fueran correctas y no discordantes, aun con sus creencias presuposicionales? Pues, eso confirma la Creación Especial y elimina la posibilidad de la evolución que requiere millones de años. Aparentemente eso fue inaceptable a la NASA hace treinta años.

O, ¿y si las cifras de 20 más de millardos de años fueran correctas? Eso de hecho derriba la matemática de Hubble, y el tiempo del Big Bang otra vez queda al criterio de cada quien. Estos científicos podrían hacerse objeciones y decir, "Pero usamos una curva de campana para calcular nuestras cifras." Bueno, ¿y si las suposiciones que son incorporadas a su sistema de datación tuercen la curva a un lado o a otro? Ya hemos visto que las tres grandes suposiciones invariablemente incluidas cuando los científicos datan las rocas no son válidas.

Usted podría preguntar a un astrónomo de dónde vienen nuestra luna y sus rocas. ¡Algunas respuestas raras saldrán! Los científicos evolutivos no saben de dónde viene nuestra luna. Un creacionista cree que el Dios de la Bíblia creó la luna, el sol y las estrellas como tales, en el cuarto día de la semana de la creación (Génesis 1:14-19). No hay información científica sólida y verdadera que puede refutar una edad joven para la luna. Todas las edades viejas dadas para la luna no son precisas porque las suposiciones detrás de las técnicas para datar no son realistas.

LOS COMETAS DE CORTO PLAZO

De vez en cuando, cometas pasan cerca de la Tierra. Los científicos no solo no pueden decirnos de dónde viene nuestra luna, ni tampoco pueden decirnos acerca del origen de los cometas de corto plazo. Estos son cometas que los astrónomos calculan tienen vidas de no más de 100,000 años. Si el universo tiene entre 9 a 20 millardos de años, y los cuerpos astrales fueron formados como resultado del "Big Bang," la evolución se queda con el dilema vergonzoso de tener que postular teorías para el orígen de los cometas de corto plazo, mismas que no pueden comprobar. De cualquier manera, es de admirar la imaginación de esta gente. Algunas personas realmente creen que Júpiter arroja cometas de sus altos volcanes. El único problema es que los cometas de corto plazo no están hechos de la materia correcta para ni siquiera haber venido de Júpiter, y su órbita en ninguna manera está orientada para poder considerar a Júpiter como "madre." Scott Huse dice:

> Los cometas viajan alrededor del sol y se asume que tienen la misma edad del sistema solar. Cada vez que una cometa se mueve en órbita alrededor del sol, una pequeña parte de su masa se pierde por "ebullición." Investigaciones cuidadosas indican que el efecto de este proceso de disolución en los cometas de corto plazo las habría disipado completamente en alrededor de 10,000 años. Basado en el hecho de que todavía hay numerosos cometas en órbita alrededor del sol y que no se conoce la existencia de ninguna fuente de cometas nuevos, podemos deducir que nuestro sistema solar no puede tener más de 10,000 años. A la fecha, ninguna explicación satisfactoria ha sido dada para desacreditar esta evidencia para un sistema solar joven.[138]

---

138 Huse, *The Collapse of Evolution*, pp. 28, 29.

Una idea para explicar los cometas jóvenes es que hay algo llamado una "Nube de Oort" que está más allá de la órbita de Plutón que genera los cometas (todavía no observado). Otra adivinanza es que mientras las estrellas pasan, ellas "arrojan" los cometas a nuestro sistema solar. Elijo quedarme con la Biblia. !Dios hizo el contenido de los cielos en el cuarto día hace 6,000 años!

EL CAMPO MAGNÉTICO DE LA TIERRA

Una investigación del campo magnético de la Tierra sugiere que la Tierra no puede ser muy vieja, debido a que el campo magnético de la Tierra está perdiendo fuerza. El Dr. Thomas Barnes ha hecho volúmenes de trabajo sobre el agotamiento del campo magnético de la Tierra. La conclusión de su trabajo establece la edad de la Tierra en menos de 10,000 años.[139] Naturalmente, la comunidad evolutiva ha proclamado como inválido el trabajo de Barnes, pero Barnes responde a sus acusaciones muy simple y eficazmente en el *ICR Impact* #122 de agosto de 1983, con título "Earth's Magnetic Age: The Achilles Heel of Evolution [La Edad Magnética de la Tierra: El Talón de Aquíles de la Evolución]. El campo magnético de la Tierra está haciéndose mesuradamente más débil. Hace diez mil años habría sido demasiado fuerte para sostener vida. Si la vida no pudiera haber existido hace 10,000 años debido a la fuerza tremenda del campo magnético de la Tierra, entonces la evolución no habría tenido tiempo para ocurrir.

Algunos objeciones han surgido acerca del trabajo de Barnes. Los procesos geológicos parecen indicar que el campo magnético de la Tierra pudo haberse reversado rápidamente muchas veces en el pasado. El Dr. John Baumgardner ha sugerido que

139 Para ver más: "Origin and Destiny of the Earth's Magnetic Field," T.G. Barnes, *I.C.R. Technical Monograph* No. 4, 1973; también *ICR. Impact* #100, octubre, 1981.

durante los movimientos tectónicos cataclísmicos de la Tierra durante el Diluvio, el magnetismo de la Tierra era inestable.[140]

Me parece que debemos creer que el magnetismo es estable (permitiendo la lenta entropía) desde poco <u>después</u> del Diluvio. Si el polo magnético está constantemente moviéndose y ganando y perdiendo fuerza, surge un problema grande. ¿Cómo navega el Avefría Dorada del Pacífico desde Alaska hasta Hawai por cerca de 6,400 kilómetros de agua oceánica sin señales de marca? ¿Cómo encuentra la ballena jorobada su camino desde el Ártico a los mares ecuatoriales? Magnetita ha sido encontrada en la Jorobada y muchos investigadores han llegado a un consenso de que estas y muchas otras criaturas migratorias utilizan el magnetismo de la Tierra como su sistema de guianza. ¡Si el magnetismo de la Tierra era inconstante, entonces tendríamos muchos animales migratorios totalmente perdidos! Pero si el magnetismo de la Tierra era inestable durante el Diluvio (o en algún punto antes del Diluvio), seguramente interferiría con una perspectiva evolutiva de que estos animales gradualmente establecieron sus rutas migratorias.

Como el Dr. Russel Humphreys dice: "…el campo magnético de la Tierra seguramente tiene menos de 100,000 años de edad; muy probablemente menos de 10,000 años, y encaja bien con la edad bíblica presentada de 6,000 años" (Vea la página web: www.icr.org/pubs/imp/imp-242.htm).

ENCOGIMIENTO DE NUESTRO SOL

Recientemente ha surgido una controversia sobre el encogimiento de nuestro sol. Si las cifras de John Eddy y Adam Boornazian fueran correctas ("Analysis of Historical Data Suggest the Sun is Shrinking," ["Análisis de Datos Históricos Sugiere que el Sol se

---

[140] Para una lectura adicional usted podría empezar con J.R. Baumgardner, "The Imperative of Non-Stationary Natural Law in Relation to Noah's Flood," *Creation Research Society Quarterly* 27:3(1990) 98-100.

está Encogiendo"] *Physics Today* [Física Hoy], Vol. 32 No. 9, septiembre, 1979), nuestro sol habría estado demasiado caliente para que la vida hubiera existido en la Tierra tan solo hace 1,000,000 años. Esto, en efecto, eliminaría la posibilidad de grandes períodos de tiempo requerido por la evolución. Los evolucionistas y evolucionistas teístas han estado tratando de comprobar que Eddy estaba equivocado. Otros ahora afirman que las medidas del sol (medido cuando el planeta Mercurio cruza frente al sol cada año) comprueba que el tamaño del sol no ha cambiado. Tendremos que esperar para ver como se desarrolla esta controversia.[141]

¡De todos modos, existe un cuerpo creciente de evidencia que nuestro sol es muy joven! Según *ICR Impact #276* (www. icr.org/pubs/imp/imp-276.htm), las evidencias para un sol joven incluyen: la oscilación fundamental del sol iguala al modelo para un sol joven, la emisión solar de neutrinos es la de un sol joven y la abundancia del litio y berilio en el sol es consistente con la de un sol joven. Esta evidencia no sorprende en ninguna manera al creacionista que cree en una Tierra joven, debido a que sabemos que el Dios Creador de la Biblia creó el sol, la luna y las estrellas con sus relaciones útiles y necesarias al planeta Tierra hace 6,000 años. Para más información acerca del sol y el colapso gravitacional en oposición a las reacciones termonucleares, lea pp. 58-61 en el libro del Dr. Theodore Rybka, *Geophysical and Astronomical Clocks* [Relojes Geofísicos y Astronómicos].[142] Al final del libro, él tiene algunas tablas que dan una lista de las posibles edades máximas para tales cosas como: la

---

[141] Science Held Hostage es un libro escrito por tres hombres de la Universidad Calvin quienes parecen ser evolucionistas teístas. Ellos no creen en una tierra joven. La controversia de "evolución/creación en seis días" no es un tema para causar que los elegidos pierdan la comunión unos con otros. [Howard J. Van Till, Davis A. Young y Clarence Menninga, *Science Held Hostage* (Downers Grove, Ill: Inter Varsity Press, 1988)].

[142] El Dr. Theodore Rybka en su libro, *Geophysical and Astronomical Clocks* (Irvine, CA: American Writing and Publishing Co, 1993), refuta los argumentos de Hugh Ross y Van Till, Young and Menninga por medio de mostrar que el calor solar se está generado por el colapso gravitacional y no por fusión nuclear.

dispersión de las lluvias de meteoritos—10,000 años; los anillos de Saturno—114,000 años; el polvo en el espacio interplanetario—10,000,000 años; los puentes entre quasars—7,000 años; la tasa de combustión de las estrellas calientes—100,000; etc. ¡Él da una lista de muchas más evidencias que requieren un universo mucho más joven que millardos de años!

RADIOHALOS

Apoyo para una Tierra joven es ofrecido por Robert V. Gentry por medio de sus estudios de radiohalos (pequeños halos que rodean una partícula de materia radioactiva) en madera carbonizada.

Los evolucionistas creen que los depósitos de carbón en la Meseta de Colorado tienen cientos de millones de años. Sin embargo, el "reloj" radiohalo de Gentry sugiere un período de tiempo de solo varios miles de años.[143] Gentry descubrió pedacitos microscópicos de uranio en estos depósitos de carbón mineral. El efecto del uranio radioactivo en el carbón mineral fue producir halos de radiación en el carbón.

Paul Ackerman comenta sobre el trabajo de radiohalo de Gentry:

A medida que un pedacito radioactivo se descompone, la radiación se extiende en todas direcciones, hacia dentro del carbón mineral, una pequeña pero precisa distancia, determinada por la energía radioactiva de la partícula. Al paso del tiempo esta radiación emitida cambiará el color del carbón mineral, formando una esfera bien determinada alrededor del pedacito de uranio el cual queda en el centro. Estas pequeñas esferas de rocas coloradas rodeando un centro microscópico y radioactivo se llaman "radiohalos." Tales radiohalos son la especialidad de Robert Gentry.[144]

143   Robert V. Gentry, et al., "Radiohalos in Coalified Wood: New Evidence Relating to the Time of Uranium Introduction and Coalification," *Science*, 194 (15 de octubre, 1976), 315-317.
144   Paul D. Ackerman, *It's a Young World After All: Exciting Evidences for Recent Creation* (Grand Rapids: Baker Book House, 1986), pp. 104, 105.

¿Cómo entra la partícula de uranio radioactivo al carbón para formar los halos? Ackerman continúa:

> Respecto al centro radioactivo, un pedacito de uranio ha inmigrado, en algún momento del pasado, a su posición actual antes de que la madera fuera endurecida a carbón mineral. A medida que el pedacito de uranio sufre descomposición radioactiva, una forma de plomo es creada. Una vez que el carbón mineral se ha endurecido y el pedacito de uranio ha sido cimentado en una posición fija, este isótopo de plomo empieza a acumularse en el sitio…
> Gentry ha encontrado que la proporción de uranio/plomo en el depósito de carbón mineral de la meseta de Colorado indica que esta formación carbonífera tiene únicamente unos miles de años de edad.[145]

Los halos se forman alrededor de las partículas radioactivas en el carbón mineral e indican una edad joven de solo unos miles de años para el carbón. El carbón mineral de la meseta de Colorado probablemente fue formado durante el juicio del Diluvio en el día de Noé mientras que Dios estaba destruyendo el sistema #1 de cielo y Tierra. Un tipo de polonio tiene una vida media corta de tres minutos. Otro tipo se mide en nanosegundos. ¡Para que estos pedacitos de material se graben en roca y carbón con sus característicos "tatuajes" algo tenía que estar ocurriendo con una velocidad increíble!

Gentry también encontró halos de polonio en roca de granito precámbrica. Supuestamente estas son las rocas más antiguas de la Tierra. Roca precámbrica de granito se llama a la roca del "sótano" de la Tierra porque se piensa que es más antigua que cualquier otra roca. Ackerman sigue revisando el trabajo de Gentry:

> La pregunta que Gentry ha presentado para los evolucionistas es ¿cómo los pedacitos de polonio y sus halos resultantes llegaron a estar en los granitos del sótano…?

El enigma de este: Si el granito está endurecido, el polonio no puede viajar a su ubicación de intrusión. Pero si el granito no está endurecido, ningún halo puede formarse. Por ende, Gentry argumenta que el lapso de tiempo de un estado permeable y líquido al actual estado de roca para estos granitos precámbrios, tenía que ser extremadamente breve. ¿Qué tan breve? ¡Uno de los estudios de isótopos de polonio hecho por Gentry tiene una vida media de tres minutos! ¡Otro tiene una vida media de solo 164 microsegundos!

En el modelo evolutivo, el tiempo requerido para el enfriamiento y solidificación de estos granitos es de millones y millones de años. Gentry cree que estos halos constituyen evidencia poderosa contra la evolución y sus presumidos grandes períodos de tiempo. Él cree que estos halos hablan de una muy rápida formación de estas rocas de la corteza.[146]

Radiohalos en la roca precámbrica del sótano del período precámbrio pueden indicar una edad joven para las rocas más "antiguas" de la Tierra [para más información, lea: *Radioisotopes and the Age of the Earth* (Radioisótopos y la Edad de la Tierra), vea la cita #123]. Walter T. Brown, Jr., (*In the Beginning*) [En el Principio], da una lista de alrededor de treinta relojes de tiempo para la edad de la Tierra que dan una edad de varios miles de años. Él menciona que un análisis de los gases (como del helio) en la atmósfera da una edad joven (varios miles de años) para la edad de la atmósfera.[147] El gas helio se encuentra en rocas profundas y calientes. Si estas rocas tuvieran aunque fuera un millardo de años, el helio habría escapado, pero todavía se retiene en la roca. Esto quiere decir que la roca puede tener solo unos miles de años de edad.[148]

---

[145] Ibid, Ackerman, p. 105.

[146] Ibid, Ackerman, p. 108-110.

[147] Brown, *In the Beginning*, p. 16.

[148] Vea: R.V. Gentry, "Differential Helium Retention in Zircons," *Geophysical Research Letters* 9 (octubre, 1982) pp. 1129-1130

SEDIMENTO DE LOS RÍOS

El sedimento de los ríos y las tasas de erosión indican que la Tierra no podría haber existido como está por millones de años.[149] [Vea también: el Dr. Henry Morris, *The Defender's Study Bible* (La Biblia de Estudio de los Defensores) (Grand Rapids: World Publishing, 1995), Appéndice 5]

LOS ANILLOS PLANETARIOS

Un estudio de los anillos alrededor de varios planetas parece exigir una edad joven para nuestro sistema solar:

> Los anillos que están orbitando alrededor de Saturno, Urano, Júpiter y Neptuno están siendo bombardeados rápidamente por meteoritos. Los anillos de Saturno, por ejemplo, deberían estar pulverizados y dispersados en alrededor de 10,000 años. Puesto que esto no ha pasado, los anillos planetarios muy probablemente son muy jóvenes...
>
> Júpiter y Saturno irradican cada uno más del doble de energía que la que reciben del sol. Venus también irradia demasiada energía. Los cálculos muestran que es muy improbable que esta energía venga de fusión nuclear, degradación radioactiva, contracción por gravedad o cambios de fase dentro de esos planetas. La única otra explicación concebible es que estos planetas no han existido lo suficiente para enfriarse.[150]

AGRUPACIONES ESTELARES

La existencia de grupos de estrellas indica un universo joven. Grupos inmensos de estrellas están viajando por el espacio a velocidades supersónicas, según se nos dice. Los científicos creen que la gravedad mantiene juntas estas veloces grupos de estrellas. Pero los científicos no saben como es que estos grupos de

---

[149] Brown, p. 16
[150] Brown, p. 18.

estrellas podrían mantenerse juntos por millones de años, mientras viajan a velocidades tan altas. Ellas debían haberse "desagrupado" y separado para este tiempo, especialmente con los efectos de la entropía. Sin embargo, ellas siguen agrupadas La única respuesta a este dilema para el evolucionista parece ser la creación especial que ocurrió hace unos cuantos miles de años, no un "Big Bang" hace millardos de años.

EL MONTE ST. HELENS

Cuando toda la demás evidencia falla en comprobar un sistema muy viejo de cielo-Tierra, los evolucionistas regresan a las rocas y las formaciones rocosas, mismas que supuestamente requieren espacios muy largos de tiempo para formarse. La erupción del Monte St. Helens el 18 de mayo de 1980, y la rápida formación de sistemas geológicos alrededor de ello, está desafiando las afirmaciones de la geología histórica. El Dr. Steve Austin y el personal del Instituto para la Investigación de la Creación han estado documentando el fenómeno del Monte St. Helens desde su erupción inicial. Se han observando algunos resultados sorprendentes de la explosión volcánica:.

> Desde 1980 se ha formado en Monte St. Helens una capa de hasta 182 metros de espesor. Estos depósitos se acumularon de la primaria explosión de aire, deslave, olas en el lago, flujos piroclásticos, flujos de lodo, caídas de aire y corrientes de agua …El Monte St. Helens nos enseña que las capas estratificadas que comúnmente caracterizan las formaciones geológicas pueden formarse muy rápidamente por los procesos de flujo.[151]

¡En otras palabras, lo que los geólogos podrían haber pensado llevó miles o cientos de miles de años para formarse como

---

[151] Brown,Steven A. Austin, Ph.D., "Mount St. Helens and Castastrophismo," *ICR Impactl #157,* julio 1986, pp. 1,2. El Dr. Austin también tiene un video excelente sobre este tema.

una columna de roca, de hecho, se formó en el Monte St. (mientras los científicos observaban) en menos de once años! Quizá grandes cantidades de tiempo no son necesarios para producir las capas de roca, después de todo.

Otro fenómeno fascinante de la explosión cataclísmica del St. Helens es la aparente formación de los inicios de fósiles poliestratificados en cinco años. En 1985, los científicos descubrieron que árboles saturados de agua estaban flotando con las raíces hacia abajo (hacia el fondo del lago) en el Lago Spirit. Estos árboles:

> ... están espaciados en una forma casual, no juntos, sobre el fondo del lago, otra vez con la apariencia de ser un bosque in situ [un bosque que creció allí, ed].
>
> Una investigación por buceo de los troncos depositados verticalmente muestra que algunos ya están sólidamente enterrados por sedimentación con más de noventa centímetros de sedimento alrededor de sus bases. Esto demostró que los árboles en posición vertical fueron depositados en períodos diferentes de tiempo, con sus raíces soterradas a diferentes niveles. Si fueran encontrados en el registro estratigráfico (rocas), estos árboles podrían ser interpretados como bosques múltiples que crecieron en niveles diferentes a lo largo de miles de años. Los troncos depositados en una posición vertical en el Lago Spirit presentan, entonces, implicaciones amplias para la interpretación de los "bosques petrificados" en el registro estratigráfico.[152]

¿Que quiere decir todo esto? Hay una capa de fósiles de tipo poliestratos (un árbol atraviesa varias capas o estratos de roca sedimentaria) en Nueva Escocia que tiene más de 610 metros de espesor con los árboles totalmente verticales en diferentes niveles a través de las rocas. Los geólogos han afirmado que una formación como la de Nueva Escocia llevaría cientos de miles de años para formarse. Después de observar

---

152 Austin, *ICR Impact #157*, p.iii.

los árboles del Lago Spirit totalmente empapados de agua, los científicos lo están reconsiderando. Quizá no lleva tanto tiempo como lo habían pensado en el principio para formar los fósiles poliestratos. Esos árboles en el Lago Spirit están alineandose y están siendo soterrados en lo que debería convertirse en roca sedimentaria—¡pero solo unos pocos años han pasado, no cientos de miles de años!

Los árboles del Lago Spirit parecen mostrar un bosque de fósiles en producción. Un ejemplo de un bosque de fósiles existente (parecido al del Lago Spirit) está en el Parque Nacional de Yellowstone y es una atracción turística popular. Basado en observaciones acerca de los árboles verticales del Lago Spirit, el bosque fosilizado de Yellowstone puede tener solo unos miles de años de edad, no millones de años como enseña el Servicio de Parques.

PETRÓLEO INSTANTÁNEO

El 18 de agosto de 1986, el *U.S. News and World Report* [Noticias de los Estados Unidos y Reporte Mundial] comentó: "El año pasado en el Golfo de California, Edmond de MIT [Instituto de Tecnología del Massachusetts] descubrió que la acción de los respiraderos calientes estaba convirtiendo plancton muerto en el sedimento a petróleo, un proceso que normalmente requiere 10 millones de años ocurrió en un instante." Obviamente no requiere millones de años para hacer petróleo si ha sido comprobado que se forma al instante. ¿Sería que la Tierra no es tan vieja como se nos ha informado?

Con las muchas evidencias observables para una Tierra joven, las cuales solo pueden ser contestadas por una Tierra que antes estaba cálida como un invernadero y de repente (alrededor del tiempo del Diluvio) pasó a estar permanentemente congelada en los polos, ¿por qué se aferran todavía los evolucionistas a sus teorías de Tierra vieja/diluvio local? Una sola respuesta parece plausible: ellos no quieren sujetarse en obediencia humilde a su Creador. Ellos rehúsan aceptar al Señor Jesucristo aunque Él se revela a si mismo por medio de Su creación. La evolución de una sola célula al hombre es una mentira y una especulación tonta de los hombres en rebelión contra su Creador.

> Pues la ira de Dios se manifiesta desde el cielo contra toda impiedad e injusticia de los hombres que con injusticia detienen la verdad.
>
> Porque lo que de Dios se conoce es evidente entre ellos, pues Dios hizo que fuese evidente. Porque lo invisible de él —su eterno poder y deidad— se deja ver desde la creación del mundo, siendo entendido en las cosas creadas; de modo que no tienen excusa.
>
> Porque habiendo conocido a Dios, no le glorificaron como a Dios ni le dieron gracias; más bien, se hicieron vanos en sus razonamientos, y su insensato corazón fue entenebrecido. Profesando ser sabios se hicieron fatuos (Romanos 1:18-22).

> El hizo la tierra con su poder;
> Estableció el mundo con su sabiduría
> Y extendió los cielos con su inteligencia.
> (Jeremías 10:12)

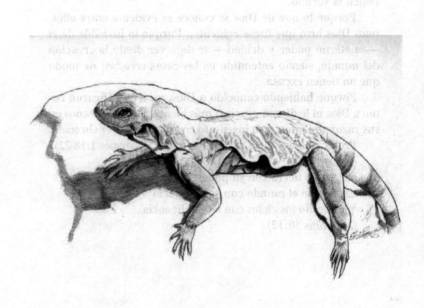

MARAVILLA DE LA CREACIÓN DE DIOS

#9

El Lagarto de Chuckwalla

Los lagartos chuckwalla son lagartos grandes y panzones que tienen una piel floja y holgada. Aunque la piel parece estar demasiado grande, es justamente lo que este lagarto necesita para cuando se acerque un enemigo. Vea, cuando un enemigo se aproxima al chuckwalla, el lagarto corre muy rápido a una grieta en las rocas y se esconde dentro. En la grieta, el chuckwalla traga aire y se infla como un globo. Cuando el enemigo llega el chuckwalla está encajado con seguridad dentro de la grieta. Aunque está fácilmente al alcance, está a salvo. Hace años, los indios de nuestro desierto del sudoeste [de los Estados Unidos de América] aprendieron cómo atrapar el chuckwalla. Ellos perforaron su cuerpo con una flecha para dejar escapar el aire; luego los indios podrían fácilmente sacar el lagarto de su refugio. El hombre es probablemente el único enemigo del lagarto chuckwalla del cual no está completamente a salvo.

Por supuesto, el desierto es muy seco. Algunos chuckwallas viven donde tal vez haya una sola lluvia durante todo un año. En estos lugares áridos el chuckwalla generalmente vive una vida inactiva por la mayor parte del año. Él veranea (descansa- N.del T.), o duerme, casi todo el año a excepción de unos cinco meses.

Mientras vive activamente, el chuckwalla come cualesquiera plantas suculentas que pueda encontrar. Glándulas especiales almacenan el agua de las plantas verdes y el chuckwalla adquiere grasa de esa comida. Generalmente, los chuckwalla están inactivos de agosto a marzo.

Muchas plantas del desierto absorben bastante sal del suelo en que crecen. El chuckwalla recibe suficiente sal de su comida como para matar un animal ordinario. La sal mataría al chuckwalla también si no fuera por sus glándulas especiales que eliminan la sal. Estas glándulas están ubicadas en las ventanas nasales del chuckwalla, y al aumentar la sal en las glándulas, el lagarto estornuda ocasionalmente. El estornudo expulsa la sal cristalizada que las glándulas han filtrado de la corriente sanguínea del lagarto.

El chuckwalla de sangre fría duerme tarde. Pero, cuando se levanta, tiene que calentarse rápido. Las noches y las madrugadas en el desierto a menudo son frías. Las criaturas de sangre fría son lentas y tardas cuando están frías y lagartos fríos son fáciles de atrapar. Por esta razón, el chuckwalla lleva una piel de color oscuro que absorbe fácilmente el calor. El sol calienta al lagarto antes de que el aire se caliente. Mas tarde en el día, la piel del lagarto cambia a un color claro que refleja el calor porque el chuckwalla tampoco debe calentarse demasiado. La racionalidad que encontramos cuando examinamos la estructura corporal del chuckwalla nos obliga reconocer a Su Diseñador. Únicamente Dios, Quien es un Ser inteligente y racional, puede dar razón del orden y diseño evidentes en el lagarto chuckwalla y en toda la naturaleza."[153]

---

[153] DeWitt Steele, *Science: Order and Reality* (Pensacola, FL: A Beka Book Publications, 1980), p. 138. Padres cristianos, ¿se dan cuenta que hay textos de ciencia que sus hijos pueden estudiar, los cuales defienden la perspectiva creacionista y apoyan las enseñanzas de la Biblia?

10

ENGAÑO EN
LOS LIBROS DE TEXTO

S e están promoviendo algunas ideas fraudulentas en las enseñanzas y libros de texto de los evolucionistas? Jonathan Wells, Ph. D. (en biología molecular y celular) de la Universidad de Berkeley en California, da una lista de los fraudes conocidos en las enseñanzas evolucionistas:

Todos nosotros nos recordamos de ellos de nuestra clase de biología: el experimento que creó los "bloques de construcción de la vida" en un tubo de ensayo; el "árbol" evolutivo, enraizado en el fango primitivo y ramificándose hacia vida animal y vegetal. Luego, tenemos las estructuras óseas similares de, por decir, el ala de un ave y la mano humana, las polillas moteadas, los pinzones de Darwin. Y no olviden, los embriones de Haeckel.

Resulta que, la totalidad de estos ejemplos, así como muchos otros, supuestamente presentados como evidencia de la evolución, son incorrectos. No sólo ligeramente incorrectos . No solo ligeramente equivocados. Acerca del tema del evolucionismo darwinista, los libros de texto contenían grandes distorsiones y aún evidencia falseada. No solo estamos hablando acerca de libros de texto de nivel secundario, que alguno podría excusar (aunque no debería) por adherirse a un estándar bajo. Igualmente culpables son algunos de los mas prestigiosos y ampliamente usados libros de texto universitarios, como el de Douglas Futuyama, *Evolutionary Biology* [Biología Evolutiva], y la última edición del libro de texto a nivel post-grado, *Molecular Biologia of the Cell* [Biología Molecular de la Celula] cuyo coautor es el presidente de la Academia Nacional de Ciencias, Bruce Alberts. En efecto, cuando la falsa "evidencia" es sacada, el argumento para evolucionismo darwinista, en los libros de texto por lo menos, es tan débil que casi no existe.[154]

LA POLILLA MOTEADA

La polilla moteada (Bistun betularia) ya no es mas tomada como un ejemplo de selección natural y de evolución en progreso aun y cuando todavía permanece en la mayoría de los libros de texto. La idea presentada en los textos es que durante la Revolución Industrial, el humo y el hollín proveniente de las fábricas, se acumulaba en los troncos de los árboles donde la polilla moteada vivía. A causa de la ceniza sobre el tronco de los árboles, las polillas con colores claros eran menos visibles para las aves, así que las aves comían mas de las polillas con colores oscuros. Esto es enseñado a los estudiantes como un ejemplo de selección natural (uno de los motores principales de la evolución) en acción. Había polillas con colores claros y con colores oscuros antes, durante y después de la revolución industrial. La sorprendente verdad es que las polillas moteadas nunca vivieron sobre los troncos de los árboles como aparecen ilustradas en los libros de texto. Esas ilustraciones que muestran a las polillas sobre un tronco cubierto de ceniza, con la polilla clara apenas visible y la polilla oscura sobresaliendo como almuerzo para el ave mas próxima, ¡son un fraude! Las polillas moteadas nunca descansan sobre troncos de árboles. ¡Polillas muertas fueron pegadas artificialmente sobre el tronco del árbol para las fotos que aparecen en los libros de texto![155] ¡Estos libros de texto fraudulentos están engañando a nuestros hijos!

---

[154] Jonathan Wells, Ph.D., "Survival of the Fakest," *The American Spectator,* diciembre 2000/enero 2001, pp. 19-20. Vea también su libro, *Icons of Evolution: Science or Myth.* [Íconos de la Evolución: Ciencia o Mito] (Washington, D.C.: Regnery Publishing, 2000)

[155] Vea *Creation ex Nihilo,* vol. 21, No. 2, junio-agosto 1999, p. 56; *The Washington Times,* 17 de enero, 1999, p. D8; y *The Calgary Herald,* 21 de marzo 21, 1999.

Mas los malos hombres y los engañadores irán de mal en peor, engañando y siendo engañados (2 Timoteo 3:13).

LA ONTOGENIA RECAPITULA LA FILOGENIA

¿No hemos aprendido todos nosotros que "la ontogenia recapitula la filogenia"? Esta idea significa que, por ejemplo, el embrión humano pasa a través de un estado de pez, de un estado de reptil, etc., mientras se desarrolla en el vientre materno. ¿Recuerda esos dibujos en los libros de ciencia de los embriones de diferentes criaturas y que todos ellos se parecen entre si mientras se desarrollan dentro del huevo o de la matriz? Bueno, esto lo va a irritar un poco, pero ¡alrededor del año 1880[156] se comprobó que esos dibujos de embriones eran falsos! Ernst Haeckel fue puesto en disciplina por sus colegas académicos en 1880 por adicionar u omitir características y arreglar artificialmente la escala "para exagerar similitudes entre especies." Sus dibujos redujeron el tamaño de algunos embriones tanto como diez veces para hacerlos ver similares a otros de especies no relacionadas.[157]

Este FRAUDE de los embriones de Haeckel continúa hoy en día en los libros de texto de nuestros hijos, ¡con el total conocimiento de los autores de los mismos y de los catedráticos y maestros quienes lo enseñan! Uno de estos libros de texto a nivel universitario es *Life, Fourth Edition* (copyright 2002) [Vida, Cuarta Edición, derechos reservados 2002]. (Padres de familia, este libro es el texto de Biología en una universidad "cristiana". Enseña la evolución como un hecho e iguala el creacionismo con la astrología, percepción extrasensorial,

---

[156] Vea: *New Scientist,* 6 de septiembre, 1997, p.23: y *Science,* vol. 277, 5 de septiembre, 1997.

[157] Vea también: M. Richardson, et al., "There is no Highly Conserved Stage in the Vertebrates: Implications for Current Theories of Evolution and Development," *Anatomy and Embryology,* 1997, 196(2): 91-106.

adivinación, los cristales curativos y los fenómenos psíquicos en la página 10). Este libro trata con los dibujos de Haeckel de tal manera que luego de decir que Haeckel tomó "un poco de licencia artística" y que sus dibujos "no representan la escala", dice "los datos muestran que en verdad hay similtudes en estructuras embrionarias, apoyando el concepto de un ancestro común."[158] Este escritor estaría de acuerdo que existen similitudes en la apariencia externa de embriones con unas pocas horas a unos pocos días de edad. ¿Cuánta diferencia puede existir entre embriones de una, dos, cuatro, dieciséis, etc células desarrollándose de tal manera que ellas pueden compartir una atmósfera y una cadena alimenticia común, aunque sean totalmente diferentes organismos?

Aún las preguntas que aparecen al final de la página 329 de *Life* traen los pensamientos de los estudiantes de vuelta a la idea de Haeckel. La pregunta número cuatro dice "¿Porqué embriones de vertebrados parecen similares, pero luego constituyen animales adultos muy diferentes?" ¿Cuál es la respuesta a que los escritores esperan que los estudiantes lleguen? ¿Es, "Los embriones parecen similares debido a que embriológicamente vuelven a trazar su historia evolutiva mientras se desarrollan"?

Al inicio de la página 330 de *Life* , el estudiante es traído de nuevo a las similitudes de los embriones. La Figura 17.13 lleva el título "Similitudes en Embriones" y reproduce un juego de los dibujos de Haeckel y un juego de fotografías de los embriones modernos (Las fotografías modernas fueron, creo, producidas por el embriólogo inglés, el Dr. Michael Richardson en 1997, aunque *Life* no hace referencia a las mismas).

Hay dos filas horizontales de imágenes en el texto. La fila superior de cinco diferentes embriones (pez, salamandra,

---

[158] Ricki Lewis, Douglas Gaffin, Marielle Hoefnagels y Bruce Parker. *Life* (Boston:McGraw Hill, 2002), p.329.

pollo, conejo y humano) son las fotografías reproducidas de Richardson. La segunda fila horizontal, son los dibujos fraudulentos de Haeckel. Existe muy poco parecido entre las fotos y los dibujos. Además, el libro no menciona a los estudiantes si los embriones de los diferentes organismos son de diferentes etapas de desarrollo o si todos son del mismo día y etapa de desarrollo. Los tamaños de los embriones aparecen medianamente iguales en las imágenes del texto, lo cual da la impresión que los embriones de conejos y de humanos ¡no son del todo diferentes!

Si el libro de texto, *Life*, está verdaderamente intentando disipar el mito de que la ontogenia recapitula la filogenia como lo representan los dibujos fraudulentos de Haeckel y lo creen aun muchos evolucionistas, entonces la figura 17.13 está incorrectamente titulada. En lugar de llamarse "Similitudes en Embriones" debería titularse "Los Dibujos Fraudulentos de Haeckel Comparados con los Embriones Reales".

Aún el párrafo explicatorio de la Figura 17.13 es incorrecto. La primera oración dice: "Embriones vertebrados parecen semejantes tempranamente en el desarrollo, reflejando las similitudes de procesos básicos mientras las células se dividen y especializan, como la figura lo muestra para cinco especies." Bien, los únicos embriones que lucen semejantes en la figura 17.13 son los reproducidos por los dibujos de Haeckel, ¡No las fotografías de embriones reales de Richardson! Ateniéndose a los hechos, hay una diferencia de diez veces en el tamaño de la salamandra dibujada por Haeckel comparada con la foto de la salamandra real, como se reportó en *Science* (Ciencia), el 5 de Septiembre de 1997. Esta tremenda diferencia en tamaño, no está ilustrada, ni siquiera mencionada en la leyenda de la figura 17.13 de Life. El mensaje que viene de un lado a otro en *Life* es que los embriones son bastante similares y que esto es lo que esperaríamos debido a que todos venimos de peces a anfibios, a reptiles, a aves y a mamíferos. Cuando una persona tiene puestos sus anteojos de cosmovisión evolutiva de un "universo antiguo" parece que sesgan los hechos y se permiten a si mismos tomar "un poco de licencia artística".

Hacia el final del libro de texto *Life*, los autores escriben: "Hoy en día, la mayoría de biólogos rechazan la ley biogenética (como la perspectiva de Haeckel es llamada)" (página 778). Esta oración se ubica justo al final de la página izquierda mientras usted observa el libro. Sus ojos buscan inmediatamente el inicio de la siguiente página (la 779) donde la primera cosa que observa es la Figura 40.2 titulada: " Similitudes Embrionarias". Y lo que inmediatamente aparece ante sus ojos maravillados es solamente una enorme gráfica, de mas de 15 centímetros por lado, de las ilustraciones de embriones casi idénticas a los dibujos fraudulentos de Haeckel. **¡Los autores de *Life* han hecho su retracción y cubierto sus huellas, pero la imagen que ellos dejan en la mente de los estudiantes es la misma idea errónea que Ernst Haeckel promovió en la década de los años 1880!**

Padres cristianos, ¿han tomado ustedes tiempo para examinar los libros de texto que sus hijos cristianos son forzados a estudiar? ¡Serán sacudidos por la realidad si lo hacen!

Mirad que nadie os lleve cautivos por medio de filosofías y vanas sutilezas, conforme a la tradición de hombres, conforme a los principios elementales del mundo, y no conforme a Cristo (Colosenses 2:8).

ÓRGANOS VESTIGIALES

Cuando éste autor se encontraba tomando una especialización en la Universidad Bucknell allá por los principios de los 1960, se nos enseñaba que el cuerpo humano poseía mas de 100 órganos vestigiales. (Actualmente la suma de 180 estaba lanzada frecuentemente). Estos son según se supone, órganos sin uso y restos de tejidos de alguno de nuestros ancestros evolutivos. Los tiempos han cambiado.

El único órgano que permanece sin que la ciencia moderna halla encontrado una función actual es el pezón del varón. Aún este último vestigio debe ahora ser eliminado de la lista con la llegada de la colocación de anillos en el pezón (¿Una función?).

En recientes semanas, he hojeado seis diferentes libros de texto de biología buscando ejemplos de "órganos vestigiales". Todos ellos tienen fotos muy similares a las de Haeckel con flechas apuntando a lo que los libros llaman "ranuras branquiales". Al llamar los arcos faríngeos "ranuras branquiales" o aun "ranuras branquiales de la faringe" una idea errónea es plantada en la mente del estudiante. Las branquias son usadas para respirar. Si la evolución es verdad y los humanos evolucionaron a través de millones de años de ancestros tipo pez, entonces es lógico que los humanos deben retener ciertos vestigios, en nuestros días embrionarios, de esas épocas hace millones de años cuando éramos peces. Uno de esos vestigios de épocas pasadas es la formación de "ranuras branquiales" en el embrión humano. Excepto por una cosa, las "ranuras branquiales" en el ser humano desarrollándose dentro del vientre materno nunca son usadas para respirar bajo de agua y realmente no tienen ninguna relación con las branquias del pez.

Las "ranuras branquiales" en los humanos son llamadas correctamente bolsas de la faringe. Forman parte de nuestro oído medio, nuestras glándulas paratiroides y de nuestra glándula del timo. Los evolucionistas desean creer que los humanos venimos del pez por lo que nombran parte del bebé humano en desarrollo "ranuras branquiales", aun cuando estas bolsas de la faringe en los humanos no tienen absolutamente nada que ver con respirar bajo de agua mientras estamos en el vientre materno o después de que nacemos.

Las amígdalas no son vestigiales. Ellas no son sobrantes de algún antiguo ancestro. Ellas sí tienen una función. Las amígdalas son parte de nuestro sistema inmunológico, especialmente durante nuestra infancia. Los terceros molares son absolutamente funcionales en la mayoría de las personas, con algunos caucásicos siendo una excepción común.

Y otra cosa: estos mismos libros de texto tienen fotos de embriones humanos con parte del pequeño bebé identificada (el "saco de yema"). Si los humanos venimos de los peces y reptiles, como enseñan los evolucionistas, entonces probablemente tenemos algún residuo de nuestros días como reptiles cuando salimos de un huevo. Este es el órgano que es designado en los embriones humanos por los libros de texto como la "bolsa vitelar". Pero este órgano no está en ninguna manera relacionado a, ó se asemeja a, un huevo de un pez o un reptil. Ha sido nombrado de forma incorrecta como una bolsa vitelar para promover imágenes evolutivas en la mente del lector. Este órgano especial hecho por el Dios de la Biblia es el órgano formador de sangre en los bebés humanos y en los libros de texto debe llamársele como lo que es. Me parece que debemos usar las etiquetas correctas en nuestros libros de texto. Pero, nunca olvidemos que estamos en el sistema del mundo de Satanás y que está constuído sobre engaño. ¡Satanás es el padre de las mentiras!

Cada uno de nosotros tenemos nuestro propio tipo de sangre, y puede que no sea el mismo que el de nuestra madre. Cuando estamos muy pequeños como para tener huesos, pero aun así necesitamos sangre para acarrear los nutrientes por todo nuestro pequeño cuerpo, ¿de donde proviene la sangre? La sangre de nuestra madre no va directamente de sus arterias a las nuestras. De hecho, podemos tener tipos de sangre tan diferentes que pelearían una con otra si las mezcláramos. Entonces, Dios hizo el órgano formador de sangre para formar la sangre especial de cada bebé mientras los huesos del mismo alcanzan suficiente madurez para encargarse de la tarea de formar sangre.

Conocemos una familia en la cual la madre tiene sangre tipo O. Cuando ella estuvo embarazada con su primer niño, cuya sangre era tipo A, algo de la sangre del bebé accidentalmente se filtró en el sistema sanguíneo de la madre. Como resultado, la madre desarrolló anticuerpos en su sangre contra la sangre tipo A. Luego esta madre estuvo embarazada con el segundo bebé. El segundo bebé también tenía sangre tipo A. Una parte de la sangre materna se filtró dentro del sistema circulatorio del bebé, y los anticuerpos maternos comenzaron a destruir las células sanguíneas del bebé. El doctor llamó a esto una reacción de incompatibilidad ABO. Este bebé estuvo muy enfermo hasta que su organismo fue limpiado de todos los anticuerpos maternos.

Los órganos vestigiales no son vestigiales. Ellos tienen funciones. Algunos órganos pueden ser removidos a través de cirugía de nuestros cuerpos (por ejemplo el apéndice, que forma parte de nuestro sistema inmunológico cuando somos bebés) porque el Creador, el Señor Jesús, construyó sistemas de soporte en nuestros milagrosos cuerpos.

... me entretejiste en el vientre de mi madre. Te doy gracias, porque has hecho maravillas. Maravillosas son tus obras, y mi alma lo sabe muy bien (Salmo 139: 13b,14).

EL HOMBRE DE NEANDERTHAL

El ortodoncista Jack Cuozzo, en su bien documentado libro, *Buried Alive* [Sepultado Vivo] (Master Books, 1998), expone los retratos fraudulentos de los cráneos del Neanderthal en los modelos y en las fotos de libros de texto que nuestros hijos deben estudiar. El Dr. Cuozzo tomó fotos radiográficas cefalométricas de los cráneos del Neanderthal e hizo un descubrimiento sorprendente. Todos los modelos y fotos de cráneos de Neandertal, a los que tenemos acceso, han sido alterados.

Cuando usted va al ortodoncista, y le toma una de esas radiografías de la cabeza que le permiten a él hacer mediciones especiales, esto es una radiografía "cefalométrica". Con esta fotografía radiográfica puede establecer con precisión la forma en que sus dientes deberían unirse (oclusión) en relación a la unión de sus mandíbulas (articulación temporomandibular). El Dr. Cuozzo pudo localizar con precisión la posición de los dientes del Neanderthal en relación a su unión mandibular utilizando este tipo de radiografías.

Su descubrimiento fue que en cada foto y modelo que tenemos, la mandíbula inferior había sido dislocada y empujada hacia delante tanto como unos 2.5 centímetros para dar la errónea impresión que el Neanderthal tiene una mandíbula inferior que sobresalía (prognatismo) como la mandíbula inferior de un mono. Cuando el Dr. Cuozzo puso la mandíbula en su lugar correcto, ¡El Neanderthal tenía un perfil facial similar al del humano moderno!

> **Creó, pues, Dios al hombre a su imagen; a imagen de Dios lo creó; hombre y mujer los creó. ... Dios vio todo lo que había hecho, y he aquí que era muy bueno. Y fue la tarde y fue la mañana del sexto día (Génesis 1:27, 31).**

EL ÁRBOL EVOLUTIVO DE LA VIDA

Aquellas fotografías en libros de texto mostrando el "árbol" con una "simple" célula en la base y luego líneas creciendo hacia arriba hasta organismos mas y mas complejos como plantas y animales, son un fraude. Tome una de esas fotos y borre el tronco conector y las ramas. Lo que le queda es un montón de plantas y animales desparramados sobre una página que no tiene relación familiar aparente unos con otros. Algunos evolucionistas muy creativos hicieron estas fotos del "árbol de la vida" para crear la ilusión que todos los organismos vivientes están relacionados con otros. Estas engañosas fotografías de los textos han sido usadas exitosamente para convencer a las personas que la evolución es verdad y que todos los organismos vivientes están conectados.

La razón por la que ellos tienen el tronco y las ramas vacíos, con animales y plantas solamente en los extremos, es porque las

formas intermedias (formas transitivas) no se encuentran por ningún lugar. Estas son llamados los Eslabones Perdidos. Los Eslabones Perdidos son llamados así, primero y sobre todo, porque están
perdidos. ¡No están por ahí! Así que los libros de texto dibujan las
líneas conectoras para darnos la ilusión que los eslabones perdidos
no están realmente perdidos. ¡Esto es fraude en los libros de
texto! Como luego escribió el fallecido Dr. Stephen Jay Gould en
Natural History [Historia Natural] en mayo de 1977, p. 14:

> La extrema rareza de las formas transitivas [hasta lo entendido por
> este escritor, todo lo que Gould está diciendo con estas grandes pa-
> labras es que los eslabones perdidos están, en realidad, actualmente
> perdidos. Pienso que los eslabones perdidos han sido renombrados
> como "formas transitivas" por los evolucionistas porque parecen no
> estar perdidos cuando se utiliza la palabra "transitiva". Pero ellos
> aún permanecen perdidos. Nadie ha encontrado una conexión direc-
> ta entre los peces y los anfibios o entre los reptiles de sangre fría y
> los mamíferos de sangre caliente, etc. –Ed.] en el registro fósil per-
> siste como un secreto comercial de la paleontología. Los árboles
> evolutivos que adornan nuestros libros de texto tienen datos sola-
> mente en las puntas y nodos de sus ramas; el resto es inferencia, que
> aunque razonable, no es la evidencia de los fósiles.

Así que las fotos del "árbol de la vida" en los libros de texto
muestran animales y plantas completamente formadas, los cuales
no están evolucionando de algo o hacia algo. En realidad, ellos
muestran exactamente lo que la Biblia enseña: Dios creó cada
forma de vida según su propio género y no hay nada intermedio
(excepto la imaginación e inferencias de los evolucionista).

> **Después dijo Dios: "Produzca la tierra hierba, plantas
> que den semilla y árboles frutales que den fruto, según su es-
> pecie, cuya semilla esté en él, sobre la tierra." Y fue así...
> Y creó Dios los grandes animales acuáticos, todos los seres
> vivientes que se desplazan y que las aguas produjeron, según su
> especie, y toda ave alada según su especie. Vio Dios que esto era
> bueno...Hizo Dios los animales de la tierra según su especie, el**

ganado según su especie y los reptiles de la tierra según su especie. Y vio Dios que esto era bueno (Génesis 1:11,21,25).

LOS BLOQUES DE CONSTRUCCIÓN DE LA VIDA

Si usted fue a la universidad en la década de los años 1950, recordará el aplauso de los catedráticos cuando Stanley Miller y Harold Urey anunciaron que habían formado los bloques de construcción de la vida en su laboratorio. El Dr. Wells escribe:

En medio de todo, había problemas. Los científicos nunca podían ir mas allá de los simples aminoácidos en su simulado ambiente primario, y la creación de proteínas empezaba a parecer no un simple paso, o un par de pasos, sino una gran, y quizá infranqueable, división.

El "tiro de gracia" para el experimento de Milley-Urey, no obstante, vino en los años 1970, cuando los científicos empezaron a concluir que la atmósfera primitiva de la Tierra no era para nada similar a la mezcla de gases usada por Milley y Urey. En lugar de ser lo que los científicos llaman "reductor" o ambiente rico en hidrógeno, la atmósfera primitiva de la Tierra probablemente consistía de gases liberados por volcanes. Hoy en día casi existe consenso entre los geoquímicos respecto a este punto. Pero ponga esos gases volcánicos en el aparato usado por Miller-Urey, y el experimento no funciona, en otras palabras, no hay "bloques de construcción" de la vida.

¿Qué hacen los libros de texto con este inconveniente hecho? Por lo general, lo ignoran y continuan usando el experimento de Miller-Urey... [Pero] ellos no le dicen a los estudiantes que los investigadores mismos ahora reconocen que la explicación se les escape.[159]

Pues la ira de Dios se manifiesta desde el cielo contra toda impiedad e injusticia de los hombres que con injusticia detienen la verdad...Porque habiendo conocido a Dios, no le glorificaron como a Dios ni le dieron gracias; más bien, se hicieron vanos en sus razonamientos, y su insensato corazón fue entenebrecido. Profesando ser sabios se hicieron fatuos (Romanos 1:18,21,22).

---

[159] Wells, "Survival of the Fakest", p.20.

ALGUNOS COMENTARIOS CONCLUYENTES A ESTE CAPÍTULO

En forma de lista estamos presentando unos cuantos fraudes documentados impuestos a nuestos hijos en sus libros de texto y por sus maestros quienes creen con fe incuestionable en la teoría sin fundamento de la macroevolución. Nuestros hijos están siendo aleccionados con la religiosa cosmovisión del Humanismo (y Marxismo) con su fundamento indispensable –la evolución. ¡Es tiempo que estos perpetradores de fraude sean confrontados! ¿Por qué esta clase de fraude tan obvio y del cual se hace caso omiso, es tolerado por los respetados círculos de la academia?

El conflicto entre las ideas de la creación y aquellas de la evolución están enraizadas en una gran confrontación de cosmovisiones. Nuestra cosmovisión es nuestro conjunto básico de creencias. Los valores que tomamos más preciados son un resultado directo de nuestra cosmovisión. Proverbios 23:7 nos dice que **"...Porque cual es su pensamiento en su mente, tal es él."** Lo que creemos acerca de nuestra existencia brotará ya sea de una cosmovisión bíblica Cristiana o de una cosmovisión humanística con su fundamento de ateísmo y de un universo con millardos de años de edad.

Los evolucionistas y creacionistas estudian exactamente los mismos fósiles. ¡No existe un juego de fósiles para los creacionistas y uno enteramente diferente para los evolucionistas! Es lo mismo para el estudio de animales vivientes. Un creacionista no estudiará animales que tiene alguna diferencia con los animales examinados por el evolucionista. Nosotros ambos, estudiamos los mismos fósiles, animales y universo. Entonces, ¿cómo pueden ideas tan ampliamente diferentes (ideas creacionistas versus ideas evolucionistas) ser obtenidas cuando personas con formación profesional estudian exactamente la misma información? ¿Cómo pueden dos individuos recibirse con grados de maestría de la misma universidad y uno cree en la creación sobrenatural y el otro en la evolución naturalística? La respuesta descansa en sus cosmovisiones. Ambas personas tienen profundas convicciones religiosas relacionadas con sus creencias respecto a sus orígenes. Si no existe Dios, una persona es forzada a especular respecto a los orígenes y a cómo nosotros estamos aquí a través de procesos naturalísticos y sin Dios. Sus lentes de cosmovisión determinan sus creencias acerca de los orígenes.

¡NUESTRAS IDEAS SÍ TIENEN CONSECUENCIAS!

¡LAS SUPOSICIONES DE NUESTRA COSMOVISIÓN DETERMINAN NUESTRAS CONCLUSIONES!

Un conjunto de creencias le da al Dios de la Biblia toda la gloria. El otro sistema de creencias le da toda la gloria al hombre o a la "Madre Naturaleza". ¡El fraude y engaño de la comunidad evolucionista arrebata a nuestro Padre Celestial Su gloria, y roba la alabanza reservada solamente para El (Isaías 48:11)! Estas falsas cosmovisiones nos guían fuera de la simpleza y pureza de la devoción a Cristo (2 Corintios 11:3). Desafortunadamente, somos gente -aun muchos en la iglesia- que han sido tomados cautivos a través de filosofías y vacíos engaños conforme a las tradiciones de los hombres, y a los principios elementales del mundo, mas que conforme a Cristo (Colosenses 2:8)

¡El Creador, el Señor Jesucristo, es el Dios de lo imposible! Nada es tan difícil para El. El puede llamar al cosmos a existencia, formar al hombre del polvo y a la mujer de una costilla (Jeremías 32:17,27).

Es la oración de este autor que cada lector de este libro pueda darse cuenta que está viviendo su vida en una cosmovisión basada en fe. Ya sea que usted haya puesto su fe en una idea de materia eterna, o que su fe descanse en el eterno Dios de la Biblia. ¡Cualquiera de estas ideas tiene sus consecuencias! ¿En dónde ha puesto usted su fe y confianza respecto de su destino eterno? ¡Nunca olvide que la eternidad es un muy largo período de tiempo comparado a este pequeño toque de tiempo que pasamos en la Tierra! Pero usted puede saber con certeza en dónde pasará la eternidad.

Porque la paga del pecado es muerte; pero el don de Dios es vida eterna en Cristo Jesús Señor nuestro... Porque todo aquel que invoque el nombre del Señor, será salvo (Romanos 6:23; 10:13).

MARAVILLA DE LA CREACIÓN DE DIOS

#10

El Pájaro Carpintero

Si hubiera algún animal que rompería las reglas de la evolución de tal manera que no pudiera haber evolucionado, entonces necesitaría a Dios como su Creador. El pájaro carpintero es ejemplo de tal animal. Y si hubiera algún animal (como el pájaro carpintero) que debería haber necesitado a Dios para crearlo, ¿por qué no creer en Dios como el creador de todo lo demás también?

El pico del pájaro carpintero es distinto al de otras aves. Está diseñado para martillear su camino dentro de los árboles más duros. Si el pájaro carpintero evolucionó, ¿cómo desarrollaría su pico tan grueso y resistente? Supongamos que algún pájaro llegó a la conclusión que todo tipo de bichos pequeños, los cuales serían excelentes para su almuerzo, debían estar escondidos bajo la corteza de los árboles. Este pájaro decidió picotear la corteza para penetrarla hasta la madera dura. Con el primer picotazo este pájaro descubrió unos problemas con la manera en que el fue hecho. Su pico se hizo pedazos cuando golpeó fuertemente contra el árbol, sus plumas de cola se quebraron y le dio un dolor de cabeza tipo migraña.

Con su pico destrozado, el pajarito no podía comer y por eso murió. Ahora este pájaro empezó a pensar, "Yo tengo que evolucionar un pico más grueso y unas plumas de cola mas fuertes y algo para prevenir las migrañas." ¡Por supuesto que no! Los animales muertos no pueden evolucionar nada. Sin embargo el pájaro carpintero no sólo tiene un pico con una fuerza de tipo industrial, sino también tiene un cartílago especial entre su cabeza y su pico para absorber algo del impacto causado por los picotazos constantes. Los pájaros carpinteros regresan al hogar cada noche sin dolor de cabeza.

Para ayudar con la absorción de los constantes golpes, el pájaro carpintero tiene plumas de cola singulares por su elasticidad. Usa sus plumas de cola y patas para producir una acción tipo trípode mientras se aferra al árbol. Aun sus patas están diseñadas especialmente para permitirle moverse hacia arriba, abajo y alrededor de los troncos verticales de los árboles. Las patas del pájaro carpintero tienen dos dedos adelante y dos atrás. La mayoría de los otros pájaros tienen tres dedos adelante y uno atrás.

Este diseño de los dedos de dos-mas-dos…junto a las plumas de cola siendo rígidas y aún elásticas permite que un pájaro carpintero agarre firmemente un árbol y se balancee sobre una superficie vertical. Cuando el se prepara para abrir un agujero, las plumas de cola se doblan y se separan, apoyando al pájaro contra la superficie áspera del árbol. De esta manera las patas y la cola forman un trípode eficaz para estabilizar los golpes de martillear dentro la madera.[160]

Suponga que de alguna manera un pájaro, sabiendo que había almuerzo en esos árboles, desarrolló el pico fuerte, el cartílago amortiguador entre el pico y el cráneo, la habilidad para mover su cabeza mas rápido que lo que uno pueda tamborilear los dedos, las patas en "dos-mas-dos" y las plumas

---

[160] Lane P. Lester y Raymond G. Bohlin, *The Natural Limits to Biological Change* (Grand Rapids: Zondervan, 1984), p.24.

de cola super rígidas pero aún elásticas. Este pájaro aún tiene un problema mayor. Se morirá de hambre. ¿Cómo podría halar su almuerzo de insectos a través de los pequeños túneles en los árboles? ¿Alguna vez ha intentado sacar una larva de insecto a través de un pequeño túnel? ¡Ellas se resisten!

Dios ha tenido cuidado del pájaro carpintero al crearle una lengua que es varias veces mas largo de la lengua de un pájaro normal. Lester y Bohlin comentan:

> ...la lengua del pájaro carpintero es algo único entre los pájaros. Cuando está haciendo agujeros dentro un árbol, a veces el pájaro carpintero encontrará túneles de insectos. Su lengua es larga y delgada y se usa para explorar estos túneles en busca de insectos. La punta es como la punta de una lanza con varias barbillas o cabellos que se proyectan hacia atrás. Esto facilita que el insecto se mantenga asegurado mientras es transportado al pico. Una sustancia viscosa y parecida a pegamento cubre la lengua para ayudar también durante este proceso.[161]

¡Que creación mas fascinante! No solo tiene pequeñas barbillas en la punta de su lengua sino que también el pájaro carpintero es una mini fábrica de pegamento. Y el pegamento adhiere con seguridad a los insectos pero no al pico del pájaro carpintero. ¿No son maravillosas las creaciones de Dios?

Pero esto no es todo. La mayoría de las aves tienen la lengua y el pico casi del mismo tamaño. La lengua del pájaro carpintero tiene a los evolucionistas rascándose la cabeza. Puede ser estirada muy allá de la punta del pico del pájaro carpintero mientras examina los túneles de las larvas en busca de comida. El reino animal no muestra otras lenguas como las del pájaro carpintero. La lengua de algunos pájaros carpinteros no viene de su garganta a la boca como en otras criaturas. Por ejemplo, la lengua del pájaro carpintero Verde Europeo baja por la garganta, sigue bajo la

---

[161] Ibid., p. 24.

piel por la parte posterior del cuello, "...sube sobre el cráneo, todo el tiempo bajo la piel, llegando justo en medio de los ojos."[162] ¡En algunos pájaros carpinteros la lengua sale del cráneo entre los ojos y entra al pico por una de las ventanas de la nariz! ¿Como evolucionaría esto? ¿Y de que ancestro heredó el pájaro carpintero lo especial de su pico, patas, plumas de cola, cartílago amortiguador, cráneo mas denso y lengua única?

¿Sabía usted que un pájaro carpintero abre y cierra sus ojos entre cada picoteo? Entre cada picoteo, tan rápido como los disparos de una ametralladora, el pequeño pájaro abre sus ojos, enfoca, apunta su pico, cierra sus ojos y luego golpea el árbol con su pico puntiagudo. El pájaro carpintero no solo cierra sus ojos para evitar que le entren los pedazos de madera, sino también por otra razón muy importante. Los científicos han medido la fuerza del impacto de la cabeza del pájaro contra el árbol de madera dura. ¡La fuerza es tan poderosa que si el pájaro no cerrara sus ojos esta empujaría hacia fuera los globos de los ojos! ¿Ha visto alguna vez un pájaro carpintero ciego? Ellos nunca olvidan cerrar sus ojos. ¡Solo Dios podría diseñar esto!

Si la evolución es verdad y si las aves vienen de los reptiles, muchos otros cambios serían necesarios. Muchos huesos en los pájaros carpinteros (aves) son vacíos para hacerlos livianos para volar, pero los huesos de los reptiles son pesados. Las aves no tienen una vejiga como la tienen los reptiles, lo que significa que no tienen que llevar el peso de agua extra en su vuelo y esto también ayuda para mantener controlado su peso.

Cuando los pájaros carpinteros y otras aves se posan en una rama, sus dedos están unidos a ligamentos de tal forma que cuanto más se relajan, más fuerte se apretan sus dedos a la rama. ¡Esta es la razón por la que un viento fuerte puede estar soplando contra un pájaro carpintero durmiendo sobre la rama sin que el pájaro sea derribado!

---

[162] Ibid., p. 25.

El pájaro carpintero muestra la gloria de su Creador quien es también nuestro Creador. ¿Por qué estudiaría un evolucionista una maravilla de la creación de Dios tal como el pájaro carpintero y aún rehusar creer en Dios el Creador? ¡Una sola respuesta parece tener sentido! ¡Orgullo! ¡Orgullo! ¡Orgullo!

Adrian Forsyth, un evolucionista y experto en las aves escribe lo siguiente acerca de una golondrina de granero (estoy seguro que aplica también a los pájaros carpinteros):

> Darwin, sin embargo, liberó al naturalista contemplativo de ese punto de vista estático [que el Dios de la Biblia creó las aves, Ed.]. Como consecuencia, cada objeto natural ofrece a nuestras imaginaciones una historia y biografía. En lugar de simplemente admirar el nido como una obra tejida sin manos, reflexionamos acerca de como vino para acá y cual es su futuro. Mas importante, empezamos a darnos cuenta que las golondrinas no han sido peones pasivos de la creación ommipotente. Ellas han tenido un papel en su propio destino.163

El hombre "racional" y humanista piensa que él mismo es el "...amo de su destino y el capitán de su alma." Este orgullo cegador no permite la intrusión de un Creador y Dios personal y soberano, sino ve al hombre como el pináculo de todo lo que existe. ¡Ha llegado el momento para que nos humillemos y nos postremos ante nuestro infinitamente justo y poderoso Creador!

> **Si se humilla mi pueblo sobre el cual es invocado mi nombre, si oran y buscan mi rostro y se vuelven de sus malos caminos, entonces yo oiré desde los cielos, perdonaré sus pecados y sanaré su tierra.**
>
> **Ahora mis ojos estarán abiertos y mis oídos atentos a la oración hecha en este lugar (2 Crónicas 7: 14, 15).**

---

163 Adrian Forsyth, *The Nature of Birds* (Ontario, Canada: Camden House Publishing, 1988), p. 16.

...estad sujetos a los ancianos; y revestíos todos de humildad unos para con otros, porque: Dios resiste a los soberbios pero da gracia a los humildes.

Humillaos, pues, bajo la poderosa mano de Dios para que él os exalte al debido tiempo.

Echad sobre él toda vuestra ansiedad, porque él tiene cuidado de vosotros
(1 Pedro 5:5b-7).

No hagáis nada por rivalidad ni por vanagloria, sino estimad humildemente a los demás como superiores a vosotros mismos.

No considerando cada cual solamente los intereses propios, sino considerando cada uno también los intereses de los demás.

Haya en vosotros esta manera de pensar que hubo también en Cristo Jesús:

Existiendo en forma de Dios, él no consideró el ser igual a Dios como algo a qué aferrarse;

Sino que se despojó a sí mismo, tomando forma de siervo, haciéndose semejante a los hombres;

Y hallándose en condición de hombre, se humilló a sí mismo haciéndose obediente hasta la muerte, ¡y muerte de cruz!

Por lo cual también Dios lo exaltó hasta lo sumo y le otorgó el nombre que es sobre todo nombre;

Para que en el nombre de Jesús se doble toda rodilla de los que están en los cielos, en la tierra y debajo de la tierra;

Y toda lengua confiese para gloria de Dios Padre que Jesucristo es Señor (Filipenses 2:3-11) [énfasis añadido].

Oración

"Ten piedad de mí, oh Dios, conforme a tu misericordia. Por tu abundante compasión, borra mis rebeliones. Lávame más y más de mi maldad, y límpiame de mi pecado. Porque yo reconozco mis rebeliones, y mi pecado está siempre delante de mí. Contra ti, contra ti solo he pecado y he hecho lo malo ante tus ojos. Seas tú reconocido justo en tu palabra y tenido por puro en tu juicio...Quita mi pecado con hisopo, y seré limpio; lávame, y seré más blanco que la nieve. Hazme oír gozo y alegría, y se regocijarán estos huesos que has quebrantado. Esconde tu rostro de mis pecados y borra todas mis maldades. Crea en mí, oh Dios, un corazón puro..." (Salmo 51:1-4, 7-10a).

"Bendito sea el Dios y Padre de nuestro Señor Jesucristo, quien me ha bendecido con todas las bendiciones espirituales en los lugares celestiales en Cristo: Según me ha escogido en El desde antes de la fundación del mundo, para que yo fuese santo y sin culpa delante de El en amor: Habiédome predestinado para la adopción de hijos por medio de Jesucristo para El mismo, según el beneplácito de su voluntad, para la alabanza de la gloria de su gracia, por medio de que me ha hecho acepto en el Amado. Por medio de quien tengo redención por su sangre, el perdón de pecado, según las riquezas de su gracia" [Efesios 1:3-7 (paráfasis personal aplicada)].

Señor Jesús, creo en Ti como mi Señor y Salvador. Ayúdame a caminar digno de Ti agradándote en todo, siendo fructífero en cada buena obra, y creciendo en el conocimiento de Dios (Adaptado de Colosenses 1:10).

CONCLUSION

Usted no tiene que cerrar su mente o rechazar cualquier verdadera ciencia que es comprobable científicamente y verificable experimentalmente, para creer en una creación de Dios hecha literalmente en seís días de 24 horas cada uno, hace aproximadamente seis mil años. Podemos creer que el Creador, el Señor y Salvador Jesucristo, creó todo completamente funcional, terminado y en su punto de perfección. Él demostró Su habilidad para actuar sin la necesidad humana de tiempo a través de Sus milagros. La ciencia que "comprueba" que el planeta tiene millardos de años está basada en muchas suposiciones irrazonables y no apoyadas por hechos, promovidas por la religión de humanismo y motivadas por el deseo de ser políticamente correcta.

Así que podemos creer la Biblia al tratar los orígenes de la creación aun y cuando no nos dice todo. Si ciertos tipos de "ciencia" contradicen las Escrituras, podemos estar seguros que estas "ciencias," o son erróneas o, son interpretadas equivocadamente o son entendidas incorrectamente—porque las Escrituras son la verdad eterna. La Biblia no es exhaustiva cuando trata con ciencia pero, ¡lo que dice es verdad! (Vea Juan 17:17; 8:32)

Los evolucionistas se admiten uno al otro que "...los creacionistas tienen el mejor argumento." Esto es porque lo que vemos en la vida y en los fósiles no muestran los tipos emergentes de animales y plantas que son tan necesarias para cumplir siquiera la definición de macroevolución. La evolución de célula-hombre no es científicamente observable para nada. Como a mi amigo Mike Riddle le gusta decir, "La evolución no tiene una explicación para las formas de vida que solamente usan los aminoácidos levógiros, no tiene una explicación para la vida empezando con o sin una atmósfera de oxígeno, no tiene una explicación para la vida empezando en el océano y no tiene una explicación para el origen de la información."[164]

El universo es joven—tiene alrededor de varios miles de años y no billones. El hombre, el dinosaurio y el mastodonte caminaban juntos sobre la Tierra. ¡Los eslabones perdidos están perdidos! ¡Las formas transitivas de vida entre los diferentes géneros de plantas y animales requeridos para comprobar la evolución como verdad, nunca han sido encontrados! Dios creó animales y plantas específicos en el Principio; y, con variaciones menores, estos son lo que vemos el día de hoy. Las mutaciones en los genes no generan nuevas formas de vida, ni siquiera mejoran las que existen. Las mutaciones dañan o matan los organismos en los cuales se presentan. El hombre prehistórico era simio, mono u hombre y no algún tipo de hombre con la apariencia de mono o mono con la apariencia de hombre que estaba evolucionando genéticamente.

El reto religioso para comprobar la evolución desde el "Big Bang" hasta el hombre ocupará la vida singular de muchos, sin embargo terminará en desesperación para todos los que persigan este mito de la fe evolutiva.

La macroevolución es el intento para responder a las grandes preguntas: "¿Cómo llegué acá?" "¿Quién soy yo?" y "¿A dónde voy?" sin creencia en Dios. Dios mismo dice:

Dijo el necio en su corazón: "No hay Dios" (Salmo 14:1).

Mirad que nadie os lleve cautivos por medio de filosofías y vanas sutilezas, conforme a la tradición de hombres, conforme a los principios elementales del mundo, y no conforme a Cristo (Colosenses 2:8).

Así ha dicho Jehová: "Maldito el hombre que confía en el hombre, que se apoya en lo humano y cuyo corazón se aparta de Jehová" (Jeremías 17:5).

---

[164] Vea: Mark Riddle, *The Origen of Life Equipping Manual* (Training ETC, 6619 132nd Ave. NE PMB 239, Kirkland, WA 98033-8627). E-mail: m.riddle@verizon.net

Reconozco, oh Jehová, que el hombre no es señor de su camino, ni el hombre que camina es capaz de afirmar sus pasos (Jeremías 10:23).

Hay un camino que al hombre le parece derecho, pero que al final es camino de muerte (Proverbios 14:12).

El conflicto que empezó en Génesis 3 aún continúa el día de hoy para tomar los corazones y las mentes de la gente, sin embargo, la batalla ya ha sido ganada en la cruz del Calvario.

Pues habéis sido comprados por precio. Por tanto, glorificad a Dios en vuestro cuerpo (1 Corintios 6:20).

Tened presente que habéis sido rescatados de vuestra vana manera de vivir, la cual heredasteis de vuestros padres, no con cosas corruptibles como oro o plata, sino con la sangre preciosa de Cristo, como de un cordero sin mancha y sin contaminación (1 Pedro 1:18, 19).

Y por medio de él reconciliar consigo mismo todas las cosas, tanto sobre la tierra como en los cielos, habiendo hecho la paz mediante la sangre de su cruz (Colosenses 1:20).

Pero Dios demuestra su amor para con nosotros, en que siendo aún pecadores, Cristo murió por nosotros (Romanos 5:8).

Que si confiesas con tu boca que Jesús es el Señor, y si crees en tu corazón que Dios le levantó de entre los muertos, serás salvo (Romanos 10:9).

El Salmo 1 nos dice que hay solamente dos caminos para caminar en este mundo, en el camino de los malvados o en el camino de los justos. Dios se nos ha revelado en la Creación y por la Palabra escrita como el "camino correcto." Un día todos nosotros estaremos parados delante del Señor y Rey Jesús para responder por la manera que hayamos vivido en este mundo, y si lo hemos hecho para Su eterna gloria y alabanza, o para la alabanza del poder y gloria de este mundo. Desde la caída en Génesis 3, el hombre ha estado más interesado en la aprobación de los hombres que en la aprobación de Dios (Juan 5:44; 12:43). ¡Nos comparamos con nosotros mismos antes que con Cristo, y al hacerlo cometemos un gran error (2 Corintios 10:12)!

Aun como "cristianos profesantes" nos hemos vuelto personas que llaman **"...a lo malo bueno; y a lo bueno, malo"** (Isaías 5:20). Más que cualquier otra cosa en estos tiempos engañosos en los cuales vivimos, nos hemos permitido **"...ser extraviado de la sencillez y la pureza que debéis a Cristo"** (2 Cor. 11:3). No hemos llevado **"...cautivo todo pensamiento a la obediencia de Cristo"** (2 Cor. 10:5).

Mi reto para los cristianos y no-cristianos es volver a examinar en donde está invertida nuestra fe en realidad. ¿Será posible que hayamos sido seducidos por los convincentes "argumentos académicos" del mundo, las credenciales impresionantes y el "éxito, poder y prestigio" que resultan de encontrar la verdad aparte de la Palabra de Dios? Su Palabra es verdad (Juan 17:17); es eterna, viva y eficaz (Hebreos 4:12) y no volverá vacía (Isaías 55:11).

Las "suposiciones" no verificables de la comunidad científica son aceptadas sin cuestionamientos en nuestra sofisticada, humanista, impersonal y "políticamente correcta" sociedad de alta tecnología...aún por la mayoría de los cristianos profesantes quienes se esconden detrás de la hipocresía de ser "evolucionistas teístas." (Los evolucionistas teístas dicen: "¡Sí, reconoceré que existe un Dios, pero Él no es suficiente poderoso para hacer nada mas que poner en marcha el proceso y dejar que la macroevolución se encargue de los demás!" Debido a que cualquier forma de macroevolución no es bíblica, entonces es un pecado ser un verdadero cristiano y seguir creyendo en las ideas evolutivas de un universo viejo. Es hacer a Dios lo que queremos que Él sea. Es hacer a Dios a nuestra imagen. Esto no es muy diferente a hacer un becerro de oro, ¿verdad?)

Si los cristianos profesantes estuvieran en la Palabra de Dios tanto, o más, como estamos metidos en las creencias del mundo secular, entonces estaríamos dándonos la oportunidad para crecer en la gracia y el conocimiento de los caminos de Dios y para tener el poder del Espíritu Santo para guiarnos a todo entendimiento. 1 Corintios 3:18, 19b dice: **"Nadie se engañe a sí mismo. Si alguno entre vosotros cree ser sabio en esta edad presente, hágase necio para llegar a ser sabio. Porque la sabiduría de este mundo es locura delante de Dios..."** ¡La macroevolución es parte de la sabiduría de este mundo!

El punto aquí es que siempre regresamos a la fe. ¡Nuestras ideas tienen consecuencias! Se relata que Napoleón dijo una vez, "Al fin y al cabo la espada siempre es conquistada por la mente." ¿Vamos a creer por fe en la materia y energía eterna o en Dios eterno? Todos nosotros vivimos por fe en algún sistema u otro. Ningún hombre puede llegar a tener una fe salvadora en Dios a través de la lógica porque Dios es infinito y nosotros somos finitos. Él es el creador y nosotros somos las criaturas. Él es Santo, pero nosotros somos pecadores.

Existe un gran abismo causado por el pecado que separa al Dios omnipotente y Creador del universo de Sus criaturas caídas (nosotros). Cuando rehusamos aceptar nuestra posición bajo Dios en Su creación (por razón de orgullo y rebelión), entonces buscamos alternativas cómodas. Estas alternativas nos permiten escapar de ser creados a la imagen de Dios y de ser responsables ante Él. Nos dejan ser independientes de Dios, lo cual resultará al fin y al cabo en muerte y separación eterna de Él. ¡La evolución es una de estas alternativas!

Muchas veces los creacionistas son acusados de intentar "desacreditar la ciencia" o a los científicos, una acusación que simplemente no es verdad. La "Ciencia de Orígenes," como la conocemos, está basada en muchas suposiciones, las cuales, por definición, no pueden ser comprobadas. Las suposiciones se vuelven "verdad" cuando los académicos, personas poderosas del sistema de este mundo, arreglan los datos y "lógicamente" defienden su caso [vea el Capítulo 10] mientras la comunidad "cristiana" lo acepta (no saben lo que dice la Biblia) o simplemente no hace nada porque no tienen suficiente convicción para estudiar los datos y hablar en favor de una interpretación creacionista de la ciencia basada en hechos reales.

CRISTO MURIÓ POR PECADORES ORGULLOSOS

La más grande verdad que puede llegar a darse cuenta en esta vida es que Cristo murió por los pecadores.

Porque todos pecaron y no alcanzan la gloria de Dios (Romanos 3:23).

Fiel es esta palabra y digna de toda aceptación. Porque para esto mismo trabajamos arduamente y luchamos, pues esperamos en el Dios viviente, quien es el Salvador de todos los hombres, especialmente de los que creen (1 Timoteo 4:9,10).

El Señor no tarda su promesa, como algunos la tienen por tardanza; más bien, es paciente para con vosotros, porque no quiere que nadie se pierda, sino que todos procedan al arrepentimiento (2 Pedro 3:9).

Sin embargo, vemos a Jesús, quien por poco tiempo fue hecho menor que los ángeles, coronado de gloria y honra por el padecimiento de la muerte, para que por la gracia de Dios gustase la muerte por todos (Hebreos 2:9).

Porque la gracia salvadora de Dios se ha manifestado a todos los hombres, enseñándonos a vivir de manera prudente, justa y piadosa en la edad presente, renunciando a la impiedad y a las pasiones mundanas, aguardando la esperanza bienaventurada, la manifestación de la gloria del gran Dios y Salvador nuestro Jesucristo, quien se dio a sí mismo por nosotros para redimirnos de toda iniquidad y purificar para sí mismo un pueblo propio, celoso de buenas obras (Tito 2:11-14).

Dios dio a su hijo unigénito para lograr ese acto de amor. Si somos evolucionistas no creyentes, evolucionistas teístas o creacionistas no es el punto principal. El punto es: "¿Ante quién doblaremos las rodillas para nuestro destino eterno?" Solo el orgullo y la rebelión nos mantendrán fuera de ese descanso eterno dentro del perdón completo de nuestro Creador-/Salvador. Debemos darnos cuenta que nuestra salvación es provista por nuestro Creador, Quien es nuestro redentor. ¡No es el Big Bang lo que nos salvará, sino nuestro Creador/Redentor, el Señor Jesucristo, Quien ha hablado por el tiempo y el espacio con Su vida y Su Palabra, la Biblia!

> **Porque de tal manera amó Dios al mundo, que ha dado a su Hijo unigénito, para que todo aquel que en él cree no se pierda, mas tenga vida eterna (Juan 3:16).**

> **Pero Jehová es el verdadero Dios; él es el Dios vivo y el Rey eterno. Ante su enojo tiembla la tierra; las naciones no pueden resistir su furor. Él hizo la tierra con su poder; estableció el mundo con su sabiduría y extendió los cielos con su inteligencia (Jeremías 10:10, 12).**

> **Yo hice la tierra y creé al hombre sobre ella. Son mis propias manos las que han desplegado los cielos, y soy yo quien ha dado órdenes a todo su ejército (Isaías 45:12).**

> **¿Cuál de todos ellos no sabe que la mano de Jehová ha hecho esto? En sus manos está la vida de todo viviente y el hálito de todo mortal (Job 12:9, 10).**

> **Venid a mí, todos los que estáis fatigados y cargados, y yo os haré descansar. Llevad mi yugo sobre vosotros, y aprended de mí, que soy manso y humilde de corazón; y hallaréis descanso para vuestras almas. Porque mi yugo es fácil, y ligera mi carga (Mateo 11:28-30).**

> **Y he aquí, yo estoy con vosotros todos los días, hasta el fin del mundo (Mateo 28:20b).**

EPÍLOGO

El 12 de febrero de 2002, cuando comenzó con entusiasmo la revisión de este libro, el Dr. Daniel Sundarsingh vino para ayudarme. Nosotros leímos juntos el devocional *Days of Praise* [Días de Alabanza]. Este pequeño folleto provino del Instituto para la Investigación de la Creación en la forma de publicación trimestral. Es excelente y está fácilmente disponible a través de internet en la pagina www.ICR.org. El devocional para ese día, el 12 de febrero, pareció tan apropiado que lo reproduzco para usted acá:

"¿Hasta cuándo, oh ingenuos, amaréis la ingenuidad? ¿Hasta cuándo los burladores desearán el burlar, y los necios aborrecerán el conocimiento" (Proverbios 1:22)?

Esta antigua pregunta, hecha por el sabio hombre Salomón, fue planteada hace casi 3000 años y permanece aplicable hoy en día. "¿Hasta cuándo? él preguntó. ¿Hasta cuándo los hombres continuarán burlándose del verdadero conocimiento? "El temor de Jehová es el principio del conocimiento; los insensatos desprecian la sabiduría y la disciplina" (Proverbios 1:7).

La respuesta a tu pregunta, Salomón, podrían haber sido no menos de 3000 años. Pedro profetizó "...que en los últimos días vendrán burladores...y dirán, '¿Dónde está la promesa de su venida' (2 Pedro 3:3,4a)? Y Pablo dijo "...que en los últimos días se presentarán tiempos difíciles. Porque habrá hombres...vanagloriosos, soberbios, blasfemos...que siempre están aprendiendo, y nunca logran llegar al conocimiento de la verdad" (2 Timoteo 3:1b,2,7).

A través de la historia, los hombres han despreciado el verdadero conocimiento de Dios y Su creación. Pedro dice que ellos "por su propio voluntad pasan por alto esto" y Pablo dice que ellos "no tienen excusa" (2 Pedro 3:5; Romanos 1:20), pero de todos modos ellos "se deleitan en burlar."

Es notable que su odio contra el verdadero conocimiento de Dios está camuflado en un manto de cientismo y pseudo-conocimiento evolutivo que incluso engaña a muchos cristianos profesantes. "Profesando ser sabios, se hicieron fatuos" (Romanos 1:22), despreciando la verdadera sabiduría y la instrucción de la Palabra de Dios.

"¡A la ley y al testimonio! Si ellos no hablan de acuerdo con esta palabra, es que no les ha amanecido" (Isaías 8:20).

Aquellos que desprecian la Palabra de Dios no les ha amanecido, a pesar de sus pretensiones científicas. "Los sabios atesoran el conocimiento, pero la boca del insensato es calamidad cercana" (Proverbios 10.14). HMM

Dado que el Dr. Henry Morris con su libro, *The Genesis Flood* [El Diluvio del Génesis], consiguió, allá por 1971, iniciarme en esta búsqueda, me gustaría dejarle con esta reflexión en sus propias palabras:

Si habrá algo cierto en este mundo, esto es que no hay evidencia alguna que la evolución esté ocurriendo hoy en dia, o sea, verdadera evolución vertical, de alguna especie simples a alguna especie mas compleja. Nadie ha observado nunca una estrella evolucionar a partir de hidrógeno; vida evolucionar de químicos; especies altas evolucionar de especies bajas; un hombre de un mono; o cualquier otra cosa de esta índole. No es solo que nadie haya observado nunca la verdadera evolución en acción, ninguno conoce como ésta funciona, ni siquiera como podría funcionar. Dado que nadie la ha visto ocurrir (a pesar de miles de experimentos que han intentado producirla) y que nadie ha aparecido todavía con un mecanismo factible para explicarla, parecería ser que ha sido falsificada, por lo menos hasta lo que al mundo presente concierne. Esto no prueba que no haya ocurrido en el pasado, pero los evolucionistas deben reconocer que no es ciencia puesto que no es observable. La evolución debe ser aceptada por fe.[The Defender's Study Bible, Appendix 3] [La Biblia de Estudio de los Defensores. Apéndice 3].

Indice de temas

Indice de autores

Indice de versículos

Notas:

Notas:

Notas:

Notas: